ДАНИЭЛА СТИЛ

ТОЛЬКО РАЗ В ЖИЗНИ

ИЗДАТЕЛЬСТВО

Москва
1999

ББК 84(7США)
С80

Danielle Steel
ONCE IN A LIFETIME
1982

Перевод с английского

Серийное оформление А.А. Кудрявцева

**Печатается с разрешения автора и его литературных
агентов Morton L.Janklow Associates
и "Права и переводы"**

**Исключительные права на публикацию книги
на русском языке принадлежат издательству АСТ.
Любое использование материала данной книги,
полностью или частично, без разрешения
правообладателя запрещается.**

Стил Д.
С80   Только раз в жизни : Роман/Пер. с англ. – М.: ООО
"Фирма "Издательство· АСТ", 1999. – 432 с.

ISBN 5-237-02980-9

Такое чудо случается лишь раз в жизни...
Она была сильной, целеустремленной, талантливой. Она
вызывала любопытство, уважение, зависть. Она умела быть
очаровательной, веселой, неистовой. У нее было все, кроме
счастья.
Больше всего на свете она хотела быть счастливой, но не знала,
как этого добиться. И однажды встретила мужчину, который сумел
объяснить ей, что для счастья нужно лишь одно — научиться
любить и быть любимой...

Посвящается Джону

ТОЛЬКО РАЗ В ЖИЗНИ

Поверь мне, в жизни
    только раз
        момент любви
            находит нас.

Много их,
    лишь к нам
        слепых.
Но если ты
    силен и храбр,
        правдив
            и смел
и рядом
    случай
        пролетел,
не дай ему
    уйти,
ведь нам не знать
    его пути;
любовь исчезнет
    поутру,
а ты сжимаешь
    пустоту.
Услышишь сердцем,
    как судьба
        даст знать
            тебе в окошко:
не бойся, крошка,
    платить сполна.

Любви цена
                    мала
всегда,
            какой бы
                    ни была,
любой ценой
            узнай любовь,
она лишь
            раз
                    находит
                    нас.
(Перевод Т. К. Лепилиной)

Глава 1

Когда в рождественский сочельник в Нью-Йорке идет снег, город внезапно преображается. Если посмотреть из окна на Централ-Парк, можно видеть, как постепенно все окутывает белая снежная пелена, все кажется таким недвижимым, таким спокойным... Однако ниже, на улицах, по-прежнему шумит большой город: гудки машин, людская речь; только гул шагов, транспорта, всеобщей спешки становится приглушенным, как бы неясным.

В последних часах ожидания Рождества есть какое-то замечательное напряжение, готовое вот-вот взорваться смехом и подарками... Прохожие спешат домой с охапками пакетов в руках, уличные певцы колядуют, бесчисленные Санта Клаусы, подвыпившие и румяные, радуются, что наступил последний вечер их торчания на холоде, мамы крепко держат за руку детишек, беспокоятся, чтобы те не упали, улыбаются и смеются. Все торопятся, все взволнованы, всех в этот неповторимый вечер объединяет одно... Веселого Рождества!.. — машут швейцары, радуясь рождественским чаевым. Через день, через неделю возбуждение будет забыто, подарки развернуты, ликер выпит, деньги истрачены, но в сочельник еще ничто не закончилось, все только начинается. Для детей кульминация месяцев ожидания, для взрослых безумного периода покупок, столпотворения, поиска подарков... время свежих, как падающий снег, надежд, ностальгических улыбок, воспоминаний далекого детства и юности. Время воспоминаний, надежды, любви.

Снег шел не переставая, и движение на улицах стало наконец спадать. Сильно похолодало, и только редкие пешеходы брели по снегу, хрустящему у них под ногами. То, что днем было слякотью, теперь превратилось в лед, который скользил, скрытый шестью дюймами свежего снега. Ходить стало опасно, и к семи часам движение совсем замерло. Воцарилась непривычная для Нью-Йорка тишина. Лишь изредка сигналили автомобили да случайные прохожие звали такси.

Голоса дюжины людей, расходившихся с вечеринки из дома № 12 по 64-й улице, звучали как веселый колокольный перезвон. Они смеялись, пели, так как чудесно провели время. На вечеринке были и жженка, и глинтвейн, шампанское лилось рекой, была огромная елка и множество поп-корна. Уходя, каждый получил небольшой подарок: кто флакончик духов, кто коробку конфет, кто миленький шарфик или книгу. Принимали гостей бывший литературный обозреватель газеты «Нью-Йорк таймс» и его жена, известная писательница. Среди приглашенных были подающие надежды писатели, известные пианисты, лучшие красавицы и умы Нью-Йорка. Все они собрались в большой гостиной их городского дома, где дворецкий и две прислуги разносили закуски и напитки. Это была традиционная вечеринка в сочельник, продолжавшаяся обычно до трех-четырех часов утра. В числе немногих, кто покинул ее незадолго до полуночи, была миниатюрная блондинка в большой норковой шапке и длинной темной норковой шубе.

Всю ее фигуру окутывал густой шоколадного цвета мех, а лицо едва виднелось из-под воротника. Она на прощание помахала своим друзьям и пошла домой пешком, а не поехала вместе с ними. В этот вечер она видела достаточно людей, и теперь ей нужно было побыть одной. Ей всегда было тяжело во время рождественского сочельника. Многие годы она проводила его дома, но в этот вечер решила поступить иначе: ей захотелось повидать друзей, хотя бы ненадолго, и все были удивлены и обрадованы ее появлением.

— Рады видеть тебя, Дафна. Наконец-то ты вернулась в Нью-Йорк. Работаешь над книгой?

— Я только начала.

Большие голубые глаза излучали доброту, а нежная свежесть лица маскировала ее возраст.

— И это значит, что ты закончишь ее на следующей неделе?

Было известно, что обычно она пишет очень быстро. Весь же прошедший год был посвящен работе над фильмом.

Веселая улыбка ответила на привычную шутку. Зависть... любопытство... уважение. Она была женщиной, которая вызывала все эти чувства, целеустремленной, решительной, заметной в литературных кругах, хотя по-настоящему в них не вращалась. Всегда казалось, что она чуть в стороне, недосягаема, когда же смотрела на вас, возникало ощущение, что она касается самой души. Казалось, видит все и в то же время как бы не хочет быть замеченной. Когда ей было двадцать три года, она была общительной, веселой, неистовой... защищенной, счастливой. Теперь стала спокойнее, веселость проявлялась лишь в искорках ее глаз эхом похороненного где-то в душе смеха.

— Дафна!

На углу Медисон-авеню она быстро обернулась, услышав сзади шаги, приглушенные снегом.

— А, Джек!

Это был Джек Хокинс, главный редактор ее нынешнего издательства «Харбор и Джонс». Его лицо покраснело от холода, светло-голубые глаза слезились на ветру.

— Может, подвезти?

Она покачала головой и улыбнулась, и опять поразила его своей миниатюрностью, которую подчеркивала огромная норковая шуба. Руками в черных замшевых перчатках Дафна придерживала воротник.

— Нет, спасибо. Мне правда хочется пройтись. Я живу недалеко.

— Но уже поздно.

Всегда, видя ее, ему хотелось ее обнять, как, впрочем, и другим мужчинам. Но он никогда этого не делал. В свои тридцать три ей все еще можно было дать двадцать пять, а порой и двенадцать... Трепетная, свежая, нежная... но не только в этом дело. В ее глазах сквозила тоска, независимо от того, каким бы эффектным ни было лицо. Дафна была одинокой женщиной, хотя этого не заслуживала. Но жизнь была несправедлива к ней, и ее уделом стало одиночество.

— Сейчас полночь, Дафф... — Он не решался, присоединиться ли к медленно удалявшейся остальной компании.

— Сегодня сочельник, Джек. И ужасно холодно. — Дафна усмехнулась, и чувство юмора проснулось в ней. — Я не думаю, что сегодня меня кто-то будет насиловать.

Он улыбнулся:

— Нет, но ты можешь поскользнуться и упасть на лед.

— Ну да! И сломаю руку, и не смогу несколько месяцев писать, ты об этом? Не беспокойся. Следующую вещь я сдаю только в апреле.

— Ну поедем, умоляю тебя. Выпьешь с нами.

Она поднялась на цыпочки и поцеловала его в щеку, похлопав по плечу.

— Иди. Не беспокойся. Я просто не хочу.

После этого она помахала ему, повернулась и быстро пошла по улице, уткнув подбородок в шубу, не глядя ни вправо, ни влево, не обращая внимания на витрины магазинов и лица редких прохожих. Ветру было хорошо на ее лице, а ей было лучше, чем на вечеринке. Подобные встречи, как бы они ни были приятны, сколько бы там ни было знакомых, всегда были одинаковы и утомляли ее. Но в тот вечер ей не хотелось оставаться одной в своей квартире, не хотелось возвращаться мыслями к событиям этого года... не хотелось... это было невыносимо... Даже теперь, когда снежинки покалывали лицо, воспоминания возвращались, и она ускоряла шаг, словно хотела обогнать их.

Почти инстинктивно она добежала до перекрестка, взглянула, нет ли машин — их не было, — и не стала дожидаться зеленого сигнала светофора... словно рассчитывая, что если будет бежать достаточно быстро и перебежит улицу, то ей удастся оставить позади воспоминания. Но они всюду неотступно следовали за ней... особенно в этот рождественский сочельник.

Перебегая Медисон-авеню, Дафна поскользнулась и чуть не потеряла равновесие. На углу она резко повернула налево, чтобы пересечь улицу, и на этот раз вовремя не посмотрела и не заметила длинный, красный, набитый людьми автомобиль-универсал, спешивший проскочить на зеленый свет. Раздался крик женщины, сидевшей рядом с водителем, глухой удар, возглас кого-то из пассажиров, странно завизжали по льду колеса, и машина наконец остановилась. Наступила тишина. А потом все дверцы сразу открылись, и полдюжины человек выскочили наружу. Голоса, слова, крики — все умолкло, когда водитель, подбежав к ней, остановился: женщина, лежавшая на мостовой, напоминала маленькую порванную тряпичную куклу, брошенную лицом в снег.

— О Господи... о Господи...

Он на мгновение беспомощно застыл на месте, а затем бросил на женщину, стоявшую рядом, испуганный и злой взгляд, словно винить надо было кого-то другого, а не его:

— Бога ради, вызови полицию.

Потом он опустился на колени рядом с Дафной, боясь к ней прикоснуться, пошевелить, а еще больше, что она мертва.

— Она жива? — Другой мужчина встал на колени рядом с водителем. От него сильно пахло виски.

— Не знаю.

Не было ни пара от ее дыхания, ни движения, ни звука, ни признака жизни. И вдруг водитель, тронув ее, стал тихо плакать.

— Я убил ее, Гарри... Я убил ее...

Он протянул руки своему другу. Они так и стояли, обнявшись, на коленях; между тем остановились два такси и пустой автобус, и водители выскочили наружу.

— Что случилось?

Внезапно все пришло в движение, начались разговоры, объяснения: она выбежала перед машиной... не посмотрела... он не увидел ее... скользко... не смог затормозить...

— Где, черт возьми, эта полиция, когда она нужна? — ругался водитель, а снег все шел и шел... и он почему-то вспомнил колядку, которую пел со всеми час назад... «Тихая ночь, святая ночь...» Теперь эта женщина лежит в снегу перед ним, мертвая или умирающая, а проклятых полицейских все нет и нет.

— Леди?.. Леди, вы меня слышите? — Водитель автобуса стоял на коленях рядом с ней, наклонившись, пытался почувствовать ее дыхание на своем лице.

— Она жива, — он посмотрел на остальных. — У вас есть плед?

Никто не пошевелился. И тогда почти со злостью:

— Дайте ваше пальто.

Водитель красной машины на мгновение опешил.

— Господи, любезный, ведь, может, она при смерти. Сними пальто.

Тогда тот торопливо подчинился, как и двое других, и они накрыли Дафну кучей пальто.

— Не пытайтесь ее шевелить.

Старый чернокожий водитель автобуса со знанием дела подоткнул под нее тяжелые пальто и осторожно взял в ладони ее лицо, чтобы предохранить его от обморожения. Вскоре показался красный маячок «скорой помощи» — им досталась хлопотная ночь. Так всегда бывало в сочельник. Вслед за «скорой» приехала полицейская машина, мерзко завывая сиреной.

Бригада медиков сразу же бросилась к Дафне, полицейские, поняв ситуацию, двигались не так проворно. К ним поспешил водитель-виновник, уже более спокойный, но ужасно продрогший, ведь его пальто лежало на мостовой. Водитель автобуса наблюдал, как санитары осторожно положили Дафну на носилки. Она не издала ни звука, ни стона. Теперь он увидел, что ее лицо было ободрано и порезано в нескольких местах, но, поскольку она лежала лицом в снегу, кровь не текла.

Полицейский записал показания водителя и объяснил, что необходимо пройти проверку на трезвость, прежде чем его отпустят. Все остальные кричали, что он трезвый, что он выпил в этот вечер меньше других, а пострадавшая выбежала перед машиной, даже не посмотрев, и на красный свет.

— Извините, так положено. — Полицейский непроявлял ни особой симпатии к водителю, ни каких-либо эмоций, когда взглянул на лицо Дафны. Еще одна женщина, еще одна жертва, еще один случай. Он видал и похуже. Почти каждый вечер нападения, избиения, убийства, изнасилования.

— Жива?

— Ага, — шофер «скорой помощи» кивнул. — Пока.

Они как раз надели кислородную маску и распахнули норковую шубу, чтобы проверить, бьется ли сердце.

— Но мы можем ее не довезти, если не поторопимся.

— Куда повезете?

Полицейский торопливо писал рапорт: «Белая женщина неопределенного возраста... вероятно, около тридцати лет».

Водитель «скорой» крикнул через плечо, закрывая дверцу:

— Повезем в Ленокс-Хилл, это ближе всего. Я не думаю, что она дотянет дальше.

— Документов нет?

Это была бы еще одна проблема. Они уже отправили две неопознанные жертвы в морг нынешней ночью.

— Нет, у нее есть сумочка.

— О'кей, мы едем за вами. Я все перепишу там.

Шофер кивнул и скрылся в кабине, а полицейский вернулся к дрожащему водителю, который наконец надел свое пальто.

— Вы собираетесь меня задержать? — Теперь он выглядел испуганным. Для него Рождество мгновенно превратилось в ночной кошмар, когда он вспомнил Дафну, лежащую лицом вниз на мостовой.

— Только если вы пьяны. Мы можем проверить вас на трезвость в больнице. Пусть один из ваших друзей сядет за руль, и следуйте за нами.

Водитель кивнул и скользнул в машину, велев одному из друзей сесть за руль. Когда они ехали за двойным воем сирен в Ленокс-Хилл, больше уже не было ни разговоров, ни радости, ни смеха. Было только молчание.

Глава 2

В приемном отделении царила атмосфера безумной активности, сновали толпы людей, одетых в белое, которые, однако, двигались с точностью артистов балета. Бригада из трех медсестер и врача-ординатора немедленно приступила к работе, как только санитары вкатили Дафну. Были вызваны еще один ординатор и врач-интерн. Норковая шуба была отброшена на стул, торопливо разрезалось платье. Это было сапфирово-голубое бархатное вечернее платье, которое она купила у «Джорджио» в Беверли-Хиллз* в начале зимы, но теперь это не имело значения...

— Перелом таза... сломана рука... рваные раны обеих ног...

На бедре у нее была глубокая рана, из которой теперь струйкой лилась кровь.

— Едва не задело бедренную артерию.

Ординатор быстро измерил давление, проверяя пульс, наблюдая за дыханием. Дафна находилась в шоке, и ее лицо было таким же белым, как лед, на котором она лежала. Вся она теперь носила печать какой-то удивительной отрешенности, обезличенности, анонимности. Она была просто очередным телом. Просто очередным случаем. Но серьезным случаем. И все знали, что следует работать быстро и хорошо — только тогда удастся ее спасти. Одно плечо было вывихнуто, рентген должен был показать, сломана ли нога.

— Травма головы? — спросил второй интерн, приступая к внутривенному вливанию.

И подтвердил кивком:

— Серьезная.

* Беверли-Хиллз — фешенебельный пригород Лос-Анджелеса. — *Прим. пер.*

Старший интерн нахмурился, когда посветил ей фонариком в глаза:

— Господи, можно подумать, что ее сбросили с вершины Эмпайр-Стейт-билдинга*.

Теперь, когда Дафна уже не лежала на льду, все лицо было в крови, и необходимо было наложить с полдюжины швов.

— Позови Гарисона. Он может понадобиться.

Тут была работа и для старшего пластического хирурга.

— В чем дело?

— Сбила машина.

— Сбили и смылись?

— Нет. Он остановился. Полицейские говорят, у него такой вид, будто его сейчас кондрашка хватит.

Сестры молча наблюдали за работой склонившихся над Дафной интернов, а затем медленно перевезли ее в следующее помещение на рентген. Она все еще не двигалась.

Рентген показал перелом руки и таза, трещину бедренной кости; травма черепа оказалась не столь серьезной, как они опасались, но сотрясение мозга было тяжелым — могли наступить конвульсии. Через полчаса ее положили на операционный стол, чтобы сложить кости, зашить лицо и сделать все, что можно, чтобы спасти ей жизнь. Не обошлось без внутреннего кровотечения, но, учитывая ее комплекцию и силу, с какой машина ее ударила, ей вообще повезло, что она осталась жива. Очень повезло. Хотя и сейчас состояние Дафны внушало опасение. В половине пятого утра ее перевезли из операционной в отделение интенсивной терапии, где дежурная сестра подробно ознакомилась с историей болезни и посмотрела на пациентку с выражением крайнего изумления.

---

* Небоскреб в Нью-Йорке. — *Прим. пер.*

— В чем дело, Ваткинс? Вы что, не видели таких случаев?

Дежурный интерн цинично взглянул на сестру, она обернулась и с досадой прошептала:

— Вы знаете, кто это?

— Ну да. Женщина, которую сбила машина на Медисон-авеню прямо перед полуночью... перелом таза, трещина бедра...

— Знаете что, доктор, вы гроша ломаного не будете стоить в своем деле, если не научитесь видеть больше.

На протяжении семи месяцев она видела, что он делает свое дело умело, но с очень малой долей гуманности. У него была техника, но не было сердца.

— Ладно, — произнес он с усталым видом. Общение с медсестрами не доставляло ему особого удовольствия, но он понимал, что это необходимо. — Так кто же она?

— Дафна Филдс. — Она произнесла это почти с благоговением.

— Прекрасно. Но это не значит, что, если я узнал, как ее зовут, у нее стало меньше проблем.

— Вы никогда не читали?

— Я читаю книги и журналы по медицине, — произнес он самоуверенно готовую фразу и тут же вспомнил. Его мать читала все ее книги. Ершистый молодой врач на мгновение умолк:

— Она знаменита, да?

— Она чуть ли не самая известная писательница у нас в стране.

— Это ей не помогло сегодня ночью. — Он вдруг с сожалением посмотрел на маленькое неподвижное тело под белыми простынями и кислородной маской. — Справила, называется, Рождество.

Они долго смотрели на нее, а затем медленно вернулись к сестринскому пульту, где мониторы сообщали о жизненных функциях каждого пациента, находящегося в ярко освещенном отделении интенсивной терапии. Здесь нельзя было отличить день от ночи. Все шло одинаково размеренно двадцать четыре часа в сутки. Некоторых клиентов чуть не до истерики доводил постоянный свет, гудение мониторов и аппаратуры жизнеобеспечения. Это было не самое спокойное место, но большинство пациентов в отделении интенсивной терапии были слишком слабы, чтобы замечать что-либо.

— Кто-нибудь заглянул в ее документы, посмотрел, кого нам следует известить? — Сестра вообразила, что у женщины с таким положением, как у Дафны, должна быть толпа людей, проявляющих о ней заботу: муж, дети, агент, издатель, важные друзья. Однако из газет она знала, как ревностно Дафна оберегала свою личную жизнь. О ней почти ничего не было известно.

— У нее ничего не было, кроме водительского удостоверения, небольшой суммы денег, нескольких квитанций и губной помады.

— Я посмотрю еще раз.

Она достала большой коричневый крафтовый конверт, который уже собирались положить в сейф, и, просматривая вещи Дафны Филдс, почувствовала себя неловко, хотя и понимала, что делает важное дело. Она прочла все книги этой женщины, влюблялась в героев и героинь, порожденных ее фантазией, и многие годы относилась к самой Дафне как к своему другу. А теперь так запросто копалась в ее сумочке. Люди в книжных магазинах часами ждали в очереди, только чтобы получить улыбку и автограф в книге, а она тут обшаривала ее вещи как обычный вор.

— Вы ее почитательница, не так ли? — Молодой интерн был заинтригован.

— Она удивительная женщина, с необычным складом ума, — по глазам сестры видно было, что она недоговаривает. — Многим людям она подарила радость. Когда-то... — Она чувствовала, что глупо это говорить ему, но так было надо. Это был ее долг перед женщиной, которая теперь отчаянно нуждалась в их заботе. — Когда-то она изменила мою жизнь... вернула мне надежду... веру в себя.

Это случилось, когда Элизабет Ваткинс потеряла мужа в авиакатастрофе и сама не хотела больше жить. Она на год уволилась из больницы, сидела дома и горевала, пропивая пенсию, назначенную за Боба. Но что-то в книгах Дафны вернуло ее к жизни, словно Дафне самой была знакома эта боль. Она воскресила в Элизабет желание жить, двигаться, бороться. Она вернулась к работе в больнице, в душе понимая, что к этому ее побудила Дафна. Но как ему это объяснить?

— Она мудрая и необыкновенная женщина. И все, что в моих силах, я постараюсь для нее сделать.

— Это ей может пригодиться, — вздохнул он и взял следующую историю болезни, но подумал, что при случае надо будет сказать матери, что он лечил Дафну Филдс, ведь она, как и Элизабет Ваткинс, ее поклонница.

— Доктор Джекобсон, — сестра мягко обратилась к нему, когда он уже собирался уходить.

— Да?

— Она выкарабкается?

Он на мгновение заколебался, а затем пожал плечами.

— Не знаю. Сейчас слишком рано судить. Внутренние травмы и сотрясение мозга пока внушают много опасений. Особенно пострадала голова.

И он ушел. Надо было заниматься и другими пациентами, не одной Дафной Филдс. Поджидая лифт, он пытался понять, в чем секрет таких, как эта Дафна Филдс. В том ли, что она сочинила хорошую сказку, или в чем-то еще? Почему такие, как сестра Ваткинс, воспринимают ее как свою хорошую знакомую? Неужели все это иллюзия, преувеличение? Что бы это ни было, он надеялся, что им удастся ее вытащить. Он не любил, когда не удавалось спасти пациента, но было бы вдвойне обидно, если бы умер кто-то известный. Одним словом, сплошная головная боль.

Когда дверь лифта за ним закрылась, Элизабет Ваткинс опять обратилась к документам Дафны. Как ни странно, нигде не было написано, кому следует позвонить в экстренных случаях. В ее сумочке не было ничего значащего... Лишь потом в боковом кармашке она нашла потрепанную, с загнутыми уголками фотографию маленького мальчика, сделанную, по-видимому, совсем недавно. Это был очаровательный ребенок с большими голубыми глазами и здоровым, золотистым загаром. Он сидел под деревом, широко улыбался и изображал руками что-то смешное. Кроме этого, были только водительское удостоверение и квитанции, да еще двадцатидолларовая купюра. Жила Дафна на 69-й улице, между Централ-Парком и Лексингтоном, сестра знала, что это красивый, хорошо охраняемый дом, но кто ждал ее там? Странно было сознавать, что, несмотря на очарование книг этой женщины, о ней самой она не знала почти ничего. Нигде не было даже номера телефона, кому позвонить. Пока Элизабет думала над этим, на одном из мониторов появились тревожные сигналы, и ей пришлось вместе с другой сестрой пойти к пациенту в палату 514. Накануне утром у него случился инфаркт, и состояние было тяжелым. Пришлось пробыть с ним около часа. И только в семь утра, когда ее дежурство заканчивалось, она смогла опять подойти к Дафне. Другие сестры проверяли ее состояние каждые пятнадцать минут, но за два часа, что прошли с тех пор, как ее привезли на пятый этаж, изменений не произошло.

— Как она?

— Все так же.

— Данные стабильны?

— Пока без перемен.

Сестра Ваткинс хотела опять посмотреть историю болезни, но поймала себя на том, что не может оторвать глаз от лица Дафны. Несмотря на бинты и бледность, в нем было что-то притягательное. Нечто такое, от чего вам хочется, чтобы она открыла глаза и посмотрела на вас и открыла вам свою тайну. Элизабет Ваткинс стояла рядом с ней, слегка касаясь ее руки. Вдруг веки Дафны стали медленно вздрагивать, и сестра почувствовала, что сердце ее забилось от волнения.

Дафна медленно открыла глаза и посмотрела затуманенным взглядом. Сознание еще не вернулось к ней полностью, и было очевидно, что она не понимает, где находится.

— Джефф? — только и прошептала она.

— Все в порядке, миссис Филдс. — Сестра Ваткинс решила, что Дафна Филдс замужем.

Когда Элизабет произносила эти слова у самого уха Дафны, голос ее был привычно мягким, успокаивающим. Ее интонация обычно вызывала у пациентов вздох облегчения и ощущение безопасности. Но Дафна казалась испуганной и озабоченной, когда ее взгляд сфокусировался на лице сестры.

— Мой муж... — Она вспомнила знакомый вой сирен минувшей ночью.

— С ним все в порядке, миссис Филдс. Все хорошо.

— Он пошел к ребенку... Я не могла... Я не... — У нее не хватило сил продолжать.

Элизабет медленно поглаживала ее руку:

— Не беспокойтесь... Не беспокойтесь, миссис Филдс...

Произнося это, она думала о муже Дафны. Он, верно, уже потерял рассудок, не зная, что приключилось с его женой. Но почему она была одна, в полночь, на Медисон-авеню, в рождественский сочельник? Элизабет ужасно хотелось знать больше об этой женщине, о людях, заполнявших ее жизнь. Были ли они такими же, как те, о ком она писала в своих книгах?

Дафна снова погрузилась в свой беспокойный, наркотический сон, и сестра Ваткинс пошла сдавать дежурство. Она не смогла удержаться и спросила сестру утренней смены:

— Ты знаешь, кто здесь?

— Попробую угадать. Санта Клаус. Кстати, с Рождеством тебя, Лиз.

— И тебя также. — Элизабет Ваткинс устало улыбнулась. Долгая была ночь. — Дафна Филдс, — она знала, что сменщица тоже читала ее книги.

— Правда? — Сестра-сменщица удивилась. — А как она к нам попала?

— Ее сбила машина сегодня ночью.

— Господи, — содрогнулась сестра. — Состояние тяжелое?

— Загляни в историю болезни.

Большая красная наклейка на ней обозначала, что положение пациентки было критическим.

— Ее привезли из операционной около половины пятого. Она пришла в сознание всего несколько минут назад. Я сказала Джейн, чтобы она это записала.

Сестра-сменщица кивнула и посмотрела на Лиз:

— Какая она? — И поняла, что задала глупый вопрос. Как можно было на него ответить, если Дафна в таком состоянии? — Да нет, я так, — улыбнулась она смущенно. — Просто она меня всегда интересовала.

Лиз Ваткинс не скрывала, что разделяет ее интерес.

— Да, и меня тоже.

— А муж у нее есть?

— Вероятно, да. Она спросила о нем, когда очнулась.

— Он здесь? — Маргарет Мак-Гован — сестра, принявшая дежурство, была заинтригована.

— Нет еще. Я не думаю, что кто-либо знает, кому следует сообщить. У нее в бумагах ничего нет. Я там внизу скажу. Он, наверно, жутко волнуется.

— Это будет жестокий удар для него в рождественское утро.

Обе женщины согласно кивнули, и Лиз Ваткинс, расписавшись в журнале, ушла. Но прежде чем уйти из больницы, она зашла в регистратуру на первом этаже и сказала, что у Дафны Филдс есть муж по имени Джефф.

— Это нам не особенно поможет.

— Почему?

— Их телефона нет в справочной. По крайней мере Дафна Филдс у них не значится. Мы ночью проверяли.

— Проверьте Джеффа Филдса.

И из любопытства Лиз Ваткинс решила на пару минут задержаться и посмотреть, что получится. Девушка из регистратуры позвонила в справочную, но Джефф Филдс у них также не значился.

— Может, Филдс — это псевдоним?

— Нам это ничего не даст.

— Так что же?

— Подождем. Скорее всего ее семья теперь в панике. Они, вероятно, позвонят в полицию, в больницы и найдут ее. Она же не просто неизвестно кто. А в понедельник можно позвонить ее издателю.

Девушка в регистратуре, видно, тоже узнала, кого привезли сегодня ночью. Она с любопытством посмотрела на Лиз:

— Как она выглядит?

— Как пациент, которого сбила машина. — Лиз помрачнела.

— Она выкарабкается?

Лиз вздохнула:

— Надеюсь.

— И я тоже. Господи, она единственный автор, которого я могу переваривать. Я перестану читать, если она не выкарабкается.

Предполагалось, что эта фраза должна быть забавной, но Лиз уходила из центральной регистратуры раздосадованная. Получается, что та, наверху, не живой человек, а просто фамилия на обложке книги.

Лиз вышла на улицу, где под лучами зимнего солнца ярко сверкал снег. Она поймала себя на том, что думает о женщине, скрывающейся под именем Дафна Филдс. Лиз редко «брала домой» пациентов. Но это была Дафна Филдс. Женщина, с которой, как ей казалось, она знакома уже четыре года. И когда она дошла до станции метро «Лексингтон-авеню» на 77-й улице, то вдруг остановилась и посмотрела в сторону центра. Адрес из истории болезни находился всего в нескольких шагах от места, где она сейчас стояла. Почему бы ей не пойти к Джеффу Филдсу? Он, должно быть, сейчас сходит с

ума, не зная, куда делась его жена. Это, конечно, нару-
шало обычный порядок, но, в конце концов, мы же все
люди. И он имеет право знать. Если она сейчас ему
скажет и тем самым сократит безумные поиски, что в
этом плохого?

Ее ноги сами выбирали направление. Она шла по
соли, которой был посыпан свежевыпавший снег, и, дойдя
до 69-й улицы, повернула направо к Централ-Парку.
Минутой позже Лиз уже стояла перед нужным домом.
Он был именно таким, каким она себе его представляла — большим, красивым, кирпичным, с темно-зеле-
ным козырьком. В подъезде стоял швейцар в ливрее.
Он открыл ей дверь с видом следователя и спросил:

— Вы к кому?

— Здесь квартира миссис Филдс?

Как странно, подумала она про себя, глядя на
швейцара. В течение четырех лет она читала ее книги
и теперь стояла в вестибюле ее дома, словно была
с ней знакома.

— Мисс Филдс нет дома.

Она заметила, что у него английский акцент. Это
было как кино или сон.

— Я знаю, я хотела бы поговорить с ее мужем.

Швейцар сдвинул брови:

— У мисс Филдс нет мужа.

Он говорил авторитетным тоном, но ей захотелось
его переспросить, уверен ли он в этом. Может, он здесь
недавно и не знает Джеффа. Или, может, Джефф —
это просто ее любовник, но ведь она сказала «мой муж»
На мгновение Лиз смутилась.

— А еще кто-нибудь дома есть?

— Нет.

Он смотрел на нее настороженно, и она решила
объяснить:

— С мисс Филдс нынче ночью произошел несчастный случай.

В подтверждение она распахнула пальто, демонстрируя белый халат, и показала накрахмаленный чепец, который всегда носила в полиэтиленовом пакете.

— Я медсестра из больницы Ленокс-Хилл, и мы не нашли никаких данных о ее родственниках. Я подумала, может...

— Она в порядке? — Швейцар выглядел действительно обеспокоенным.

— Неизвестно. Кризис еще не миновал, и я подумала, что... С ней вообще живет еще кто-нибудь?

Но он только покачал головой:

— Нет. Каждый день приходит прислуга, но не в уик-энды. И ее секретарь, Барбара Джарвис, но ее не будет до понедельника.

Барбара сказала ему это с улыбкой, когда вручала рождественские чаевые от Дафны.

— А вы не знаете, как я могу ее найти?

Он снова в замешательстве покачал головой, и тогда Лиз вспомнила фотографию маленького мальчика.

— А ее сын?

Швейцар странно посмотрел на нее, как будто она была ненормальной:

— У нее нет детей, мисс. — В его взгляде промелькнуло что-то дерзкое и покровительственное, и Лиз было усомнилась, не врет ли он. Но он посмотрел ей в глаза с холодным достоинством и произнес:

— Она, знаете ли, вдова.

Эти слова поразили Лиз Ваткинс почти как физический удар. Минутой позже, поскольку говорить уже больше было не о чем, она медленно возвращалась к станции метро и чувствовала, как глаза жгут слезы, выступившие не от холода, а от собст-

венной беспомощности. Словно она опять ощутила
со всей остротой смерть ее собственного мужа, ощутила ту боль, которая терзала ее весь первый год
после его гибели. Так, значит, она это тоже... значит, это не были просто выдуманные истории. Теперь Лиз Ваткинс чувствовала еще большую близость
к ней. Дафна была вдовой и жила одна. И у нее
не было никого, кроме секретаря и прислуги. И Лиз
Ваткинс поймала себя на мысли, что женское одиночество было автором этих книг, полных мудро-
сти, сострадания и любви. Возможно, Дафна Филдс
была так же одинока, как сама Лиз. «И это тоже
нас роднит», — думала Лиз, спускаясь в недра нью-
йоркской подземки.

Глава 3

Дафна безвольно плакала в тумане своего беспамятства, когда яркий свет, как ей показалось, стал пробиваться сквозь мглу откуда-то издалека. Она с большим трудом пыталась сосредоточиться на нем. И свет на время приближался, а потом пелена окутывала ее вновь, словно она уплывала от берега, теряя из виду последние, едва видимые ориентиры и слабо мерцающий вдали маяк.

В этом свете, звуках, запахе было что-то очень знакомое и пугающее. Дафна не знала, где находится, но чувствовала, что уже побывала здесь прежде и что со всем этим связано что-то очень и очень плохое. В какой-то момент, лежа в забытьи, Дафна издала слабый стон, когда ей привиделась огненная, непроходимая стена. К ней тут же подошла дежурная сестра и сделала очередной укол. Через мгновение не стало воспоминаний, не стало пламени, не стало боли. Дафна опять уплыла на одеяле из мягких, пушистых облаков, какие можно видеть в иллюминатор самолета: нереальных, чистых, огромных... таких, на которых хочется танцевать и прыгать... она услышала где-то вдалеке собственный смех, и ей привиделся Джефф, который рядом такой же, каким он был давным-давно...

— Побежали наперегонки вон до той дюны? А, Дафодиленок?

Дафодиленок... Дафоутенок... Дафи-Принцесса... Смешная мордашка... Он придумывал ей тысячи прозвищ, и в его глазах всегда был смех, смех и что-то очень ласковое, что предназначалось только ей. Бег наперегонки был, конечно, озорством, как и многие их выдумки. Его длиннющие, мускулистые ноги гнались за ее, тонкими и изящными, и рядом с ним она выглядела как ребенок, как летний цветок на пригорке где-нибудь во Франции... Ее большие голубые глаза сияли на загорелом лице, а золотистые волосы развевались на ветру.

— Побежали, Джеффри...

Дафна, смеясь, бежала рядом с ним по песку. В двадцать два года ей можно было дать двенадцать. Она была проворной, но тягаться с ним не могла.

— Давай... давай!

Но прежде чем они добегали до дальней дюны, он сбивал ее с ног и заключал в объятия, а его губы приникали к ее губам с той знакомой страстью, от которой у нее всегда захватывало дух, стоило ему к ней прикоснуться. Так было и в тот первый раз, когда ей исполнилось девятнадцать. Они познакомились на собрании Ассоциации адвокатов. Дафна освещала его для газеты «Дейли Спектейтор» Колумбийского университета. Она изучала журналистику и с большой серьезностью и ответственностью готовила серию статей о преуспевающих молодых адвокатах. Джефф мгновенно обратил на нее внимание и каким-то образом ухитрился улизнуть от своих товарищей и пригласить ее на обед...

— Я не знаю... Мне бы надо...

Волосы, собранные на затылке в тугой узел, в него воткнут карандаш, в руке блокнот, и эти огромные голубые глаза, которые глядели на него с некоторым налетом озорства. Казалось, она дразнит его, не произнося ни слова.

— А вам разве не надо работать?

— Мы оба будем работать. Вы можете взять у меня интервью за обедом.

Потом, через несколько месяцев, она обвинила его в самонадеянности, но была не права. Ему просто ужасно хотелось побыть с ней. И он своего добился. Они купили бутылку белого вина, немного яблок и апельсинов, длинный французский батон и немного сыра, потом зашли поглубже в Централ-Парк, взяли напрокат лодку и дрейфовали в ней по озеру, разговаривая о его работе и его учебе, о путешествиях в Европу, летних каникулах, которые в детстве доводилось проводить в Южной Калифорнии, Теннесси и штате Мен. Ее мама была из Теннесси. Внешне Дафна была похожа на изнеженную красавицу южанку, пока из разговора с ней не выяснилось, какая она волевая и целеустремленная. Джефф и не думал, что южанка может быть такой. Отец Дафны был из Бостона, он умер, когда ей было двенадцать. После этого они опять вернулись на Юг, который Дафна возненавидела. Так продолжалось до тех пор, пока она не поступила в нью-йоркский колледж.

— А что ваша мама думает об этом? — его интересовало о Дафне все. Сколько бы она ему ни рассказала, ему хотелось знать еще больше.

— Я думаю, она смирилась. — Дафна сказала это с легкой улыбкой, а ее глаза опять засветились так, что тронули Джеффри до глубины души. К ней невозможно было остаться равнодушным. В ней было что-то пленительное и приятное и в то же время нечто неистовое и порывистое.

— Она решила, что, несмотря на все ее усилия, я все-таки проклятая янки. Но этого мало, я сделала нечто непростительное, я обзавелась мозгами.

— А что ваша мама имеет против мозгов? — рассмеялся Джеффри. Эта девушка ему нравилась. Она ему в самом деле чертовски нравилась, решил он, стараясь не пялить глаза на длинный разрез ее бледно-голубой льняной юбки и стройные ноги под ней.

— Моя мама считает, что ум надо скрывать. Южные женщины очень скрытны. Пожалуй, лучше будет сказать, хитры. Многие из них ужасно сообразительны, но не любят этого показывать. Они играют.

Последнюю фразу она сказала с тягучим южным акцентом, достойным Скарлетт О'Хара, и оба они расхохотались. Было прекрасное июльское утро, и полуденное солнце пекло их непокрытые головы.

— Моя мама имеет степень магистра истории средних веков, но она никогда в этом не признавалась. — Знаешь, она просто красивая ленивая южанка. — Это она опять произнесла с южным акцентом и улыбкой своих васильковых глаз. — Одно время я думала стать юристом. Какая это профессия?

Она вдруг опять показалась ему совсем иной, и он со вздохом удобно откинулся в маленькой лодке.

— Трудная. Но мне нравится.

Он специализировался по издательскому праву, и это ее больше всего заинтересовало.

— Вы хотите перейти на юридический?

— Может быть, — и она тут же покачала головой. — Нет, конечно, нет. Я подумывала об этом. Но мне кажется, что писать — это мне больше подходит.

— Что писать?

— Не знаю. Рассказы, статьи.

Дафна слегка покраснела и опустила глаза. Она не решалась признаться ему, что на самом деле хотела бы делать. Ведь это могло и никогда не исполниться. Только порой ей казалось, что это возможно.

— Я бы хотела когда-нибудь написать книгу. Роман.

— Так в чем же дело?

Она расхохоталась, он же подал ей очередной стакан вина.

— Чего проще, да?

— Почему нет? Раз вы хотите, у вас наверняка получится.

— Мне бы вашу уверенность. А на что я буду жить, пока буду писать свою книгу?

Дафна истратила последние деньги, которые отец завещал ей на ученье, и, ввиду того, что предстоял еще год учебы, уже беспокоилась, что скромной стипендии может не хватить. Ее мать не могла ей помочь. Камилла Бомон работала в одном фешенебельном магазине готового платья, в Атланте, и несмотря на это, зарплаты ей самой едва хватало на жизнь.

— Вы могли бы выйти за богатого. — Джеффри улыбался, но Дафне не было смешно.

— Вы говорите, как моя мама.

— Она этого бы хотела?

— Конечно.

— А что вы думаете делать, когда закончите учебу?

— Подыщу подходящую работу в журнале, может быть, в газете.

— В Нью-Йорке?

Она кивнула, а Джефф, сам не зная почему, почувствовал облегчение. Вдруг он посмотрел на нее с любопытством, наклонив голову набок.

— Дафна, а этим летом вы не собираетесь домой?

— Нет, я хожу на занятия и летом. Так я раньше закончу.

У нее не было достаточно денег, чтобы устраивать себе каникулы.

— Сколько вам лет?

Получалось, что он берет у нее интервью, а не она у него. Она не задала ему ни единого вопроса о собрании Ассоциации адвокатов или о его работе. С тех пор как они оттолкнули маленькую лодку от пристани, они говорили только друг о друге.

— Мне девятнадцать. — Дафна это сказала неожиданно дерзко, как будто привыкла к тому, что ей всегда давали меньше. — А в сентябре мне будет двадцать и я буду выпускницей.

— Потрясающе. — Его глаза засветились доброй улыбкой, и она покраснела. — Я серьезно. В колумбийском колледже трудно учиться, вам, наверное, приходится чертовски много заниматься.

По его тону она и так могла догадаться, что он не подтрунивает, и это ее обрадовало. Он ей нравился. Пожалуй, даже очень. А может, причиной всему было солнце и вино, но, глядя на него, она понимала, что дело еще и в другом. В линии его рта, доброте глаз, красивой силе рук, которые время от времени неторопливо касались весел... и в том, как он смотрел на нее, с интересом и умно... в его отзывчивости.

— Спасибо, — ее голос прозвучал очень тихо и мягко.

— А чем вы еще занимаетесь?

Вопрос ее смутил:

— Что вы имеете в виду?

— Как вы проводите свободное время? Ну, когда не делаете вид, что берете интервью в Централ-Парке у слегка пьяных адвокатов.

Она рассмеялась в ответ, и ее смех повторило эхо, поскольку они проплывали под небольшим мостом.

— Разве вы пьяны? Тут, должно быть, дело в солнце, а не в вине.

— Нет. — Джефф медленно покачал головой, когда они выплывали из-под моста. — Я думаю, причина в вас.

Он наклонился и поцеловал ее, а потом они до вечера гуляли. Обнявшись, они брели в направлении зоопарка, где смеялись над бегемотом, бросали орехами в слона и пробежали по обезьяннику, со смехом зажимая носы. Джефф хотел, чтобы Дафна прокатилась на пони, как девочка-малышка, но она со смехом отказалась. Вместо этого они прокатились по парку в красивом экипаже и под конец побродили по 5-й авеню, в тени деревьев, пока не дошли до 94-й улицы, где она жила.

— Хочешь зайти на минутку? — Она робко улыбнулась, держа в руке красный шарик, который он ей купил в зоопарке.

— С удовольствием. А твоя мама не осудит?

Ему было двадцать семь, и на протяжении трех лет, с тех пор как закончил юридический факультет Гарвардского университета, он ни разу не думал ни о чьих матерях, а тем более их осуждении или одобрении. Впрочем, на одобрение нечего было и рассчитывать. Со времени окончания учебы у него было множество мимолетных знакомств и ни к чему не обязывающих связей.

Дафна засмеялась в ответ, встав на цыпочки и положив руки ему на плечи:

— Да, мистер Джеффри Филдс, моя мама этого не одобрила бы.

— Почему? — Он притворился обиженным. В это время мимо них прошли супруги-соседи, возвращавшиеся с работы. Они посмотрели на Дафну с Джеффом и улыбнулись. Оба были молоды, красивы и очень подходили друг другу: волосы у него были темнее, чем у нее, глаза пронзительно серо-зеленые, черты лица такие же правильные, как у нее, а молодая сила резко контрастировала с ее хрупкостью, особенно когда он ее обнимал. — Потому что я янки?

— Нет... — Она склонила голову набок, и он почувствовал, как у него все плавится внутри, когда коснулся ее осиной талии. — Потому что ты намного старше и слишком привлекателен... — Она улыбнулась и мягко высвободилась из его объятий. — И еще потому, что ты, наверно, перецеловал уже половину девушек в городе, — она опять засмеялась, — включая меня.

— Ты права. Моей маме это тоже не понравилось бы.

— Ладно, тогда пойдем наверх пить чай, а я не скажу твоей маме, если ты не скажешь моей.

Подруга, с которой она снимала жилье, уехала на летние каникулы, и квартира была в полном распоряжении Дафны. Она была маленькая, но вполне сносная, скромная и не безобразная. Дафна угостила его чаем со льдом, к которому подала мятный ликер и замечательное нежное лимонное печенье. Джефф сел рядом с ней на диван и вдруг обнаружил, что уже восемь вечера, а ни усталости, ни скуки нет и в помине. Он не мог отвести от нее глаз и знал, что наконец встретил женщину своей мечты.

— Как насчет ужина?

— А я тебя еще не утомила? — Она сидела, поджав под себя ноги. Часы пролетали словно минуты. Солнце как раз зашло за Централ-Парком, а встретились они в полдень.

— Я думаю, что ты меня никогда не утомишь, Дафф. Ты выйдешь за меня замуж?

Она засмеялась в ответ, взглянув в его лицо, заметила в глазах что-то необычайно серьезное.

— В дополнение к ужину или вместо него?

— Я же серьезно, ты знаешь.

— Ты с ума сошел.

— Нет. — Он смотрел на нее осмысленно. — На самом деле, я соображаю чертовски хорошо. Я на выпуске был пятым из всего курса, у меня действительно хорошая работа, и когда-нибудь я стану сильным и преуспевающим юристом. Ты будешь писать бестселлеры, и... — он сощурил глаза, как бы прикидывая, что дальше, — у нас будет, скажем, трое детей. Мы могли бы иметь двоих, но ты так чертовски молода, что у нас может появиться третий, прежде чем тебе исполнится тридцать. Как, по-твоему?

Она смеялась, не в силах остановиться.

— По-моему, ты сумасшедший.

— Ладно, я сдаюсь. Ограничимся двумя детьми. И собакой. Лабрадором.

Она, смеясь, покачала головой.

— Ладно. Французский пудель.

— Ты перестанешь?

— Почему? — Он вдруг стал похож на маленького мальчика, а она опять ощутила то же учащенное сердцебиение, которое чувствовала весь день, пока была с ним. — Разве я тебе не нравлюсь?

— Я думаю, ты неподражаем. И совершенно сумасшедший парень. Ты со всеми применяешь такую тактику или только с неопытными студентками вроде меня?

Джефф казался абсолютно серьезным и спокойным.

— Я еще никогда и никому не делал предложения, Дафна. Никогда. — Он откинулся на спинку дивана. — Когда мы поженимся?

— Когда мне будет тридцать.

Она скрестила руки на груди и озорно смотрела на него с противоположного конца дивана. Но он с важным видом покачал головой:

— Когда тебе будет тридцать, мне будет тридцать восемь. Я буду слишком стар.

— А я еще слишком молода. Позвони мне через десять лет.

Она вдруг стала женственной, и уверенной в себе, и очень, очень волевой. Это ему понравилось, и он подвинулся к ней ближе.

— Если я сейчас уйду отсюда, то позвоню тебе через десять минут. Если смогу выдержать так долго. Ну что, выйдешь за меня?

— Нет.

Но когда он приблизился, все в ней перевернулось.

— Я люблю тебя, Дафф. Даже если ты думаешь, что я сумасшедший. Хотя это неправда. И, веришь ты мне сейчас или нет, мы обязательно поженимся.

— У меня нет гроша за душой. — Она подумала, что необходимо это ему сказать, если он говорит серьезно. А в том, что он не шутит, она уже почти не сомневалась.

— Я тоже без гроша, Дафф. Но когда-нибудь деньги появятся. У нас обоих. А пока мы можем питаться этим великолепным печеньем и чаем со льдом.

— Ты серьезно, Джефф? — Дафна вдруг посмотрела на него трепетно. Ей необходимо было знать, играет ли он. Она надеялась, что нет.

Но его голос был хрипловатым, сильным и добрым. Он одной рукой коснулся ее щеки, а другой взял ладонь.

— Да. Теперь я твердо знаю, что что бы ни происходило между нами, это будет правильно, Дафф. Я это чувствую. Я мог бы жениться на тебе хоть сегодня и знаю, что это будет правильно для нас на всю оставшуюся жизнь. Такое бывает только раз в жизни. И я не хочу это упустить. Если ты будешь сопротивляться, я буду тебя преследовать до тех пор, пока ты меня не послушаешь. Потому что я прав и знаю это.

И спустя мгновение, когда они оба помолчали:

— Я думаю, ты это тоже понимаешь.

Дафна устремила взгляд на Джеффа, и он увидел, что на ее ресницах заблестели слезы:

— Мне надо это обдумать... Я не уверена, что вполне понимаю, что происходит между нами.

— А я да. Мы полюбили друг друга. Вот и все. Мы могли бы искать друг друга еще пять или десять лет, но я нашел тебя сегодня, на этом проклятом нудном собрании, и раньше или позже ты станешь моей женой.

Потом он ее ласково поцеловал и встал, все еще не отпуская ее руки.

— А теперь мне следует пожелать тебе спокойной ночи, пока я не совершил какого-нибудь действительно безумного поступка, например, не набросился на тебя.

Она засмеялась и поняла, что ей ничто не угрожает. Другого она бы никогда не пригласила к себе, но тут она инстинктивно чувствовала, что Джефф ее не обидит. Это была одна из причин, почему он ей сразу понравился. Она чувствовала себя в безопасности, счастливой и защищенной. Дафна поняла это, еще когда они шли от пруда к зоопарку. Он излучал спокойствие, уверенность и силу и в то же время некоторую мягкость.

— Я тебе завтра позвоню.

— Я буду на занятиях.

— Во сколько ты уходишь?

— В восемь.

— Значит, я позвоню тебе раньше. Сходим вместе пообедать?

Она кивнула, чувствуя себя вдруг испуганной и немного ошеломленной.

— Неужели это все наяву?

— Именно так.

Он поцеловал ее в дверях, и она ощутила волнение, которого раньше не испытывала. Ночью, когда Дафна лежала в постели и думала о нем, пытаясь привести в порядок мысли, ее охватило новое для нее, сильное и страстное влечение.

Все, что Джефф говорил в тот первый вечер, он говорил всерьез. Он позвонил ей на следующее утро в семь часов, а в полдень появился у факультета журналистики. Пиджак переброшен через плечо, галстук в кармане, а волосы отливают золотом на солнце — таким он предстал перед ней, когда она нерешительно спускалась по лестнице, чувствуя поначалу некоторую робость. Эта встреча отличалась от предыдущей. Им не мешал шум собрания Ассоциации адвокатов, не было ни вина, ни лодки, ни заката в ее окне. Был только этот необыкновенный золотокудрый мужчина, стоявший на полуденном солнце, глядевший на нее с гордостью, словно она уже принадлежала ему. И сердцем она чувствовала, что так оно и есть и будет всегда.

Они поймали такси и поехали обедать в Метрополитен-музей. Ели там как на пикнике, сидя у пруда. Потом он проводил ее обратно на занятия, и к ней вернулось то же чувство полного покоя и защищенности, которое она испытывала с ним накануне.

Вечером Дафна приготовила ему дома ужин, и он опять рано ушел. А на уик-энд Джефф взял ее в Коннектикут погостить у друзей, поиграть в теннис и поплавать на лодке. Они вернулись с золотисто-коричневым загаром, и на этот раз он пригласил ее к себе домой, в район пятидесятых улиц, и сам приготовил ужин. И именно там Джефф наконец обнял ее и гладил ее шелковистое загорелое тело, чем невероятно ее возбудил. Дафна провела ночь в его объятиях, и только под утро он овладел ею, со всей нежностью, осторожностью и сдержанной страстью мужчины, который очень, очень любит девушку. Благодаря Джеффу этот первый раз был прекрасным. А на следующую ночь они занимались любовью уже у нее дома, и теперь она взяла инициативу на себя и удивила не только его, но и себя саму силой своего темперамента.

Они провели остаток лета как в постели, так и вне ее, приспосабливая свой график к графику тех, с кем делили свои жилища. Наконец Джефф не выдержал, и на пасхальные каникулы они полетели самолетом в Теннесси и там поженились. Церемония была скромной, в присутствии ее матери и дюжины друзей. На ней было длинное белое кисейное платье и большая шляпа, а в руках — большой букет полевых цветов и ромашек, и мама рыдала от волнения и радости, что дочь вышла замуж.

Камилла была смертельно больна лейкемией, но еще не сказала об этом Дафне. Перед их отлетом она сообщила об этом Джеффри. Он пообещал, что будет заботиться о Дафне всегда. Через три месяца она умерла, а Дафна была беременна их первым ребенком. Джефф полетел с ней в Атланту на похороны, во всем помогал и утешал ее. Теперь у нее не осталось никого, кроме Джеффри и ребенка, который должен был родиться в марте следующего года.

Все лето Дафна была безутешна. Те немногие вещи, привезенные из Атланты, которыми они обставили свою новую квартиру, напоминали ей о матери. Дафна закончила учебу в июне, а в сентябре получила первую работу в «Коллинз мэгэзин», очень солидном женском журнале. Джеффри считал, что не имеет особого смысла идти работать, раз она беременна, но в конце концов согласился и со временем вынужден был признать, что работа пошла ей на пользу. Предродовой отпуск в журнале Дафна взяла после Рождества. С каждым днем она была все более взволнованна, и наконец Джефф заметил, что прошлогоднее горе исчезает из ее глаз. Она настаивала, что, если будет мальчик, она назовет его Джеффри, а он хотел девочку, которая была бы похожа на нее. И поздно ночью, лежа в постели, Джефф касался ее живота и с любовью и изумлением чувствовал толчки ребенка.

— А это не больно? — Он очень беспокоился за нее, но Дафна была воплощением здоровья и только смеялась над его опасениями.

— Нет, иногда это необычно, но это не больно. — Она посмотрела на него, лежащего рядом, счастливым взглядом и почувствовала себя как бы немного виноватой, когда он протянул руку, чтобы погладить ей грудь. Джефф всегда желал ее, даже теперь, и они занимались любовью почти каждую ночь.

— Джефф, может, тебе не нравится, какая я сейчас?
— Нет. Конечно же, нет. Ты прекрасна, Дафф. Даже красивее, чем была раньше.

В ее лице было что-то такое нежное и лучистое, золотистые волосы дождем спадали на плечи, а глаза светились своеобразным внутренним светом, о котором он только читал, но которого никогда сам не видел. Казалось, что она преисполнена надежды и некой волшебной радости.

Она позвонила ему на работу после первых редких схваток, ее голос был неудержимо веселым и почти торжественным, и он стремглав помчался домой, чтобы быть с ней рядом. Джефф даже забыл, что в офисе его ждет клиент, что за дверью осталось висеть пальто, он прихватил зачем-то свод законов, который листал, когда

Дафна позвонила. Он чувствовал бо́льшую растерянность и испуг, чем мог предположить. Но, когда увидел ее, спокойно сидящую в кресле и ждущую его, он понял, что все будет хорошо, в чем был всегда убежден. Джеффу передалось ее радостное возбуждение, и он налил им по стакану шампанского.

— За нашу дочь!

— За твоего сына!

Ее глаза озорно смеялись, а потом вдруг затуманились болью. Он на мгновение испугался, быстро схватил ее руку, забыв о шампанском, а потом вспомнил все, чему их учили на занятиях родовой школы в течение двух месяцев, стал помогать ей переносить схватки, замерять их длительность заранее купленным секундомером, и так продолжалось до четырех часов, когда он раньше Дафны понял, что пора идти. В больницу Дафна входила прямо как королева, с высоко поднятой головой, такая взволнованная и гордая, а потом она порывисто приникла к Джеффу, слушая его напутствия, и лишь глаза выдавали, как нелегко ей превозмогать боль.

— Ты просто необыкновенна, дорогая. Господи, как я тебя люблю.

Джефф проводил ее в предродовую палату, сел с ней рядом, держа ее руку в своей, и помогал правильно дышать, надел халат и маску и в десять вечера поспешил с ней в родовую палату, потом Дафна изо всех сил тужилась, а из глаз Джеффри, полных изумления и благоговения, лились слезы. И, наконец, в десять девятнадцать родилась их дочка. Эми Камилла Филдс мощным криком известила о своем появлении на свет, а ее мать издала вопль победы и ликования. Доктор высоко поднял девочку и тут же подал Дафне, а Джеффри смотрел на них обеих, смеялся и плакал, гладил мокрые волосы Дафны одной рукой, а другой касался малюсеньких пальчиков ребенка.

— Какая же она красивая, а, Джефф?!

Дафна теперь плакала и улыбалась одновременно, глядя на него взглядом, который был ему понятен без слов. Он нагнулся и нежно поцеловал ее в губы.

— По-моему, ты никогда не была так прекрасна, Дафф.

— Я люблю тебя.

Сестры отошли от них подальше, испытывая то, к чему они никогда до конца не могли привыкнуть, — ощущение чуда, которое на их глазах совершалось каждый день, — и троица осталась наедине так долго, как это было возможно. Наконец Дафну доставили обратно в ее палату, и уже в полночь, когда она заснула, Джеффри вернулся домой и лег, но не мог уснуть — все думал об их маленькой девчушке, своей жене и обо всем, что их объединяло на протяжении этих двух лет.

Прошло еще три года. Дафна вернулась работать в «Коллинз» когда Эми исполнился год. Она как могла растягивала свой отпуск, ей не хотелось оставлять ребенка. Но, сколь сильно она любила Эми, с такой же силой ей хотелось возобновить работу. Дафна знала, что это ей нужно, да и Джефф всегда понимал, как важно для нее быть не только матерью и женой, но еще кем-то для самой себя. Ежедневно к ним приходила няня, пожилая женщина, которую Дафна наняла после рождения ребенка, Джефф помогал, когда надо было вставать к ребенку ночью, а в уик-энды они втроем отправлялись в парк или ехали за город, к друзьям. Для всех, кто их знал, было очевидно, что они очень, очень счастливы.

— И вы никогда не ссоритесь? — беззлобно ехидничал один из коллег Джеффа, когда они в один из уик-эндов приехали к нему в Коннектикут. Он любил их обоих, а Джеффу еще и очень завидовал.

— Конечно, ссоримся. Не меньше двух раз в неделю. Мы делаем это по расписанию. Я немного ее колочу, она меня поливает помоями, соседи вызывают полицию, а когда все уходят, мы садимся смотреть телевизор.

Дафна на это улыбнулась и поверх головки Эми послала Джеффу воздушный поцелуй. Он был таким всегда: остроумным, любящим и надежным, одним словом, таким, каким она хотела видеть своего мужчину. Он стал для нее воплощением мечты.

— Меня от вас тошнит, — пошутила однажды жена друга, глядя на них. — Как могут быть супруги так счастливы? Вы хоть что-нибудь вообще соображаете?

— Ни капельки, — отвечал Джефф, обнимая Дафну за плечи. Эми спрыгнула с ее колен и побежала за кошкой, которую как раз увидела. — По-моему, мы слишком глупые. Поэтому не знаем ничего лучшего.

Замечательными были их жизнерадостность и доброта по отношению друг к другу. «Идеальная пара», — прозвали их друзья, и иногда это раздражало Дафну, поскольку она опасалась, что счастье не может так долго продолжаться. Однако за пять лет их отношения изменились только в лучшую сторону. Они стали как бы одним целым, и единственное, что несколько огорчало Дафну, так это пристрастие Джеффа смотреть кровопролитные воскресные матчи регбистов в Централ-Парке. Просто дело было в том, что два человека нашли именно то, что им подходило лучше всего, и имели мудрость правильно распорядиться этим. И единственной проблемой, с которой они сталкивались, была периодическая нехватка денег, чему, впрочем, ни Дафна, ни Джефф не придавали особого значения. В свои 32 года Джеффри вполне прилично зарабатывал как адвокат. Этого было достаточно, а ее заработки в «Коллинз» шли на дополнительные расходы. Они подумывали о втором ребенке и, когда Эми было три с половиной, решили осуществить задуманное. Однако на этот раз ничего не получалось.

— Смешно, что ради этого приходится так стараться, не так ли, детка? — шутил Джефф воскресным рождественским утром. — Хочешь попробовать еще раз?

— После сегодняшней ночи? Я боюсь, у меня сил не хватит.

После того как накануне они нарядили елку и приготовили подарки для Эми, они занимались любовью до трех утра. Их половая жизнь стала даже лучше, чем была пять лет назад. Дафна с возрастом становилась все привлекательнее и женственнее.

Дафна подкралась к нему и начала нежно поглаживать пальцем его голый живот и медленными круговыми движениями гладить там, где ему было приятно.

— Если будешь продолжать, можешь подвергнуться насилию!

В это время в комнату ворвалась Эми с охапкой новых игрушек, и ему пришлось быстро завернуться в полотенце, в то время как Дафна пошла помочь ей одеть новую куклу, которую подарил Санта Клаус.

— Извини, дорогой.

— Ох уж эти дети! — простонал Джефф и отправился принимать душ. День получился приятный, легкий; они втроем до изнеможения объелись индейкой с клюквенным желе и приправами, и, когда наконец Эми легла спать, Джефф с Дафной расположились у камина в гостиной, просматривая воскресный выпуск «Таймс» попивая из чашек горячий шоколад и глядя на елку. Дафна вытянулась на кушетке и положила голову на колени Джеффри.

— Горный хребет в Перу?

— Сдаюсь. Назови.

У него никогда не получалось разгадывать кроссворды, над которыми она ломала голову каждое воскресенье и даже на Рождество.

— Как, черт подери, тебе удается разгадывать эту дрянь, Дафф? Господи, я учился на юрфаке Гарварда, закончил его с отличием и до сих пор не могу двух слов связать.

Обычно она заканчивала разгадывать воскресный кроссворд ко вторнику, причем не сдавалась до тех пор, пока полностью не добивалась успеха. Джефф не в силах был ей помочь, и все-таки Дафна всегда его спрашивала.

— И не спрашивай меня, как звали сестру Бетховена, а не то я вылью на тебя мой шоколад.

— Ах так? — Она зловеще засмеялась и села. — Насилие! Этого слова мне и не хватало под двадцать шестым номером по горизонтали.

— От этого спятить можно... Вставай. — Он встал сам и подал ей руку. — Пошли в постель.

— Давай подождем, пока догорит огонь.

Спальни их и Эми были наверху, они сняли эту квартиру после недавнего повышения Джеффа, и Дафне очень нравился камин, но она всегда беспокоилась, особенно сейчас, когда так близко стояла елка.

— Да не волнуйся, он почти погас.

— Давай все-таки подождем.

— Давай не будем, — он ущипнул ее сзади. — Я сгораю от нетерпения. Ты, наверно, подсыпала приворотного зелья мне в шоколад.

— Боже ты мой. — Она улыбнулась и встала. — Сколько я тебя знаю, ты всегда был сексуальным маньяком. Вам не нужно приворотное, Джеффри Филдс.

Вам нужно добавлять в пищу селитру, чтобы вы были нормальным.

Он засмеялся и погнался за ней вверх по лестнице, в спальню, где мягко бросил ее на постель и стал ласкать ее под свитером, а она задавалась вопросом, как это было уже на протяжении двух последних месяцев, забеременеет ли она в этот раз.

— Как ты думаешь, почему у нас так долго не получается?

Она казалась лишь слегка обеспокоенной. Эми она забеременела почти с первой попытки, но теперь так не выходило. Джеффри только пожал плечами и улыбнулся:

— Может, я постарел... черт возьми, может, я тебе уже не гожусь.

Она серьезно посмотрела на него. В этот момент они раздевались.

— Я бы никогда не нашла того, кто бы тебе в подметки годился. Я не буду горевать, если у нас больше не будет детей. Ты же знаешь, как сильно я тебя люблю.

— Как сильно? — Его голос был низким и хриплым, когда он протянул к ней руки и медленно привлек ее к себе.

— Сильнее, чем ты даже думаешь, милый.

Ее слова потонули в его губах. Они целовались и обнимались и начали заниматься любовью под стеганым ватным одеялом, которое Дафна купила для их большой латунной кровати. Она была довольно смешная: пружины стонали, и кровать неимоверно скрипела, когда они предавались любви, но это была старинная вещь. Они приобрели ее на аукционе, и она им нравилась. Для Эми была куплена маленькая кроватка. Среди маминых вещей Дафна нашла очаровательное стеганое одеяльце, сделанное ее руками.

— А Эми не надо проверить?

Она это делала всегда перед сном, но сегодня ее переполняли сладострастие и лень. Лежа, пресыщенная, в объятиях мужа, который был охвачен теми же чувствами, и словно осененная предвидением, Дафна задумалась, не возникла ли снова жизнь внутри ее. Их ласки в ту ночь были такими пылкими, проникновенными и серьезными, что, казалось, обязательно должны были привести к зачатию их желанного второго ребенка. Засыпая в объятиях мужа, она думала о будущем ребенке, а не о том, которого уже имела.

— Она в порядке, Дафф.

Он всегда над ней подтрунивал, потому что Дафна уж очень торжественно каждый вечер стояла у кроватки Эми, любуясь золотокудрой девчушкой, которая была так на нее похожа. И если та засыпала слишком быстро, Дафна прикладывала палец к ее носику, чтобы убедиться, что она дышит.

— Хоть сегодня не беспокойся. Она в порядке.

Дафна вяло улыбнулась и через минуту засопела в уютных объятиях Джеффри. Она так спала несколько часов, пока ей не приснился сон о прошлом. Они стояли у водопада, все трое, она, Джеффри и Эми, и звук низвергающейся воды был таким громким, что нарушил ее сон, но было и еще что-то — запах древесины, от которого она не могла избавиться, и наконец она зашевелилась под боком у Джеффри, кашляя, открыла глаза, чтобы избавиться от сновидения, и, глядя в дверь их спальни, обнаружила, что шум воды, разбудивший ее, был ревом пламени и что напротив их спальни была стена огня.

— Джефф!.. Господи, Джефф!

Дафна вскочила с постели, ошеломленная и расте-
рянная, а он только слабо пошевелился, когда она тряс-
ла его и кричала:

— Джефф! Эми!

Он проснулся и моментально понял, что произошло.
Вскочил с кровати и голый бросился к двери спальни.
Дафна устремилась за ним, с расширенными от ужаса
глазами, но пламя заставило их отступить.

— Господи, Джефф, ребенок!

Ее глаза слезились от едкого дыма и обыкновенного
страха, но он повернулся к ней и, крепко обняв ее за
плечи, прокричал сквозь рев пламени:

— Перестань, Дафф! Огонь в гостиной. Мы вне
опасности, и она тоже. Я сейчас ее возьму, и все
будет в порядке. Укройся одеялом и беги как можно скорее вниз по лестнице к входной двери. Я
возьму из кроватки Эми и побегу за тобой. Бояться нечего! Ты меня поняла?!

Говоря это, Джефф завертывал ее в одеяло, его движения были быстрыми и проворными. Он подтолкнул
ее на площадку этажа, где была их спальня, и отчетливо
произнес ей на ухо:

— Я люблю тебя, Дафф. Все будет хорошо.

Он сказал это без тени сомнения и потом бросился к
двери спальни Эми, в то время как Дафна спускалась по
лестнице, стараясь не паниковать, зная, что Джефф спасет Эми, он всегда заботился о них... всегда... всегда...
Она повторяла это снова и снова, медленно спускаясь по
лестнице и оглядываясь, но дым становился все гуще, и
она едва могла дышать, она чувствовала себя так, словно плыла вслепую в едком дыму, и вдруг за ней раздался взрыв, но, когда она его услышала, он прозвучал
далеко, и она вновь оказалась в своем прежнем снови-
дении, стоящей у водопада с Эми и Джеффом, и вдруг

подумала, не привиделся ли ей и огонь. Она почувствовала успокоение, когда поняла, что это был... всего лишь сон... всего лишь сон... она вновь засыпала и чувствовала рядом с собой Джеффа... потом сквозь сон она услыхала голоса, а потом раздалось странное завывание сирены... вновь тот знакомый звук... тот звук... и свет, пробивающийся к ней сквозь туман...

— Миссис Филдс, — произнесли голоса, — миссис Филдс... — И тогда свет стал слишком ярким, она очнулась в незнакомом, пугающем месте, и ее охватил ужас; не в силах вспомнить, как она сюда попала и почему, она всюду искала Джеффа... не понимая, где сон, где явь... на ее руках и ногах были бинты, и толстый слой мази на лице, и доктор глядел сверху вниз на нее с отчаянием, а она кричала:

— Нет, НЕТ! Не мой ребенок!.. Не Джефф!!! НЕ-Е-ЕТ...

Дафна Филдс крикнула надломленным страдальческим голосом, вспомнив, когда она прежде видела этот яркий свет... после пожара... Очнулась она рождественским утром. Сестра дневной смены отделения интенсивной терапии прибежала и застала ее, дрожащую, со слезами на глазах и лицом, искаженным всплывшей болью.

Она очнулась так же, как тогда, ощущая ту же пронизывающую муку. Все было как тогда, девять лет назад, как в ту ночь, когда Джефф и Эми погибли в огне.

Глава 4

Барбара Джарвис приехала в Ленокс-Хилл через два часа после того, как ей позвонила Лиз Ваткинс. Лиз нашла телефон Джарвис в справочнике, когда пришла домой, и Барбара сразу приехала, потрясенная сообщением. Было девять часов утра, и в отличие от сестры, во всем накрахмаленном, проводившей ее в холл, Барбара Джарвис выглядела так, словно не спала всю ночь. Она поздно легла, да еще новость о случившемся потрясла ее до глубины души. По телефону ее уведомили о том, что Дафна Филдс находится в отделении интенсивной терапии больницы Ленокс-Хилл и что она может навещать ее, но не более пятнадцати минут через каждый час, и просили сообщить, какие родственники имеются у пациентки. Позвонив, Лиз Ваткинс задалась вопросом, приедет ли секретарша и какая она. По телефону она говорила не особенно любезно, не поблагодарила Лиз за звонок и даже с каким-то подозрением отвечала на вопросы. Лиз предположила, что она странная особа, и сестра, которая встретила посетительницу в регистратуре, наверняка бы с этим согласилась. Она была если не странной, то во всяком случае не особенно приветливой, и о Дафне спрашивала неприятным, покровительственным тоном. Судя по ее вопросам, она страдала разновидностью паранойи, и это вызывало у сестры чувство раздражения. Она хотела знать, сообщено ли прессе, навещал ли кто-нибудь мисс Филдс, появилось ли ее имя в каком-либо центральном реестре и знает ли персонал, кто она, мисс Филдс, такая.

— Да, некоторые из нас знают, — сестра поглядела на нее. — Мы читали ее книги.

— Возможно. Но здесь она не пишет. Я не хотела бы, чтобы мисс Филдс беспокоили. — Барбара Джарвис имела свирепый вид: внушительный рост, темные волосы, собранные в узел, в глазах глубокая озабоченность.

— Вам понятно? Из какой бы газеты ни позвонили, никаких комментариев, никаких сообщений, никаких рассказов. Мисс Филдс — человек с именем и в данной ситуации имеет право, чтобы ее не беспокоили.

Дежурная сестра не замедлила огрызнуться:

— В прошлом году у нас лежал губернатор Нью-Йорка, мисс... — Она так ужасно устала, что не могла даже вспомнить фамилию этой особы, ее так и подмывало назвать ее мисс Битч*. — И он пользовался полной конфиденциальностью, пока был здесь. То же будет с мисс Филдс.

Но было очевидно, что темноволосая амазонка, стоящая перед ней, не верила ни единому ее слову. Она была полной противоположностью своей работодательницы, миниатюрной, хрупкой, нежной и светловолосой.

— Каково ее состояние?

— С тех пор как вы позвонили, перемен не было. У нее была тяжелая ночь.

Маленькие и светящиеся искорки беспокойства пронзили глаза Барбары Джарвис:

— Она очень страдает от боли?

— Не должна. Ей обеспечен хороший уход, но сказать трудно. — Сестра раздумывала, может ли Барбара пролить хоть какой-то свет на тот загадочный бред, который был у Дафны минувшей ночью. Когда она вновь взглянула на Барбару Джарвис, ее голос смягчился: — У нее была действительно тяжелая ночь.

Она рассказала о галлюцинациях больной, которые Лиз Ваткинс описала в истории болезни. Судя по выражению глаз, Барбара Джарвис знала, о чем идет речь, но не хотела ничего раскрывать.

---

* Bitch — сука (*англ.*).

— Ее мучили кошмары... сновидения... возможно, это последствия сотрясения мозга, я не знаю.

Секретарша не проронила ни единого слова.

— Если вы хотите ее навестить, это должно быть недолго. Она находится в полуобморочном состоянии и может вас не узнать.

Барбара кивнула и быстро взглянула на вереницу палат, выходящих в ярко освещенный холл. В отделении интенсивной терапии даже здоровому человеку становилось не по себе. В холл не проникал ни единый луч дневного света, однако все сверкало и светилось, все было начинено техникой и очень рационально. Там было по-настоящему страшновато, а Барбара Джарвис никогда до этого не видела ничего подобного. Но знала, что Дафне это знакомо. Она поступила к ней работать через несколько лет после того трагического пожара. И Дафна однажды вечером рассказала ей об этом. Барбара знала все: и об Эми, и о Джеффри; за три последних года работы с Дафной она узнала еще очень многое.

— Можно мне ее сейчас повидать?

Сестра кивнула и повела ее в палату Дафны. Она вошла в палату, быстро и тихо и остановилась. Посмотрела на Дафну, перевела взгляд на мониторы и, видимо, осталась довольна осмотром. Дафне час назад сделали очередной укол промедола, после которого она должна была проспать несколько часов. Сестра взглянула на Барбару и увидела слезы, медленно текущие по ее щекам. Она подошла к Дафне, взяла ее миниатюрную белую руку в свою, большую, и держала ее, как будто больная была ее ребенком. Пульс у Дафны был все еще слабым, и по-прежнему еще рано было говорить, выживет ли она. Барбара задерживала дыхание, стараясь не плакать, но не могла сдержаться. Сестра наконец оставила их одних. Барбара стояла, печально гляда на Даф-

ну, пока сестра не вернулась и не подала от дверей знак
уходить. Высокая, сильная женщина стояла на том же
самом месте, где старшая сестра ее оставила, потом она
осторожно поправила руку Дафны на кровати и вышла
из палаты. Барбара медленно шла по холлу и, казалось,
была совершенно убита горем. Когда они остановились
у сестринского стола, она сняла маску.

— Она поправится? — Глаза Барбары искали чего-
то, чего не могли найти: утешения, надежды, обещания.
Действительно, было трудно поверить, что Дафна, ле-
жащая там, такая безмолвная, такая маленькая и неподвижная, может выкарабкаться. Вид у нее был уже почти
как у покойницы. Лиз немного успокаивало сознание
того, что спасению Дафны, несомненно, отдадут все силы. Но Барбара Джарвис теперь смотрела на сестру,
ожидая ответа, которого никто не мог дать, кроме Бога.

— Говорить слишком рано. Очень возможно, что
она выкарабкается.

И ее голос, натренированный за многие годы,
стал мягче:

— А может, и нет. Она получила очень серьезные
травмы.

Барбара Джарвис молча кивнула и медленно пошла
к телефонной кабине. Когда она вышла, то спросила,
можно ли опять повидать Дафну. Сестры сказали, что
можно через полчаса.

— Не хотите ли чашку кофе? Вы сможете опять
навестить ее в течение пятнадцати минут. Или...

Может, она захочет уйти, в конце концов она всего
лишь ее секретарь...

Барбара прочла их мысли:

— Я останусь.

Она постаралась слабо улыбнуться, но оказалось, что
это выше ее сил.

— Я бы выпила кофе.

И почти с болью:

— Спасибо.

Сестра-практикантка проводила ее к кофеварке, удобно стоящей рядом с голубым виниловым диваном, повидавшим много горя на своем веку. Сам этот диван показался ей удручающим, когда она подумала о людях, которые ждали на нем, выживут или умрут их близкие, причем последнее происходило чаще. Сестра в голубом налила чашку горячего черного кофе и подала Барбаре. Та минутку постояла, глядя девушке в глаза.

— Вы читаете книги?

Покраснев, сестричка кивнула. И ушла. А в три часа Лиз Ваткинс пришла снова, на сдвоенную смену. Барбара все еще была там и выглядела измученной и обезумевшей. Лиз посмотрела историю болезни и увидела, что улучшения нет.

Потом она пришла поговорить с Барбарой Джарвис и налила ей свежую чашку кофе. Ей было интересно, что Барбара за человек.

Было понятно, что она примерно ровесница Дафны, и сначала хотелось спросить, какая Дафна на самом деле, но понимала, что сделать это — значило бы снова навлечь на себя враждебность секретарши, словно темную тучу.

— У больной есть какие-либо родственники, которым следовало бы сообщить о случившемся? — Это было единственное, на что она решилась.

Барбара только долю секунды помедлила, а затем покачала головой:

— Нет, никаких.

Она хотела сказать, что Дафна была одна на всем белом свете, но это было не совсем так, да к тому же, какое дело было этой женщине до этого.

— Я знаю, что она вдова.

Барбара, казалось, была удивлена, что Лиз это знает, но кивнула и отхлебнула горячего кофе. Однажды об этом говорилось в телешоу, но больше нигде это не обсуждалось. Дафна не хотела, чтобы кто-то знал об этом. Теперь она была известна только как «мисс Филдс», и подразумевалось, что она никогда не была замужем. Поначалу Дафна сама воспринимала это как измену Джеффу, но понимала, что в перспективе так будет лучше. Она не могла говорить о нем и об Эми. Она говорила о них только с... Но Барбара отогнала от себя эту мысль, представив, что бы он сейчас переживал.

— Газетчики не звонили? — Она с внезапным беспокойством подняла глаза над чашкой.

— Никто, — Лиз доверительно улыбнулась. — Я ими займусь. Не беспокойтесь. Мы их к ней не допустим.

В первый раз Барбара немного улыбнулась настоящей улыбкой, и, странное дело, на долю секунды она стала почти миловидной.

— Она всей душой ненавидит репортерскую настырность.

— Это, должно быть, очень неприятно. Они, наверно, постоянно за ней охотятся.

— Конечно. — Барбара опять улыбнулась. — Но она умеет им противостоять, когда захочет. В поездках этого избежать нельзя, но даже там она очень умело уклоняется от бестактных вопросов.

— Она очень застенчивая? — Лиз как голодная набрасывалась на каждую подробность о Дафне. Это была единственная знаменитость, которую Лиз хотела бы повстречать, и теперь она была здесь, рядом, и все же оставалась сплошной тайной.

Барбара Джарвис снова стала осторожной, но без враждебности.

— В некотором роде, да. А с другой стороны, ничуть. Я думаю, ей лучше подходит эпитет «скромная» Она очень, очень ревнива к своей частной жизни. Она не боится людей. Она просто держит дистанцию. Кроме, — Барбара Джарвис на мгновение задумалась, — кроме людей, о которых она заботится и с кем ее связывают близкие отношения. С ними она похожа на восторженного счастливого ребенка. — Сравнение, казалось, понравилось обеим женщинам, и Лиз с улыбкой поднялась.

— Я всегда восхищалась ею, когда читала ее книги. Жаль, что знакомство с ней произошло в таких обстоятельствах.

Барбара кивнула, ее улыбка померкла, глаза сделались печальными. Она не могла поверить, что женщина, которую она боготворила, может быть, при смерти. И горе Барбары отразилось в ее глазах, когда она посмотрела на Лиз Ваткинс.

— Я скажу вам, как только можно будет опять зайти к ней.

— Я подожду здесь.

Лиз кивнула и поспешила прочь. Она потеряла почти полчаса, а дел была масса. Дневная смена была самой напряженной, ее хватило бы на две, а еще предстояла собственная ночная. День обещал быть долгим и нелегким и для нее, и для Барбары Джарвис.

Глава 5

Когда обе женщины снова вошли в палату Дафны, Барбара увидела, как глаза лежащей приоткрылись и потом закрылись, дрожа. Барбара в панике быстро взглянула на старшую сестру. Но Лиз была спокойна. Она измерила пульс и с улыбкой кивнула Барбаре.

— Успокоительное понемногу перестает действовать. — И почти одновременно с тем, как она это сказала, Дафна снова открыла глаза и попыталась сфокусировать их на Барбаре.

— Дафна? — тихо обратилась Барбара к своей работодательнице и подруге. Глаза Дафны опять раскрылись с выражением озабоченности. — Это я... Барбара... — На этот раз глаза остались открытыми, а на губах появился слабый намек на улыбку. Она снова как бы погрузилась в сон на одну или две минуты, после чего опять посмотрела на Барбару и, казалось, хотела что-то сказать. Барбара наклонилась, чтобы лучше ее слышать.

— Кажется... это была... вечеринка... У меня... ужасно башка трещит...

Ее голос пропал, и она улыбнулась тому, что произнесла. Слезы наполнили глаза Барбары, хотя она и засмеялась. Она вдруг почувствовала облегчение, что Дафна заговорила, и повернулась к Лиз с торжествующим видом, словно это были первые слова ребенка, и глаза Лиз тоже увлажнились от утомления и переживаний. Она себя бранила за слабость, но ее не могла оставить спокойной увиденная сцена. Эти две женщины составляли странную пару, одна такая маленькая и светлая, а другая такая высокая и темная, одна такая сильная своим

словом, хотя и миниатюрная, другая крупная и так
благоговеющая перед Дафной. Лиз увидела, что Дафна
снова сделала попытку заговорить.

— Какие новости? — Она это едва прошептала, ее
с трудом можно было расслышать.

— Новостей немного. Последняя — это то, что
ты сбила машину. Мне сказали, что от нее остались рожки да ножки.

Они обменивались шутками каждое утро, но в
этот раз, когда Дафна смотрела на Барбару, глаза
ее были печальны.

— От меня тоже...

— Это чепуха, и ты это знаешь.

— Скажи мне правду... как мои дела?

— Лучше всех.

Глаза Дафны обратились на сестру, которую она теперь хорошо видела, словно хотела получить заверения.

— Вам гораздо лучше, мисс Филдс. А завтра вы
почувствуете себя еще лучше.

Дафна кивнула, как маленькая послушная девочка,
словно она верила в это, и вдруг ее глаза наполнились
беспокойством. Она опять нашла глазами Барбару, и
теперь, когда она снова заговорила, в ее взгляде было
что-то непреклонное:

— Не... говори... Эндрю...

Барбара кивнула.

— Я серьезно... И... Мэтью...

От этих слов сердце Барбары упало. Она боялась, что Дафна это скажет. А если что-то случится? Если она не «почувствует себя завтра лучше»,
как пообещала сестра?

— Поклянись... мне!..

— Клянусь, клянусь. Но, ради Бога, Дафф...

— ...Нет...

Она явно слабела, глаза закрылись и потом опять открылись, на этот раз с любопытством.

— Кто... меня... сбил?

Как будто это могло иметь значение.

— Какой-то болван с Лонг-Айленда. Полиция говорит, что он не был пьян. Этот парень заявил, что ты не смотрела, куда идешь.

Она попыталась кивнуть, но вдруг сморщилась, и потом ей потребовалось перевести дыхание, Лиз тем временем замеряла ее пульс. Время посещения подходило к концу. Но казалось, что Дафна хочет еще что-то сказать:

— ...Честно... говоря...

Они ждали, но ничего больше не услышали, и тогда Барбара наклонилась и спросила:

— Что, дорогая?

Голос был тихим, и глаза снова улыбнулись.

— Этот... болван... я... не... смотрела... я думала...

И затем ее глаза устремились на Барбару. Только она одна знала, каким невыносимым было для Дафны Рождество, как это было больно каждый год, с тех пор как Джефф и Эми погибли в огне в рождественскую ночь. А в этом году она была одна, и ей было еще тяжелее.

— Я знаю.

А теперь воспоминания о них чуть не стоили ей жизни, или она просто зазевалась? Барбару поразила страшная мысль: вдруг она нарочно бросилась под машину? Но она бы этого не сделала. Не Дафна... нет... или да?

— Не беспокойся, Дафф.

— ...Пусть... его не... наказывают... Он не виноват... Передай им, что я... так сказала.

Она посмотрела на Лиз, как бы желая, чтобы та засвидетельствовала это.

— Я... ничего... не помню...

— Хорошо, хорошо.

И затем она помрачнела, и слезы наполнили ее большие голубые глаза.

— ...кроме... сирен... они выли, как...

Дафна закрыла глаза, и слезы медленно скатились из уголков ее глаз на подушку. Барбара сама со слезами на глазах взяла ее руку.

— Не надо, Дафна, не надо. Тебе надо поправляться. — А затем как бы вернула Дафну назад. — Подумай об Эндрю.

Дафна открыла глаза и долгим и тяжелым взглядом посмотрела на Барбару; между тем Лиз показала на часы и кивнула Дафне.

— Теперь мы хотим, чтобы вы отдохнули, мисс Филдс. Ваша подруга через некоторое время сможет опять навестить вас. Может, желаете болеутоляющего?

Но она покачала головой и, казалось, была благодарна, что снова может закрыть глаза. Она уснула еще до того, как Барбара и Лиз вышли из палаты.

Пройдя рядом с Барбарой до половины холла, Лиз повернулась и посмотрела на нее:

— Есть ли что-то, что вам следует знать, мисс Джарвис? — Ее глаза глубоко вонзились в глаза Барбары. — Иногда сведения глубоко личного характера очень помогают в работе с пациентом. — Она хотела добавить: помогают пациенту сделать выбор между жизнью и смертью, но не добавила. — Этой ночью ее мучили кошмары.

В ее тоне звучали тысячи вопросов, и Барбара Джарвис кивнула, но моментально возникла стена, защищающая Дафну.

— Вы уже знаете, что она вдова?

— Это было все, что она сказала, — подтвердила Лиз.

— Понимаю.

Затем она ее оставила и подошла к своему столу, а Барбара, после того как налила себе очередную чашку черного кофе, вернулась на голубую виниловую кушетку. Она со вздохом села и почувствовала себя совершенно измученной. Почему, черт возьми, она пообещала ничего не говорить Эндрю? Имеет же он право знать, что его мать, возможно, при смерти. А если бы она сказала ему, что тогда? Дафна выделяла ему более чем достаточно из своих гонораров в последние годы, но ему было нужно гораздо больше. Ему была нужна Дафна, и никто другой... и если она умрет... Барбара содрогнулась, посмотрела на снег, который опять стал падать за окном, и почувствовала себя такой же унылой, как зимний пейзаж.

Дафна ничего ей о нем не сказала в первый год работы у нее. Вообще ничего. Она была известным автором, работала тяжелее многих других, практически не имела личной жизни. Впрочем, в этом не было ничего странного. Где бы она нашла на нее время, если писала по две большие книги в год? Она не могла этого себе позволить. В сочельник Барбара задержалась у Дафны допоздна и вдруг обнаружила ее в кабинете рыдающую. Именно тогда она все сказала ей о Джеффе... и Эми... и Эндрю... Эндрю — ребенок, которого она зачала в ночь рокового пожара... ребенок, родившийся девять месяцев спустя, когда ей было так одиноко без семьи, без мужа, без друзей, которых она не хотела видеть, потому что все они напоминали ей о Джеффе. Эти роды были совершенно другими, чем первые. Эми родилась с громким криком, когда Джефф держал Дафну за руку, и оба они то плакали, то заливались победным смехом. Эндрю Дафна рожала сложными родами: каждому его вздоху угрожала пуповина, пока наконец через 18 часов он и

его мать не были милостиво освобождены срочным ке-
саревым сечением.

Доктор говорил, что новорожденный издал странный, тихий звук, когда появился на свет, и был почти
синим, и что они прилагали все усилия, чтобы спасти его
и Дафну. Когда анестезия прошла, она была слишком
слабой, чтобы на него поглядеть или подержать его. Но
Барбара навсегда запомнила выражение глаз Дафны,
когда та рассказывала ей о том, как сестра впервые
положила его ей на руки. Вдруг все перестало болеть,
все в мире перестало иметь значение, когда она взяла
этого малыша, который глядел на нее очень серьезным
недетским взглядом и был так похож на Джеффри. Она
назвала его Эндрю Джеффри Филдс. Дафна хотела назвать
его именем отца, но не решилась. Имя «Джефф» каждый
раз вызывало бы слишком много болезненных воспоминаний, поэтому она назвала его Эндрю. Это было имя,
которое они выбрали для мальчика, когда Дафна была
беременна Эми. Она также рассказала Барбаре о том,
какой пережила шок и радость, когда обнаружила через
шесть недель после пожара, что беременна. Только это
было единственным, что позволило ей пережить эти кошмарные месяцы, единственным, что удержало ее от са-
моубийства. И она осталась жить, как и Эндрю, несмотря
на его неблагополучное рождение. Он был очаровательным, розовощеким, веселым малышом. У него были, как
у Дафны, васильковые глаза, но в остальном он был
точной копией отца.

Дафна сняла маленькую квартирку для них двоих и
всю детскую завесила фотографиями Джеффри, чтобы в
один прекрасный день малыш узнал, каким был его отец,
а в небольшой серебряной рамке поместила фотографию
его сестры. Только лишь когда ему было три месяца,
Дафна стала подозревать, что с Эндрю что-то неладно.

Он был самым покладистым ребенком, какого она когда-либо видела, упитанным и здоровым. Но однажды Дафна уронила на пол целую стопку тарелок, а он спокойно лежал на кухонном столе и даже не вздрогнул при этом. Она хлопнула в ладоши у него над ухом, а он просто улыбнулся ей. Ее охватил тихий ужас. Дафна не отважилась сразу обратиться к специалисту, но при очередном посещении врача она как бы невзначай задала пару вопросов, и он моментально понял, что она подозревает. Ее наихудшие опасения подтвердились. Эндрю был от рождения глухим. Он время от времени издавал случайные звуки, но только позже можно было выяснить, является ли он еще и немым. Неизвестно было, явилось ли это результатом шока, пережитого ею сразу после зачатия, или лечения, которое она прошла в больнице от ожогов и ран, полученных при пожаре. Она провела в больнице больше месяца, принимала много лекарств, никто даже не предполагал, что она беременна. Но какая бы ни был причина потери им слуха, она была полной и необратимой.

Дафна любила его горячо, с рвением и самопожертвованием. Днем она проводила с ним каждую свободную минуту, ставила каждое утро будильник на 5.30, чтобы наверняка проснуться раньше его и быть готовой ко всему, что бы ни принес им день, готовой помочь ему в любую трудную минуту. А таких минут было много. Сначала она панически боялась потенциальных опасностей, которые могли его подстерегать, но со временем привыкла предупреждать своего малыша, ведь он не имел понятия о сигналах машин, лае собак и шипение бекона на сковороде.

Стресс, в котором она находилась, был постоянным. И все же были бесконечно драгоценные минуты, часы, когда слезы нежности и радости от общения с сыном лились по ее щекам. Он был очаровательным, лучезарным ребенком, но снова и снова ей приходилось сталкиваться с истиной, что его жизнь никогда не будет нормальной. В конце концов все в ее жизни остановилось, кроме занятий Эндрю. Она посвящала сыну каждую свободную минуту, боясь оставить его с кем-либо, боясь, что они могут не понимать так хорошо, как она, опасностей и разочарований, которые его поджидали. Она брала на свои плечи все заботы о его жизни, и каждую ночь ложилась спать обессиленная, истощенная этими усилиями. Бывали также моменты, когда ее собственные огорчения от общения с глухим ребенком почти одолевали ее, когда для того, чтобы побороть в себе желание закричать на него или нашлепать, ей приходилось сжимать зубы и кулаки. Ей хотелось наказать не Эндрю, а жестокую судьбу, которая сделала глухим ее любимое дитя. Она трудилась с тяжелым ощущением, что это она виновата, что она должна была это предотвратить. Дафна не смогла спасти Джеффа и Эми от гибели в огне, а теперь она не могла оградить Эндрю от этой жестокой реальности. Она была не в силах что-либо изменить. Она перечитала все книги, какие только могла найти о детях с врожденной глухотой, и она показывала его всем специалистам в Нью-Йорке, но они были бессильны ему помочь. Дафна воспринимала реальность этого почти с яростью, как врага, с которым надо бороться. Она столько потеряла, а теперь и Эндрю... Несправедливость этого пылала в ней, как тихая ярость, а ночью ее мучили кошмары про пожар, и она с криком просыпалась.

Специалисты, которых она посещала, советовали ей со временем отдать Эндрю в специальную школу, что это было бы для него самым лучшим, поскольку он не сможет общаться с нормальными детьми. И они еще и еще раз подчеркивали, что, несмотря на нечеловеческие усилия Дафны, существуют барьеры, которые она не в силах преодолеть. Хотя Дафна знала Эндрю лучше, чем кто-либо, даже она испытывала трудности в общении с ним, и специалисты предупреждали, что через некоторое время она будет обижаться на него за собственные просчеты. В конце концов она не была профессионалом, настаивали они, он же требовал большей квалификации, чем она могла ему предложить. Кроме того, постоянная изоляция от других детей сделала его подозрительным и враждебным в те редкие моменты, когда он их видел. Слышащие дети не хотели играть с ним, потому что он был другим, и их жестокость причиняла Дафне такую боль, что она не ходила с ним на детскую площадку. И все-таки она противилась идее окружения Эндрю такими же, как он, детьми, и поэтому держала его при себе. Между тем специалисты продолжали донимать ее насчет отправки его в специальный интернат.

— Интернат? — воскликнула она на приеме у одного известного специалиста. — Я никогда такого не сделаю. Никогда!

— То, что вы делаете, гораздо хуже, — голос доктора был мягким. — Это не должно быть навсегда, Дафна. Но вы должны встать перед лицом фактов. Дома вы не можете научить его тому, что он должен знать. Ему требуются совершенно иные навыки, чем те, которые вы можете ему дать.

— Тогда я сама их освою!

Она кричала на него, потому что не могла кричать на глухоту Эндрю, или на жизнь, на судьбу, или на богов, которые были так неблагосклонны к ней.

— Провалиться мне, но я выучу их, и я буду сидеть с ним день и ночь, чтобы помочь ему!

Но она уже это делала, и это не работало. Эндрю жил в полной изоляции.

— А когда вы умрете? — спросил педиатр грубовато. — Вы не имеете права так с ним поступать. Вы сделаете его целиком зависимым от вас. Дайте ему право на собственную жизнь, черт возьми. Школа научит его самостоятельности, она научит его жить в нормальном мире, когда он будет к этому готов.

— И когда это произойдет? Когда ему будет двадцать пять? Тридцать? Когда у него уже не будет сил покинуть мир, в который его поместили? Я видела людей оттуда, я говорила с ними через переводчика. Они даже не верят, что когда-нибудь, как они говорят, «услышат людей». Они все отверженные, черт возьми. Некоторым из них по сорок лет, и они никогда не жили нигде, кроме интерната. Я этого ему не сделаю.

Эндрю сидел, наблюдая за разговором, завороженный жестикуляцией и выражением лиц, но ничего не слышал из гневных слов, произносимых матерью и доктором.

В течение трех лет Дафна вела свою частную войну в медленный, но постоянный ущерб Эндрю. Тем временем стало очевидно, что Эндрю не сможет говорить, и, когда ему исполнилось три года, ее новые попытки познакомить его со слышащими детьми на площадке потерпели катастрофу. Все его сторонились, словно они откуда-то знали, что он был ужасающе другой. Однажды она увидела, как он сидел в песочнице один, глядел на других детей, по его лицу текли слезы, а потом он посмотрел на свою маму так, как будто хотел спросить: «Что во мне не так?» Она подбежала к нему, схватила на руки, нежно покачивая. Оба плакали, чувствуя себя отверженными и испуганными. Дафна чувствовала, что подвела его. Через месяц война для Дафны закончилась. С тяжелым сердцем она стала ездить по школам, которые так отчаянно ненавидела, чувствуя себя так, словно в любой момент у нее готовы отнять сына. Она бы не вынесла еще одной потери в своей жизни, и все же знала, что если этого не сделает, то исковеркает собственное дитя. Освободить его — самое большее, что она обязана была ему дать. И наконец нашла единственную школу, где она согласилась бы его оставить. Школа находилась в маленьком уютном городке в Нью-Гемпшире, ее окружали березовые рощи, в парке был симпатичный маленький прудик и речка, где дети ловили рыбу. И что ей понравилось больше всего, так это то, что там не было «воспитанников» старше двадцати лет. Их не называли пациентами или больными, как то было принято в других интернатах. Их называли детьми и учащимися, как «обычных» людей. И большинство возвращали в семьи после достижения старшего подросткового возраста, чтобы они по возможности поступали в колледжи или начали работать. Пока Дафна медленно прогуливалась по парку с директором, статной седой женщиной, она вновь почувствовала всю тяжесть своей утраты, сознавая, что Эндрю может провести здесь около пятнадцати лет, или по крайней мере лет восемь—десять. Эта необходимость разрывала ей сердце. Это был ее последний ребенок, ее последняя любовь, единственная родная душа, и она собиралась его покинуть. От этой мысли глаза снова наполнились слезами, и Дафна ощутила ту же пронзительную, невыносимую боль, которая терзала ее на протяжении месяцев, прежде чем она приняла решение. Когда же слезы потекли по лицу, она почувствовала на плече руку директрисы и вдруг очутилась в тесных и сердечных объятиях этой пожилой женщины и выплакала всю боль минувших четырех лет, включая и ту, что накопилась до рождения Эндрю.

— Вы делаете важное дело для вашего сына, миссис Филдс, и я знаю, как это трудно.

И потом, когда рыдания наконец утихли:

— А у вас есть работа?

Вопрос прозвучал как удар. Неужто они сомневались в ее возможности оплатить его содержание? Она запасла некоторую сумму денег из их с Джеффом сбережений и была крайне экономной. Она купила себе только одно платье, не считая нескольких приобретений после пожара, и собиралась тратить всю страховку Джеффа на школу столь долго, сколько потребуется. Но теперь, конечно, с уходом Эндрю, она могла вернуться на работу. Она не работала со смерти Джеффа. Сначала она выздоравливала, а потом обнаружила, что беременна. Тогда она в любом случае не могла бы работать, совершенно обезумев от горя после их смерти. И «Коллинз» выплатил ей щедрое выходное пособие, когда она подала заявление об уходе.

— Нет, я не работаю, миссис Куртис, но мой муж оставил мне достаточно, чтобы...

— Нет, я не об этом. — Улыбка директрисы была полна сострадания. — Я хотела знать, свободны ли вы, чтобы остаться здесь на какое-то время. Некоторые из наших родителей так делают. Первые месяцы, пока ребенок привыкнет. А Эндрю еще такой маленький...

Там было пятеро детей его возраста, отчасти поэтому она и выбрала эту школу.

— В городе есть очаровательная маленькая гостиница, которой владеют супруги-австрийцы, и у них всегда есть свободные места. Вам стоит об этом подумать.

Дафна почувствовала себя так, словно получила отсрочку. И ее лицо просияло.

— Я смогу видеть его каждый день? — Слезы снова выступили у нее на глазах.

— Поначалу, — голос миссис Куртис был мягким. — Со временем для вас обоих будет лучше, если вы начнете сокращать посещения. И знаете ли, — она тепло улыбнулась, — он будет ужасно занят со своими друзьями.

В голосе Дафны прозвучало отчаяние:

— Вы думаете, он меня забудет?

Они остановились, и миссис Куртис посмотрела на нее:

— Вы не теряете Эндрю, миссис Филдс. Вы даете ему все, что ему будет необходимо для нормальной и успешной жизни.

Месяцем позже они с Эндрю совершили путешествие по Новой Англии, и она вела машину как можно медленнее. Это были последние часы их прежней жизни, и ей хотелось растянуть их как можно дольше. Она чувствовала, что не готова оставить его, а красота сельской местности почему-то делала разлуку еще более тяжелой. Листья желтели, и холмы окрасились в темно-красные и ярко-желтые тона, с дороги были видны дома, конюшни, лошади, поля и маленькие церковки. И вдруг она вспомнила о большом прекрасном мире, окружавшем их квартиру, из которой она не хотела его выпускать. Всего этого Эндрю никогда не видел, он показывал пальчиком и издавал непонятные нечленораздельные звуки, означавшие, что он хочет задать ей вопрос. Но как она могла объяснить ему существование мира, полного людей, самолетов и экзотических городов, таких, как Лондон, или Сан-Франциско, или Париж? Она вдруг осознала, сколь многого она его лишила и сколь немногому на самом деле научила, и знакомое чувство неудачи опять переполнило ее, пока они ехали по алым холмам Новой Англии.

В машине были все любимые сокровища и игрушки Эндрю, его медвежонок и тряпичный слоник, которого он так любил, и книжки с картинками, которые они вместе листали, но которые никто не мог ему прочитать. Дафна по дороге думала обо всем этом и вдруг осознала, сколько ей еще предстоит сделать и как мало она сделала, и еще подумала, как бы Джефф поступил на ее месте, если бы был жив. Возможно, у него было бы больше изобретательности или больше терпения, но он бы не мог любить его больше, чем любила его она. Дафна любила его каждой частичкой своей души, и если бы могла отдать ему свои собственные уши, чтобы он мог слышать, она бы это сделала.

За час до приезда в школу она остановилась перекусить на обочине, и ее мрачное настроение немного рассеялось. Эндрю, казалось, был в восторге от поездки и с восхищением смотрел на все вокруг. Глядя на него, она хотела бы рассказать ему про школу, но сделать это не было возможности. Дафна не могла также объяснить ему, что она сама чувствует, или почему она оставляет его там, или как сильно она его любит. В течение всей его жизни она удовлетворяла только его физические потребности или показывала пожарные машины, беззвучно мчащиеся по улице. Дафна не могла делиться с ним своими мыслями и чувствами. Она не сомневалась: Эндрю должен знать, что мама его любит, что никогда его не покинет. Но что он подумает теперь, когда она оставит его в школе? Как она могла это ему объяснить? Сознание невозможности этого только усиливало ее собственную боль. Миссис Куртис, директор школы, сняла для нее небольшой домик в городе, и Дафна собиралась остаться до Рождества, чтобы навещать Эндрю каждый день. Но это очень отличалось бы от прошлого, когда они все время проводили вместе. Их жизнь уже никогда не будет такой, как прежде, и Дафна знала это. Ей предстоял самый трудный в жизни поступок — покинуть сына, за которого ей хотелось держаться больше, чем за саму жизнь.

Они прибыли в школу вскоре после наступления сумерек, и Эндрю с удивлением осматривался, будто не понимал, зачем они сюда приехали. Он смотрел на Дафну в смятении, а она кивнула и улыбнулась, когда он с беспокойством смотрел на других детей. Но эти дети отличались от тех, кого он встречал в Централ-Парке в Нью-Йорке, и он инстинктивно чувствовал, что они такие же, как он. Эндрю смотрел, как они играют, как объясняются жестами, а они все время подходили к нему. Это был первый теплый прием, оказанный ему его ровесниками, и, когда одна девочка подошла и взяла его за руку и потом поцеловала в щеку, Дафна отвернулась, чтобы он не видел слез, стекавших по ее лицу. Миссис Куртис помогла ему наконец присоединиться к детям, взяла его за руку и подвела, а Дафна смотрела на это, чувствуя, что поступила верно и что новый мир открывался перед Эндрю. Пока она наблюдала, произошло нечто необычное: Эндрю стал протягивать руки этим детям, которые были так похожи на него. Он улыбался, смеялся и на время забыл о Дафне. Он стал наблюдать за жестами, которые они подавали руками, и, смеясь, воспроизвел один из них, а потом, издав смешной возглас, подошел к той девочке, которая первая обратила на него внимание, и поцеловал ее. Потом Дафна подошла к нему и помахала, давая понять, что уходит, но он не плакал и даже не выглядел испуганным или несчастным. Ему слишком нравилась компания новых друзей, и Дафна в последний раз, стараясь бодро улыбаться, обняла его и убежала, до того как снова появились слезы. Он уже не видел, каким опустошенным было лицо матери, когда она вела машину по дороге, ведущей из интерната.

— Позаботься о моем ребенке... — прошептала она, обращаясь к Богу, которого всегда боялась. На этот раз она молилась, чтобы Он ее услышал.

Глава 6

За две недели Эндрю полностью привык к своей новой жизни в школе, а Дафна чувствовала себя так, словно прожила в уютном городке в Новой Англии всю жизнь. Домик, который миссис Куртис помогла ей найти, был теплым, в нем была замечательная маленькая деревенская кухня с кирпичной печью для выпекания хлеба, маленькая гостиная со старым диваном и глубокими уютными креслами, был также камин и сверкающие медные горшки с растениями, а в спальне — кровать с пологом, покрытая ярким стеганым одеялом. Именно там Дафна проводила большую часть времени, читая книги и ведя дневник. Она начала его вести, когда была беременна Эндрю, в нем были записи о ее жизни, о том, что она думала и чувствовала, небольшие очерки о том, что значила для нее жизнь. Она всегда думала, что однажды, когда Эндрю подрастет, она покажет ему свои записи. А пока она в них изливала свою душу, в долгие, одинокие ночи, как те, в Нью-Гемпшире. Дни стояли яркие, солнечные, и она совершала длительные прогулки по лесным тропам и вдоль ручьев, думая об Эндрю и глядя на заснеженные вершины гор. Это был совершенно иной мир, чем Нью-Йорк. Тут были конюшни, коровы на пастбищах, холмы и луга, где она могла гулять, не встретив ни души, что ей очень нравилось. Она только хотела бы делиться им с Эндрю. Все последние годы он был ее единственным спутником. И каждые несколько дней она отправлялась в школу, чтобы его повидать. Ей к этому было очень трудно привыкнуть. На протяжении четырех лет ее жизнь сосредоточивалась вокруг него, а теперь вдруг он ушел, и порой пустота буквально одолевала ее. Она все чаще думала о Джеффе и Эми, которой теперь было бы восемь лет, и, когда Дафна видела девочек такого возраста, она отворачивалась с глазами, полными слез. Дафна убеждала себя, что потеря Эндрю не была так трагична. Он был жив, счастлив и занят делом, и она поступила с ним правильно. Но снова и снова приезжала в школу и сидела на скамейке в парке с миссис Куртис, наблюдая, как он играл и учился объясняться при помощи жестов. Дафна тоже обучалась языку жестов, чтобы лучше с ним общаться.

— Я знаю, как вам трудно, миссис Филдс. Детям привыкнуть легче, чем их родителям. Для малышей это своего рода освобождение. Здесь они наконец свободны от мира, который их не принимал.

— Но он их когда-нибудь примет?

— Да, — в голосе директрисы была полная убежденность. — Обязательно. Эндрю всегда будет не таким, как все. Но при правильном обучении для него практически не будет преград. — Она мягко улыбнулась Дафне. — Наступит день, когда он будет вам благодарен.

«А как же я? — захотела ее спросить Дафна. — Что теперь будет со мной? Что я буду делать без него?»

Пожилая дама словно прочла ее мысли:

— Вы подумали, что будете делать по возвращении в Нью-Йорк?

Для одинокой женщины отсутствие сына создало бы ужасный вакуум, к тому же миссис Куртис уже было известно, что Дафна не работает, с тех пор как забеременела, почти пять лет назад. По крайней мере у большинства родителей есть супруг, другие дети, работа, дела, которые компенсируют отсутствие этих особых детей. Но ясно было, что у Дафны этого нет.

— Вы снова вернетесь на прежнюю работу?

— Не знаю... — медленно произнесла Дафна, глядя на холмы. Как ей будет одиноко без него. Сейчас боль была чуть ли не больше, чем когда она его впервые привезла сюда. Реальность отрыва от сына она осознала окончательно. Ее жизнь уже никогда не будет такой же... никогда...

— Я не знаю. — Она отвела глаза от холмов и посмотрела на миссис Куртис. — Прошло столько времени. Не знаю даже, возьмут ли они меня. — Она улыбнулась, и в ее глазах отразилось течение времени. Годы преподали ей уроки, полные боли.

— Вы не думали о том, чтобы поделиться с другими тем, чему научились с Эндрю?

— Как? — Дафна удивленно взглянула на нее. Эта мысль не приходила ей в голову.

— По этой теме не хватает хороших книг. Вы упомянули, что в колледже изучали журналистику и работали в «Коллинзе» Почему бы не написать книгу или серию статей? Подумайте над тем, как это могло бы помочь вам, когда вы первые узнали о глухоте Эндрю.

Дафна помнила ужасное чувство одиночества от того, что никто не способен разделить с ней ее несчастье.

— Это мысль. — Она медленно кивнула, наблюдая, как Эндрю обнимал маленькую девочку, а потом погнался за большим красным мячом через всю игровую площадку.

— Может, вы как раз созданы для этого.

Но единственное, что она сейчас писала, ночь за ночью, был ее дневник. У нее теперь появилось много свободного времени, и ночью она не была такой усталой, как все последние годы, с тех пор как родился Эндрю. Он был, как любой другой ребенок, постоянно занят, но ему необходимо было уделять даже больше внимания, чем остальным, чтобы уберечь его от опасно-

стей, к тому же приходилось все время сталкиваться с
его огорчениями из-за невозможности общаться с другими детьми.

Закрыв ночью свой дневник, она лежала в темноте и
снова обдумывала предложение миссис Куртис. Идея
была неплохой, но все же Дафна не хотела писать об
Эндрю. Это казалось ей нарушением его прав как личности, и она не чувствовала себя готовой делиться ее
собственными страхами и болью. Все это были слишком
свежо именно потому, что Джефф и Эми погибли уже
давно. Она об этом тоже никогда не писала. И все же
знала, что все это упрятано внутрь и ждет выхода наружу, равно как и ощущения, которых она не испытывала
годами: того, что она все еще молода, что она женщина.
На протяжении последних четырех лет единственным
близким человеком был для нее сын. В ее жизни не
было ни одного мужчины и очень мало друзей. У нее не
хватало на них времени. Она не хотела сочувствия. А
встречаться с другим мужчиной — это казалось ей изменой Джеффри и всему тому, что их объединяло. Вместо этого она заглушила все свои чувства, закрыла все
двери и из года в год жила одной только заботой об
Эндрю. Но теперь этой причины больше не оставалось.
Он будет жить в школе, а она одна в их квартире. Это
отбивало у Дафны всякое желание возвращаться в Нью-
Йорк. Ей хотелось спрятаться в домике в Нью-Гемпшире навсегда.

По утрам она совершала дальние прогулки и однажды по обыкновению зашла в маленькую «Австрийскую
гостиницу» позавтракать. Супруги-владельцы очень подходили друг другу — оба полные и добрые. Хозяйка
всегда справлялась о сыне Дафны. Она знала от миссис
Куртис, зачем Дафна сюда приехала. Как в любом
маленьком провинциальном городке, так и тут люди знали,

кто местный, а кто приезжий, почему приехал и когда
уедет. Такие люди, как Дафна, не были здесь редко-
стью, другие родители тоже приезжали навестить своих
детей. Большинство останавливались в гостинице, мень-
шая же часть поступала так, как Дафна, и, как правило,
летом. Они снимали коттеджи и небольшие дома, привозили с собой остальных детей и обычно устраивали из
этого семейное торжество. Но миссис Обермайер поняла, что Дафна не такая, как все. В этой миниатюрной,
хрупкой женщине была какая-то молчаливая отрешен-
ность. Только заглянув ей в глаза, можно было видеть,
что она гораздо мудрее своих двадцати восьми лет и что
жизнь не всегда была с ней ласкова.

— Как ты думаешь, почему она такая одинокая? — спросила однажды миссис Обермайер своего супруга, укладывая в корзину сладкие булочки
и задвигая противень с печеньем в духовку. От пи-
рогов и тортов, которые она выпекала, у любого
текли слюнки.

— Может, она в разводе. Ты же знаешь, такие дети
могут расстроить брак. Может, она уделяла слишком
много внимания мальчику и ее муж не выдержал этого.

— Она выглядит такой одинокой.

Франц Обермайер улыбнулся. Его жена вечно за
всех переживала.

— Может, она просто скучает по малышу. Миссис
Куртис, кажется, говорила, что он очень маленький, и
это ее единственный ребенок. Ты тоже так тосковала,
когда Гретхен уехала учиться в колледж.

— Это не одно и то же. — Хильда Обермайер
посмотрела на него, зная, что он замечает далеко не
все. — А ты не заглядывал в ее глаза?

— Да, — признался он с ухмылкой, и его толстые
щеки покраснели, — они очень симпатичные.

Он шлепнул свою жену по заду и вышел, чтобы принести еще немного дров. В этот уик-энд в их гостинице было очень много постояльцев. В конце зимы здесь собирались любители беговых лыж, а осенью приезжали жители Бостона и Нью-Йорка полюбоваться многоцветьем осенней листвы. Но оранжевые и красные листья уже почти все опали. Стоял ноябрь.

В День Благодарения Дафна поехала в школу и ела праздничную индейку вместе с Эндрю и другими детьми. Потом они играли в игры, и Дафну поразило, когда он рассердился и жестами сообщил:

— Ты ничего не понимаешь, мама.

Гнев в его глазах задел ее за живое, и она почувствовала оторванность от него, которой никогда до этого не ощущала. Дафна вдруг обиделась на школу за то, что та отняла у нее сына. Он больше не был ее, он был их, и Дафна возненавидела их за это. Но она обнаружила, что вместо школы изливает злобу на Эндрю. Миссис Куртис была свидетелем этого диалога и позже поговорила с Дафной об этом, объяснив, что их чувства были нормальными. Все теперь для Эндрю менялось очень быстро, а следовательно, и для Дафны тоже. Она не могла говорить жестами так же быстро, как он, ошибалась и чувствовала себя неуклюжей и глупой. Но миссис Куртис заверила ее, что потом отношения между ними наладятся, будут гораздо лучше, чем когда-либо прежде, и что не стоит отчаиваться.

Перед ужином они с Эндрю помирились, опять подружились, пошли к столу, держась за руки, и, когда он жестами произнес молитву перед началом еды, Дафна думала, что лопнет от гордости, а он потом улыбнулся ей. После ужина Эндрю опять играл со своими друзьями, но, когда устал, пришел посидеть у нее на коленях и прижаться, как, бывало, делал в прошлые годы, и она счастливо улыбнулась, когда он заснул у нее на руках. Во сне он тихо посапывал, а она его баюкала, желая, чтобы стрелки часов повернули вспять. Дафна отнесла сына в его комнату, переодела и аккуратно положила в постель под наблюдением одной из воспитательниц. И затем, последний раз взглянув на спящего светловолосого ребенка, тихо вышла из комнаты и спустилась вниз к другим родителям. Но в тот вечер ей не хотелось быть с ними. Раз Эндрю спал, ей хотелось вернуться к себе в домик. Она уже привыкла к одиночеству, возможности побыть наедине со своими мыслями и к удобству излить душу в своем дневнике.

Дафна ехала домой по знакомой объездной дороге и онемела от изумления и испуга, когда услышала, как что-то лязгнуло, машина вдруг осела передом и остановилась. Сломалась ось. Дафну только тряхнуло, она ничего себе не повредила и сразу подумала, как ей повезло, что это не случилось где-то на шоссе. Но в то же время это было слабым утешением. Она была одна на пустынной дороге на расстоянии около семи миль от дома. Единственный источник света — луна — хорошо освещал дорогу, но было ужасно холодно, и Дафне предстоял долгий путь домой на резком ветру. Она подняла воротник пальто, жалея, что не надела шапку и перчатки и более подходящую обувь. По случаю Дня Благодарения она была на высоких каблуках и в платье. Глаза Дафны слезились от холода, щеки покалывало, а руки сразу окоченели, даже в карманах, но она уткнула подбородок в пальто и за неимением выбора продолжала путь.

Наконец, примерно через час, Дафна увидела впереди на дороге свет фар, и вдруг ее охватила паника. Даже в этом сонном городишке могло случиться неприятное.

Она была одна на темной проселочной дороге, и, если бы что-то с ней произошло, никто бы не услышал ее криков и не пришел ей на помощь. Как испуганный кролик она вдруг остановилась на дороге, глядя на приближающийся к ней свет. А потом инстинктивно спряталась за дерево, а сердце у нее при этом так громко колотилось, что, казалось, она его слышала в своем укрытии. Дафна задавала себе вопрос, видел ли водитель ее бегство. Он был еще довольно далеко, когда она убежала с дороги. Автомобиль приблизился, это был грузовик. Сначала казалось, что он проедет мимо, но он с визгом затормозил, и она в испуге затаила дыхание.

Дверца грузовика открылась, и из кабины вышел мужчина.

— Эй?! Есть там кто?!

Он несколько минут стоял, озираясь, и все, что она могла разглядеть, — это, что он был очень высокий, и ей вдруг показалось очень глупым то, что она прячется. Поскольку ноги у нее болели от холода, она хотела выйти из-за дерева и попросить подвезти, но как теперь объяснить, почему она спряталась? Ее реакция была дурацкой, и теперь надо было сидеть здесь. Водитель медленно обошел вокруг грузовика, пожал плечами, снова сел в кабину и поехал дальше. Тогда Дафна медленно вышла из-за дерева, она смущенно улыбалась и говорила себе: «Ты — дуреха. Замерзнешь как цуцик, пока доберешься домой. Так тебе и надо».

И она стала что-то напевать, смеясь над собственной глупостью и понимая, что слишком долго жила в городе. У нее не было никаких причин для страха, кроме той, что это чувство она постоянно испытывала на протяжении последних нескольких лет. Получалось, что она стала робкой от недостатка общения с людьми. Кроме того, она всегда испытывала такую ответственность за Эндрю, что вдруг ужасно испугалась, что беда может случиться и с ней самой.

Дафна прошагала по дороге еще милю и вдруг услышала шум автомобиля в отдалении сзади себя. Она опять подумала, не убежать ли с дороги, но на этот раз покачала головой и мягко себе сказала: «Бояться нечего» Ей стало неловко, что приходится себя убеждать, но она стала как вкопаная, когда отошла в сторону и увидела, что к ней приближается уже знакомый ей грузовик. Грузовик опять остановился, и на этот раз она смогла разглядеть водителя, когда он открывал дверцу освещенной кабины. У него было мужественное лицо, волосы с проседью и широкие плечи, одет он был в грубый овчинный полушубок, плотно прилегающий к фигуре.

— Там, сзади, ваша машина?

Дафна кивнула, нервно улыбнулась и заметила, что руки у него большие и грубые, когда он вынул их из кармана. Прежнее ощущение страха пробежало у нее по спине, но она заставила себя остаться на месте. Если он порядочный человек, то подумает, что она сошла с ума. А если нет, теперь было слишком поздно прятаться от него. Ей придется поступать в зависимости от обстановки. Она улыбнулась, но ее взгляд был настороженным.

— Да, моя.

— А чуть раньше я проезжал мимо вас?

Он смущенно посмотрел на нее сверху вниз.

— Мне показалось, что я видел кого-то на дороге, но когда остановился, то никого не нашел. Когда я увидел там сзади вашу машину, я подумал, что проехал мимо вас.

Судя по его глазам, он понимал все без ее объяснений, а голос у него был низким, хрипловатым и добрым.

— Ось сломалась, все ясно. Можно вас подвезти? Холодноватая сегодня ночь пешком ходить.

Они постояли минуту-другую, Дафна изучала его глаза, а потом кивнула.

— Я бы не отказалась. Большое спасибо.

Дафна надеялась, что он подумает, будто ее голос дрожит от холода, а не от страха, хотя и сама до конца не была в этом уверена. Она продрогла до мозга костей и едва справлялась с ручкой кабины своими окоченевшими пальцами. Он помог ей открыть дверь, и Дафна забралась внутрь. Он вернулся на свое место и сел за руль, даже не взглянув на нее.

— Вам повезло, что вы не ехали по главному шоссе на скорости. Она что, так ни с того ни с сего?

— Да, просто лязгнуло спереди, вот и все.

Теперь Дафна себя чувствовала лучше, а в кабине грузовичка было замечательно тепло. Пальцы у нее оттаивали и болели, и она дула на них. Он молча дал ей пару толстых перчаток на овечьем меху, и она не снимала их всю дорогу до дома.

Лишь минут через пять он обратился к ней снова, тем же добрым хрипловатым голосом. Все в нем напоминало суровую силу гор:

— Вы не поранились?

Она покачала головой:

— Нет, просто замерзла. Мне бы пришлось добираться домой пару часов.

Тогда Дафна вспомнила, что надо ему сказать, где она живет.

— Это старый дом Ланкастеров, что ли? — Он, казалось, был удивлен.

— Я не уверена. Мне так кажется. Я сняла его у женщины по фамилии Дорси, но мы с ней не встречались. Я все оформила по почте.

Он кивнул.

— Это ее дочь. Старая миссис Ланкастер умерла в прошлом году. Не думаю, что ее дочь переедет сюда в ближайшие двадцать лет. Она живет в Бостоне. Замужем за каким-то юристом.

Это было так провинциально — подробности, которые всем известны. Дафна невольно улыбнулась, вспомнив свой страх быть подвергнутой нападению. Все, что хотел сделать этот мужчина, — рассказать ей местную сплетню.

— Вы тоже из Бостона?

— Нет, из Нью-Йорка.

— Отдохнуть приехали?

Это была ни к чему не обязывающая болтовня попутчиков, но Дафна тихо вздохнула. Ей не хотелось ему рассказывать, и водитель моментально это понял. Он поднял вверх руку, виновато улыбнулся и опять перевел взгляд на дорогу.

— Извините. Можете не отвечать. Я здесь уже столько лет, что забыл, как себя надо вести. Все в городе задают такие вопросы, но ведь это не мое дело, зачем вы приехали. Извините, что спросил.

С его стороны это было так мило, что она улыбнулась в ответ.

— Ничего. Я сюда приехала, чтобы быть поближе к сыну. Я только что отдала его в... Говардскую школу. — Она уже хотела сказать: «в школу для глухих» но эти слова застряли у нее в горле, и она не смогла их произнести. Водитель обернулся к ней, он и так понял, он знал, что такое Говартская школа. Это знали все в городе. Тут не было ни позора, ни секрета.

— Сколько лет вашему сыну?

И потом, с участием:

— Или я опять слишком любопытен?

— Нет, нет. Ему четыре.

Он нахмурился и посмотрел на нее с пониманием:

— Вам, наверно, чертовски тяжело оставлять его. Он очень маленький.

Странное дело, но ей вдруг самой захотелось задать ему вопросы. Как его зовут? Есть ли у него дети? Они вдруг стали случайными попутчиками на темной проселочной дороге. Но в следующую минуту он остановился у ее дома и выскочил из кабины, чтобы помочь ей выйти. Дафна чуть не забыла вернуть перчатки и улыбнулась, глядя ему в глаза:

— Большое спасибо. Если бы не вы, я бы еще долго добиралась домой.

Теперь уже он улыбнулся, и она заметила юмор в его глазах, которого раньше не было.

— Вы могли сэкономить целую милю, если бы поверили мне с самого начала.

Она покраснела в темноте и засмеялась.

— Извините, — заикалась она, чувствуя себя словно девочка рядом с этим огромным мужчиной. — Я спряталась за дерево и уже почти вышла, но мне стало стыдно, что я прячусь.

Он улыбнулся ее признанию и проводил до двери.

— Вы, наверное, были правы. Никогда не знаешь, кого встретишь, а в этом городе есть полоумные ребята. Они сейчас везде есть, не только в Нью-Йорке. Ну, я рад, что нашел вас и подвез.

— Я тоже.

Она на мгновение задумалась, не пригласить ли его на чашку кофе, но это показалось ей не совсем подходящим. Было девять вечера, она была одна и, по сути дела, его не знала.

— Сообщите мне, если я смогу вам чем-то помочь, пока вы здесь. — Он протянул ей свою крепкую руку. — Меня зовут Джон Фоулер.

— А меня Дафна Филдс.

— Рад с вами познакомиться.

Она открыла дверь ключом, а он помахал ей, когда шел обратно к своему грузовику, и в следующую минуту уехал, а Дафна стояла в пустом доме, жалея, что не пригласила его. В конце концов, с ним можно было бы поговорить.

Даже дневнику в этот вечер она не уделила особого внимания. Она все думала о мужественном лице, волосах с проседью, сильных руках и поняла, что, как ни странно, этот человек ее заинтересовал.

Глава 7

На следующее после Дня Благодарения утро Дафна пошла в «Австрийскую гостиницу» и обменялась обычными любезностями с миссис Обермайер. Она съела яичницу с беконом и рогаликами, а после завтрака поговорила с Францем и спросила его, что делать с машиной. Он направил ее в один из местных гаражей. Дафна пошла туда, попросила отбуксировать машину в город и отправилась с водителем грузовика, чтобы показать ему место аварии. Но когда они туда приехали, машины уже не было, остались только следы колес на обочине, подтверждающие, что ее кто-то уже отбуксировал.

— Кто-то вас опередил, мадам. — Водитель грузовика был смущен. — А вы никого больше не просили ее забрать?

— Нет. — Дафна с нескрываемым удивлением смотрела на место, где оставила машину. Это, без сомнения, случилось здесь, но машина пропала. — Никого. Вы думаете, ее могли украсть?

— Все может быть. Но вам надо сначала проверить в других гаражах. Может, кто-то отбуксировал ее в город без вас.

— Это невозможно. Никто не знал, где она находится.

Да и никого в городке Дафна не знала. Кроме... но это казалось маловероятным.

— А сколько еще гаражей здесь?

— Два.

— Ну ладно, я сначала лучше проверю, а потом заявлю в полицию.

Она вспомнила, что накануне вечером Джон Фоулер говорил о «полоумных ребятах» Может, кто-то из них украл ее машину, хотя особой ценности она не представляла, тем более со сломанной осью.

Шофер грузовика подбросил ее до первого из двух гаражей, и не успела она зайти внутрь и спросить, как увидела свою машину, с которой уже возилось двое парней в алясках, джинсах, грубых бутсах, с черными от мазута руками.

— Это ваша?

— Да. — Она все еще была немного ошарашена. — Моя.

— Повозиться тут, конечно, придется, — один из парней по-мальчишески ей улыбнулся. — Но завтра все будет готово. Джон Фоулер сказал, что должно быть готово сегодня к обеду, но мы не успеем, если вы хотите, чтобы мы наладили вам и все остальное.

— Он сказал?

Значит, все-таки это был он.

— А когда он ее привез?

— Сегодня, часов в семь утра. Тянул своим грузовиком.

— А вы не знаете, где его можно найти?

Надо было его поблагодарить... И Дафна внезапно покраснела, вспомнив, как лишь накануне вечером она испугалась, что он ее может изнасиловать. А каким порядочным человеком он оказался.

Оба парня в ответ на ее вопрос покачали головами.

— Он работает на базе лесорубов, но где живет, я не знаю, — сказал веснушчатый рыжий механик.

Дафна поблагодарила его, сунула руки в карманы пальто и отправилась назад к своему дому. Она прошла уже полпути, когда вдруг услышала гудок,

и рядом с ней остановился его голубой грузовик.
Дафна широко улыбнулась:

— Я вам так признательна. Вы были так любезны...

— Пустяки. Подвезти вас?

Она колебалась лишь долю секунды, а потом кивнула.
Джон открыл ей дверцу:

— Запрыгивайте.

И когда Дафна, устроившись на широком сиденье,
взглянула на него, он весело прищурил глаза:

— Может, лучше спрятаться за дерево?

— Это нечестно! — Дафна смутилась. — Я боялась, что...

Джон добродушно засмеялся:

— Я знаю, чего вы боялись, и вообще-то ваши
действия были очень разумны. Хотя, — он улыбнулся ей, — я слегка на вас обиделся. У меня разве такой устрашающий вид?

Но, смерив ее взглядом, он за нее же ответил:

— Пожалуй, такой малютке, как вы, могло стать
страшно, так ведь? — Его голос стал вдруг очень
мягким, а глаза добрыми. — Но я не хотел вас
пугать.

— А я вас даже не видела, когда стояла за деревом.

У Дафны все еще не прошел румянец, но ее глаза
были веселыми. Она тихо вздохнула:

— Мне кажется, я стала немного чудной, с тех
пор... с тех пор, как осталась одна с сыном. Это
огромная ответственность. Если со мной что-то случится...

Дафна осеклась и снова посмотрела на него, задавая
себе вопрос, почему она ему все это говорит. Но в нем
было что-то очень располагающее.

Джон долго молчал и наконец спросил:

— Вы разведены?

Она медленно покачала головой:

— Нет. Я вдова.

Все пять лет она ненавидела это слово. Вдова. Ужасно звучит.

— Сочувствую.

— Спасибо. — Дафна улыбнулась, чтобы ободрить его, и в этот момент они подъехали к ее дому. — Может, зайдете на чашечку кофе?

«Хоть этим его отблагодарить», — подумала она.

— Конечно. С удовольствием. На работу мне только в понедельник, и времени свободного навалом.

Он вошел за ней в дом, повесил на вешалку свою куртку, а Дафна поспешила на кухню, чтобы подогреть кофе, оставшийся с утра.

— Парни в гараже сказали, что вы работаете на базе лесорубов, — сказала она через плечо, доставая чашки.

— Да, так оно и есть.

Дафна обернулась. Джон стоял, прислонившись к дверному косяку, и наблюдал за ней. Ее охватило очень странное чувство. Накануне вечером он подобрал ее на дороге, а теперь вдруг оказался у нее на кухне. Лесоруб, совершенно незнакомый мужчина, и все же в нем было что-то притягательное. Дафна одновременно испытывала и влечение к нему, и в то же время страх, но, снова отвернувшись, она поняла, что причина страха не в нем, а в ней самой. Словно чувствуя ее смущение, он вышел из кухни в гостиную и ждал ее там на диване.

— Может, разжечь камин?

Ее реакция была немедленной, и он увидел у нее в глазах ужас:

— Нет!

И, поняв, что нечаянно выдала ему сокровенное, Дафна тут же добавила:

— Тут становится слишком жарко. Я обычно не топлю его.

— Ну и ладно.

Необычный человек. Он словно улавливал ее мысли раньше, чем Дафна их высказывала, будто видел то, чего не видели другие. Дафну это слегка смущало, но в то же время очень помогало в общении.

— Вы боитесь огня?

Вопрос был задан очень просто, мягким тоном. Дафна сперва торопливо замотала головой, а потом посмотрела на него и утвердительно кивнула. Она поставила чашки с кофе на стол и стояла перед ним.

— Мой муж и дочь погибли во время пожара.

До сих пор она никому не говорила об этом. Джон посмотрел на нее, словно хотел ее обнять; его добрые серые глаза глядели на нее пристально.

— Вы там тоже были? — Его голос был очень мягким, Дафна кивнула, и на глазах у нее выступили слезы. Она отвела их в сторону и подала ему чашку. Но взгляд его оставался вопрошающим.

— И ваш маленький сын тоже?

Она вздохнула.

— Тогда я была беременна, но не знала этого. На протяжении следующих двух месяцев они давали мне столько лекарств... от ожогов... инфекции... успокаивающие... антибиотики... когда я узнала, что беременна, было уже поздно. Поэтому Эндрю родился глухим.

— Вам обоим повезло, что вы остались живы.

Теперь он лучше понимал, почему она чувствует такую ответственность за Эндрю и как трудно ей было отдать его в интернат.

— Жизнь странная штука, — он оперся о спинку дивана, кофейная чашка казалась миниатюрной в его ладони. — Знаешь, Дафна, иногда происходящее кажется совершенно бессмысленным.

Она удивилась, что он запомнил ее имя.

— Я потерял жену пятнадцать лет назад, она погибла в автокатастрофе, в гололед. Это была замечательная женщина, все в городке любили ее. — Его голос стих, а глаза стали чистыми, как утреннее небо. — Я этого до сих пор не могу понять. На свете столько плохих людей. Почему погибла она?

— Я так же думала о Джеффе.

По прошествии пяти долгих, одиноких лет Дафна впервые с кем-то заговорила о нем, но она внезапно почувствовала необходимость открыться этому незнакомцу.

— Мы были так счастливы.

Когда она это говорила, в ее глазах не было слез, а скорее изумление. Джон внимательно наблюдал за ней.

— Вы долго прожили вместе?

— Четыре с половиной года.

Он кивнул:

— Мы с Салли прожили девятнадцать. Нам было по восемнадцать, когда мы поженились, — он улыбнулся. — Мы были просто детьми, оба тяжело трудились, какое-то время голодали, потом дела пошли лучше, жизнь наладилась. Она стала как бы частью меня. Мне было чертовски тяжело, когда я ее потерял.

Теперь глаза Дафны утешали его.

— Мне тоже, когда я потеряла Джеффа. Мне кажется, что около года я пребывала в каком-то оцепенении. Пока у меня не появился Эндрю. — Она улыбнулась. — Я была с ним так занята, что уже об этом не думала столько... разве что иногда... ночью.

Дафна тихо вздохнула.

— А у вас были дети, Джон?

Так непривычно было произносить его имя и слышать из его уст свое.

— Нет. Никогда. Сначала нам не хотелось. Мы не хотели быть как другие, как наши ровесники, которые переженились после школы, понарожали за три года по четверо детей, а потом только жаловались и ссорились друг с другом. Мы же решили в первые несколько лет не иметь детей, а потом подумали, что нам и так хорошо. Я в самом деле никогда об этом не жалел... пока она не погибла. Тебе повезло, что у тебя есть Эндрю.

— Я знаю. — Ее глаза засияли при мысли о дорогом ребенке. — Иногда мне кажется, что он для меня значит даже больше, потому что... потому что он... такой, какой есть.

— Ты боишься произносить это слово?

Его голос был таким добрым, таким ласковым, что ей захотелось расплакаться или прильнуть лицом к его груди и дать себя обнять.

— Иногда. Я ненавижу то, что оно будет для него значить.

— Ему надо немного больше стараться, на авось рассчитывать уже не придется. От этого он, возможно, станет лучше и сильнее, надеюсь, так оно и будет. Я думаю, что пережитые испытания именно так повлияли на тебя. Легкий путь не всегда самый лучший, Дафна. Посмотри на людей, которых ты уважаешь, — это, как правило, те, кто шел по трудным дорогам, многое пережил и выстрадал. Те, кто ищет легких путей, гроша ломаного не стоят. Достойны же внимания люди, взбирающиеся на вершину, несмотря на ушибы, исцарапанное лицо и кровоточащие ноги. Может, это зрелище не из приятных, но таким может быть путь твоего ребенка.

— Я бы не хотела для него такого пути.

— Конечно. А кто хочет? Но он его одолеет. А ты должна.

Дафна задумчиво посмотрела на него. Их взгляды встретились.

— Чем ты занималась до того, как поселилась в этом бревенчатом домишке?

Она на мгновение задумалась, вспоминая прошедшие пять лет.

— Заботилась об Эндрю.

— А что будешь делать теперь, когда он в школе?

— Я еще не знаю. Я раньше работала в журнале, но это было давно.

— Тебе это нравилось?

Дафна чуть задумалась и кивнула:

— Да. Но я была гораздо моложе. Я не уверена, что теперь это мне будет так же нравиться. Работа казалась мне интересной, когда я была замужем за Джеффри, но это было так давно... — Она улыбнулась ему, чувствуя себя ужасно старой. — Мне тогда было всего двадцать четыре.

— А теперь тебе сколько? — усмехнулся Джон. — Двадцать пять? Двадцать шесть?

— Двадцать девять. — Дафна произнесла это очень торжественно, и он рассмеялся.

— Ну конечно. Я и не думал, что ты такая старая. Мне, дорогая моя, пятьдесят два. Двадцать девять — это для меня детский возраст.

Пожалуй, он на столько и выглядел. Но годы только добавляли ему достоинств, как хорошему коньяку.

Они допили кофе, Джон встал и оглядел комнату:

— Тебе здесь нравится, Дафна? Здесь очень уютно.

— Да. Иногда я подумываю, не остаться ли здесь навсегда.

Она улыбнулась и пригляделась к нему. Он был очень привлекательным мужчиной, даже в свои пятьдесят два.

— Почему ты хочешь здесь остаться? Ради себя или ради Эндрю?

Дафна хотела сказать, что не знает точно, но на самом деле она знала. Причина была в нем, и он увидел этот ответ в ее взгляде.

— Тебе надо в ближайшее время вернуться в Нью-Йорк, голубушка. Не растрачивай здесь свою жизнь ради ребенка. Ты должна вернуться к людям твоего круга, работать, встречаться с коллегами, друзьями. По-моему, ты все эти годы провела в каком-то летаргическом сне, и знаешь что? Не теряй зря время. А то однажды проснешься такой же старой, как я, и будешь жалеть, что угробила собственную жизнь. Ты достойна большего, я же это вижу.

Дафна посмотрела ему в глаза. В ее взгляде была вся боль утрат, боль прошлого.

— У меня нет такой уверенности. Я не ставлю перед собой какие-то невероятные цели, не собираюсь создавать какие-то бессмертные творения, не мечтаю о карьере. Почему я не могу быть счастлива здесь?

— Ну и чем ты будешь заниматься? Навещать Эндрю? Цепляться за него, в то время как ты должна предоставить ему свободу? Ходить по темным проселочным дорогам, если сломается машина? По субботам ходить ужинать в «Австрийскую гостиницу»? Одумайся, я не знаю всех обстоятельств твоей жизни, но я и так вижу, что ты заслуживаешь лучшей участи.

— Разве? Почему?

— Потому что ты очень толковая и чертовски хорошенькая. Независимо от того, хочешь ты это принять к сведению или нет.

Дафна покраснела, а Джон улыбнулся ей и потянулся за курткой:

— Ну ладно, я утомил тебя своей болтовней, пора и честь знать, пойду-ка посмотрю, как дела у тех ребят, что чинят твою ось.

— Это совсем не обязательно.

Дафне не хотелось, чтобы он уходил. С ним ей было хорошо и спокойно. А теперь она опять останется одна. В течение пяти лет это ее не заботило, а теперь вдруг стало беспокоить.

Но Джон улыбнулся ей от двери:

— Я знаю, что это не обязательно, но я так хочу. Вы мне нравитесь, Дафна Филдс.

И потом, словно вспомнив в последнюю минуту:

— Можно тебя пригласить как-нибудь вечером на ужин в гостиницу? Я обещаю, что не буду читать нотаций и произносить речей, просто меня всегда огорчает, когда вижу, что симпатичные молодые женщины губят свою жизнь.

— Я с удовольствием поужинаю с тобой, Джон.

— Отлично. Остается только это выполнить.

Он на мгновение задумался, потом улыбнулся ей:

— Может, завтра вечером? Не возражаешь?

Дафна медленно покачала головой, задавая себе вопрос, что же она делает, кто этот мужчина и почему ей так хочется ближе с ним познакомиться, быть с ним.

— Очень хорошо.

— Я заеду за тобой в шесть тридцать. Время деревенское.

Джон кивнул ей, улыбнулся, легко шагнул через порог и тихо прикрыл за собой дверь, а Дафна стояла и смотрела на него в окно. Он помахал ей из кабины, выруливая на дорогу, гравий заскрежетал под колесами, и грузовик скрылся. Она долго стояла, глядя на пустую дорогу и пытаясь понять, куда устремилась ее жизнь и кто на самом деле Джон Фоулер.

Глава 8

Вечером в субботу Джон приехал ровно в шесть тридцать. Сверху на нем был тот же полушубок, но под полушубком — рубашка с галстуком, пиджак и серые слаксы. Одежда не была ни безупречно скроенной, ни дорогой, и все же на его могучей фигуре смотрелась хорошо. Дафну тронуло, что он принарядился, собираясь с ней на ужин. В нем было этакое старомодное рыцарство, которое ей, безусловно, нравилось.

— Боже мой, Дафна, ты выглядишь очаровательно.

На ней была белая юбка и голубая водолазка, почти под цвет ее глаз, а сверху — короткая мерлушковая шубка, которая делала ее похожей на карликового французского пуделя. Все в ней было миниатюрным и изящным, и все же в этой женщине чувствовалась какая-то внутренняя сила, совсем не вязавшаяся с ее комплекцией. Волосы у нее были собраны в простой пучок, Джон посмотрел на ее прическу с интересом и застенчивой улыбкой:

— А ты когда-нибудь носишь распущенные волосы?

Дафна на мгновение задумалась и покачала головой:

— Нет, в последнее время нет.

Она их носила распущенными при Джеффе, они спадали ниже плеч. Но это была часть другого времени, другой жизни, ее женственность была нужна другому мужчине.

— Я бы хотел увидеть их распущенными.

Он заглянул ей в глаза и с мягким смешком произнес:

— Я питаю слабость к красивым блондинкам, предупреждаю тебя.

Но несмотря на эти шутки и очевидный интерес в его глазах, с ним она чувствовала себя в безопасности. Это его качество Дафна заметила еще раньше. Может, это было связано с его мощью, а может, с почти отеческим отношением к ней — во всяком случае, она знала, что может рассчитывать на его заботу. Но в ней самой теперь тоже появилась новая черта. Дафна знала, что может позаботиться о себе сама. Когда она выходила за Джеффа, у нее не было такой уверенности. Этот же мужчина не был ей необходим. Он ей просто нравился.

Джон привез ее в «Австрийскую гостиницу». Чета Обермайеров, казалось, была удивлена, видя их вместе, и особенно старалась угодить. Дафна и Джон входили в число их любимых клиентов, и, когда на кухне возникла небольшая передышка, Хильда с заинтригованным видом обратилась к мужу:

— Как ты думаешь, где они могли познакомиться?

— Не знаю, Хильда. Да и не нашего это ума дело, — мягко упрекнул ее Франц. Но ее любопытству и удивлению не было предела.

— Ты понимаешь, что он не приходил к нам ужинать с тех самых пор, как умерла его жена?

— Хильда, разве ты не понимаешь, что нельзя так говорить? Они взрослые люди и делают то, что им нравится. И если ему хочется пригласить симпатичную женщину на ужин, что в этом такого?

— Я же не сказала, что это плохо! По-моему, это великолепно!

— Вот и отлично. Тогда отнеси им кофе и заткнись.

Он легонько шлепнул ее по заду и вернулся в зал посмотреть, не нужно ли чего гостям. Франц увидел, что Джон и Дафна беседуют за кофе: он рассказывал ей что-то забавное, а она смеялась, как маленькая девочка.

— И что ты им тогда сказал? — весело спросила Дафна.

— Что раз они не могут руководить лесоразработкой, им надо руководить балетом. И представь себе, через шесть месяцев они продали это дело, смотали удочки и приобрели какую-то балетную труппу из Чикаго.

Он покачал головой, а в глазах у него все искрились смешинки:

— Вот дурачье-то!

Он рассказывал ей о двух ловкачах из Нью-Йорка, которые несколько лет назад решили купить местную базу лесоразработок и отмыть на ней свои налоговые грехи.

— Черт подери, я там вкалывал не для того, чтобы два прохвоста из Нью-Йорка пришли и все промотали. Так не годится.

— Тебе нравится твоя работа, Джон?

Он ее интересовал. Он был, несомненно, умен, начитан, ориентировался в том, что происходит в мире, хотя всю жизнь прожил в маленьком городишке в Новой Англии и работал не покладая рук.

— Да, нравится. Она мне подходит. Я никогда не был бы счастлив в конторе. У меня была такая возможность. Отец Салли был здесь директором банка и очень хотел, чтобы я у него работал, но это было не по мне. А так я весь день на воздухе, в мужском коллективе, работаю физически.

Он улыбнулся Дафне:

— Я в душе работяга, миссис Филдс.

Но было очевидно, что это слишком скромная оценка. Однако физический труд, бесспорно, наделил его силой, чувством реальности, научил лучше разбираться в людях и их характерах. Джон обладал мудростью, и к

концу вечера Дафна поняла, что именно это ей в нем
нравится. За десертом он долго не отрывал от нее взгляда,
а потом взял ее руку в свою:

— Мы оба испытали много утрат, и ты, и я, и все
же мы здесь, сильные и живые, мы это пережили.

— Мне иногда казалось, что я не переживу.

Как хорошо, что можно было с кем-то этим поделиться.

— Пережила и переживешь в будущем. Но ты сама
еще в этом сомневаешься, да?

— Иногда меня одолевают сомнения. Мне кажется,
что еще одного дня я не выдержу.

— Выдержишь. — Он это произнес с полной уве-
ренностью. — Но, может, тебе пора прекратить сражаться в одиночку?

Он моментально понял, что в ее жизни долгое
время никого не было, заметил тихую тоску, при-
сущую женщине, которая почти забыла ласковое прикосновение любви.

— Дафна, а в твоей жизни был кто-нибудь с тех
пор, как умер твой муж, или, может, мне не следует об
этом спрашивать?

Она смущенно улыбнулась, огромные василькового
цвета глаза вдруг стали еще больше.

— Почему, спрашивай. Нет, не было. На самом
деле. — Она зарделась, и Джон почувствовал почти
непреодолимое желание поцеловать ее. — Это мое первое свидание... долгие годы...

Дафна не договорила. Но он и так понял.

— Такая женщина зря пропадает.

Однако на этот раз он явно переборщил, а Дафна
отвела взгляд.

— Так было лучше. Я могла всю себя посвятить
Эндрю.

— А теперь?

— Теперь не знаю... — ответила она озабоченно. — Я не знаю, что делать без него.

— По-моему, — он сощурил глаза, присматриваясь к ней, — по-моему, тебе предстоит совершить нечто очень значительное.

Дафна рассмеялась и покачала головой:

— Что, например? Добиваться избрания в конгресс?

— Возможно, если это то, чего ты хочешь. Но хочешь ты не этого. Внутри тебя, Дафна, есть что-то, что так и просится наружу. И, возможно, в скором времени ты дашь этому выход.

Дафну поразили его слова. Она часто думала о том же; пока она давала выход своим чувствам только в дневниках. Она хотела рассказать о них Джону, но вдруг постеснялась.

— Может, прогуляемся?

После ужина они вышли на улицу. Миссис Обермайер смотрела им вслед с явным удовольствием.

— В этом городе тебя любят, малышка, — с улыбкой заметил Джон. — Ты нравишься миссис Обермайер.

— Я ее тоже люблю.

Какое-то время они молча шли рядом по пустынным улицам, а потом Дафна взяла его под руку.

— Когда ты познакомишь меня с Эндрю?

Казалось, Джон считал это естественным, вопрос был лишь в сроке. Дафна подумала, что за два дня этот человек словно бы стал частью ее жизни, она не знала, куда они идут, но чувствовала, что это ей нравится. Она вдруг ощутила себя свободной от пут, которые сковывали ее на протяжении лет. Она понимала, что в какой-то степени плывет по течению, но ей это доставляло удовольствие.

Дафна подняла глаза на Джона и посмотрела на его мужественный профиль. Она точно не знала, какую роль он сыграет в ее жизни, но была совершенно уверена, что он будет ее другом.

— Как насчет завтра? Я собиралась навестить его после обеда. Хочешь поехать?

— С удовольствием.

Они медленно вернулись к его грузовику, и Джон отвез ее домой. Он проводил ее до двери. Дафна не пригласила его, а он, судя по всему, на это и не рассчитывал. Она помахала ему на прощание, Джон сел в кабину и уехал, занятый мыслями о Дафне.

Глава 9

Когда Дафна и Джон приехали в школу, Эндрю ждал снаружи с двумя педагогами и другими детьми, и Дафна сразу заметила подозрение во взгляде сына. Он не знал, что это за мужчина, а может, его испугал рост Джона. Но Дафне показалось, что ему не нравится, что кто-то был с его матерью. У него выработался собственнический инстинкт по отношению к ней, которому она же и дала расцвести.

Дафна быстро заключила сына в объятия, поцеловала в щеку и шею, прильнув лицом к его лицу, чувствуя родное тепло ребенка, который был ее неразрывной частью, а потом отстранила его и объяснила жестами, что это ее друг, вроде тех, что есть у него в школе. И что его зовут Джон. А Джон встал на колени на землю рядом с ним. Он не понимал жестов, которым уже научилась Дафна, но казалось, что он общается с малышом при помощи глаз и своих огромных, добрых рук, и через несколько минут Эндрю с опаской приблизился к нему, словно робкий щенок. Не говоря ни слова, Джон протянул ему руку и взял маленькую ладошку в свою. Потом он стал разговаривать с ним своим низким, мягким голосом, а Эндрю не отрываясь смотрел на него. Глаза мальчика были прикованы к глазам Джона, и раз или два он кивнул, словно понимал его. Как с восхищением заметила Дафна, между ними, казалось, было полное взаимопонимание. А потом, не говоря Дафне ни слова, Эндрю увел Джона, чтобы сесть с ним под деревом и «поговорить» Ребенок говорил жестами, а мужчина словами, и казалось, что они понимают друг друга, словно всегда были друзьями. Дафна стояла и наблюдала за ними издали, чувствуя, что ее захлестывают эмоции; это

была и печаль от потери еще одной частички Эндрю;
это была и радость от того, что Джон так отнесся к ее
любимому ребенку. А где-то глубоко было еще и чувство обиды, что дверь в молчаливый мир Эндрю так легко
открылась для Джона, в то время как она так долго
добивалась, чтобы открыть ее. Но выше всего этого
была нежность и к Джону, и к Эндрю, когда они наконец к ней вернулись, улыбаясь и держась за руки. Потом они стали играть, и скоро уже все трое смеялись.
Часы до ужина пролетели как минуты. Дафна показала
Джону школу, внезапно гордая, что сделала хорошее
дело для Эндрю. А когда они спускались по лестнице из
спальни Эндрю, Джон посмотрел на нее с теплотой,
согревшей ее как средиземноморское лето.

— Тебе кто-нибудь говорил, малышка, какая ты
необыкновенная?

Дафна зарделась, а он обнял ее за плечи и крепко
прижал к себе. Тогда она в первый раз ощутила его
близость, и впечатление было таким сильным, что она
даже прикрыла глаза в его объятиях.

— Ты храбрая и необыкновенная. Ты сделала великое дело для Эндрю, и это пойдет на пользу вам обоим.

А потом тихо произнес то, чем застал ее врасплох:
— И я люблю тебя за это.

Она остановилась и мгновение внимательно глядела
на него, не зная, что сказать, а он улыбнулся и, нагнувшись, поцеловал ее в лоб.

— Все о'кей, Дафна, я не хочу тебя обидеть.
— Спасибо.

Она не знала, почему это сказала, и не знала, почему
вдруг обняла его за талию и не хотела отпускать. Она
так отчаянно нуждалась в ком-то, кто бы ей сказал то,
что сказал Джон: что она не бросила Эндрю, что это
было правильно, что она сделала нужное дело.

— Большое тебе спасибо.

Он порывисто обнял ее, и потом они спустились вниз, где встретили Эндрю и остальных, готовых садиться ужинать. Им пора было уезжать, и на этот раз Эндрю чуть-чуть хныкал перед их отъездом, и Дафна со слезами на глазах крепко обнимала его, тихо повторяя у него над ухом:

— Я люблю тебя. — Потом она отстранила его, чтобы он мог увидеть, как ее губы произносят эти слова, и он опять неистово бросился ей в объятия и издал возглас, который у него означал: «Я люблю тебя» Тогда подошла миссис Куртис и с доброй улыбкой прикоснулась к его щеке, давая ему понять, что спрашивает, готов ли он ужинать. Он на мгновение застыл в нерешительности, а потом кивнул и улыбнулся, жестом показал «да» после чего, торопливо помахав маме и дружелюбно взглянув на Джона, оставил их и присоединился к остальным.

— Ну что, поедем, или хочешь еще подождать? — Джону не хотелось ее торопить. Он почти сам чувствовал свежую боль, которую ощущала она. Но она медленно кивнула, все еще глядя вслед малышу, а потом обернулась и с благодарностью, что он был рядом, посмотрела на Джона.

— Ты в порядке?

— Да. Поедем.

Он вышел следом за ней, и она подумала, как это хорошо, когда есть кто-то, кто заботится и о тебе. Вдруг, когда холодный ночной воздух ударил им на улице в лицо, ей захотелось бежать. Боль от прощания с Эндрю уже притупилась, и она чувствовала в себе энергию, которой не было годами. Она вдруг засмеялась и запрыгнула в кабину, словно девочка.

— Он классный малыш, знаешь? — Джон взглянул
на нее почти с гордостью, запуская двигатель. — Ты
сделала великое дело.

— Такая уж у него натура. Вряд ли это моя заслуга.

— Твоя, твоя. И не забывай об этом, — сказал он
почти сурово и, взглянув на нее, обрадовался счастливо-
му выражению ее лица.

— Может, заедем в гостиницу поужинать? Я чувствую, что надо что-то отметить, но не совсем знаю, что.

Он посмотрел на нее, и их глаза встретились. Теперь
их связывали тесные узы: а ведь она поделилась с ним
важной частью своей жизни. Джон был тронут и благодарен, что она позволила ему познакомиться с Эндрю.

— А что, если я сама приготовлю тебе ужин?

— А ты умеешь готовить? — пошутил он, и они
оба рассмеялись. — Я ем много.

— Как насчет спагетти?

— И все?

Он был удивлен, и Дафна радостно засмеялась,
как ребенок, и вдруг, непонятно почему, вспомнила, как впервые приготовила ужин Джеффу в своей квартире. С тех пор прошла целая вечность, и
ей было стыдно сознавать, что все это теперь казалось туманным, далеким и не совсем реальным.
Теперь наступило время, когда она стала замечать,
что воспоминания о Джеффри блекли.

— Только спагетти? — Голос Джона вернул ее к
действительности.

— О'кей, а если бифштекс? И салат.

— Согласен. С удовольствием, — добавил он, и
Дафна опять засмеялась.

— Тебя прокормить никаких денег, наверно, не хватит, а, Джон?

Выражение ее лица, похоже, его рассмешило:

— Не беспокойся, я прилично зарабатываю на лесо-
заготовках.

— А это опасно? — Она слегка нахмурила брови.
И ему понравилось, что она беспокоится.

— Иногда. Не очень часто. Большинство из нас
знают свое дело. Опасаться надо зеленых, молодых ребят, которые нанимаются на лето. Те могут убить, если
за ними не смотреть.

Дафна молча кивнула. Они остановились у ее дома,
зашли и в течение следующего получаса были заняты
стряпней. Джон накрыл на стол и поджарил бифштексы.
Дафна отварила спагетти и приготовила салат. Перехва-
тив его вожделенный взгляд на камин, она моментально
поняла, о чем он думает.

— Пожалуйста, Джон, если хочешь, растопи. С ка-
мином здесь будет уютней.

— Не надо. Здесь хорошо и без этого.

Но ей вдруг захотелось, чтобы он его непременно
растопил. Ей захотелось навсегда оставить прошлое
позади. Она устала от страхов, опасений и страда-
ний прошлых лет.

— Давай, давай растопи.

В этом человеке было что-то такое, отчего она себя
чувствовала храбрее.

— Я боюсь, что тебе будет неприятно.

— Не бойся. Я думаю, пора забыть о прошлом.

Странно было это произносить, но впервые она
не восприняла это как измену. Джон встал из-за
стола, положил в камин полено и добавил немного
щепы на растопку. Огонь быстро занялся, и она
долго сидела и смотрела на него, думая не столько
о той роковой рождественской ночи, сколько о том,
как они с Джеффом много раз сиживали дома по
воскресеньям, читая воскресные газеты и любуясь

огнем. Не говоря ни слова, Джон через стол взял ее за руку, а она вспомнила, как он обнимал ее за плечи в школе, и это было здорово, стоять с ним рядом.

— О чем ты только что подумала? У тебя был такой счастливый вид.

В ее глазах отражалось пламя камина, и он решил, что она думала о Джеффри.

— Я думала о тебе. Я рада, что ты подобрал меня тогда на дороге.

Он тоже улыбнулся, вспоминая это.

— Я мог бы подобрать тебя раньше, если бы ты не пряталась.

Они оба рассмеялись, и Дафна принесла две чашки горячего кофе.

— Ты хорошо готовишь.

— Спасибо. Ты тоже. Бифштексы были что надо.

Он посмотрел на нее почти печально.

— У меня большая практика. Пятнадцать лет сам готовлю.

— Почему ты не женился снова?

— Не хотел. Не встречал никого, кого бы полюбил. — «До тебя», — хотел он добавить, но побоялся ее отпугнуть. — Мне просто не хочется начинать все сначала. Но ты молода, малышка. Ты можешь и когда-нибудь должна на это решиться.

Она печально покачала головой, глядя на него.

— Не думаю. Нельзя начать жизнь снова, нельзя воссоздать то, что было. Это бывает только раз в жизни.

— Отдельные события, конечно. Но другие приходят им на смену, они так же важны. Они просто иные.

— И это ты говоришь. Ты ведь такой же, как я.

— Не совсем. Ты удачливее.

— Я?! Почему?

— У тебя есть Эндрю. — Они оба улыбнулись. — Когда я общаюсь с детьми, то сожалею, что у меня нет ребенка.

— Еще не поздно.

Но он только засмеялся в ответ.

— Я уже старик, Дафна. Мне пятьдесят два. Черт подери, я мог бы быть твоим отцом.

Дафна улыбнулась. Она не находила его таким, да и он не собирался хвалиться возрастом. Они были друзьями по многим причинам. И у нее никогда до этого не было такого друга, как он. Может быть, потому, что она никогда не была той женщиной, какой теперь стала? Минувшие годы сделали ее сильной, сильнее, чем она когда-либо могла предположить. Она была равным партнером для любого мужчины. Даже такого мужчины, как Джон.

Они сели на диван, глядя на огонь. Дафне было с ним необыкновенно хорошо и покойно. Спешить было некуда, можно было радоваться каждой драгоценной минуте. И крупные черты его лица в свете огня выглядели прекрасными.

— Джон... — Она не знала, как высказать, что она чувствует. Может, позже она смогла бы рассказать об этом в своем дневнике.

— Что, малышка?

Но она не могла подобрать подходящих слов. Наконец тихим хрипловатым голосом она смогла только сказать:

— Я рада, что повстречала тебя.

Он медленно кивнул, испытывая те же чувства, что и она, ощущая умиротворение и понимая, что происходило между ними. Он положил руку ей на плечи, и она почувствовала ту же спокойную силу, от которой ей уже было так хорошо раньше в этот вечер. Ей нравилась тяжесть его руки, ощущение ее прикосновения, нравился запах Джона. Это была крепкая смесь лосьона, шерсти, свежего воздуха и табака. Он пахнул так же, как выглядел, как сильный, привлекательный мужчина, который всю свою жизнь провел среди лесов и гор. Когда он взглянул на нее, то увидел, как слеза ползет по ее щеке. Он встревоженно привлек ее ближе.

— Тебе грустно, любимая?

Его голос был очень глубоким и ласковым, но она покачала головой.

— Нет... я очень счастлива... тут, сейчас...

Она подняла на него глаза.

— Ты можешь подумать, что я сумасшедшая, но я опять живу. Я себя чувствую так, как будто долго была при смерти. Я думала... — Она с трудом подбирала слова. — Я думала, что тоже должна умереть, потому что их не стало. Я осталась жить только ради Эндрю. Я жила только ради него.

А теперь она опять жила и для себя тоже. Наконец.

Казалось, он молчал бесконечно долго, вглядываясь в ее лицо:

— Теперь у тебя есть право на собственную жизнь, Дафна. Ты заплатила долги.

Потом он нежно поцеловал ее в губы, и это получилось так, словно ее пронзила стрела. Прикосновение его губ она ощутила всем телом, у нее перехватило дыхание, а поцелуй все продолжался и его объятия тоже. Наконец он взял в ладони ее лицо и сказал, спокойно глядя на нее:

— Где ты была всю мою жизнь, Дафна Филдс? — Он опять поцеловал ее, и на этот раз она обняла его за шею и привлекла к себе. Она чувствовала, что хотела бы прильнуть к нему на всю жизнь и не отпускать, а он обнимал ее так, словно тоже желал этого.

Его ладони стали медленно гладить ее плечи, а потом осторожно скользнули на грудь и наконец под свитер. Она издала тихий легкий стон, и он обнял ее крепче, чувствуя, что в ней разгорается страсть. Потом он остановился, отодвинулся от нее и заглянул ей в глаза.

— Я не хочу делать ничего, чего бы ты не хотела, малышка. Я старик, я не хочу тебя использовать.

Но она покачала головой и поцеловала его, а он вытащил шпильки из ее волос, и они каскадом рассыпались по ее плечам. Он провел пальцами по ее волосам и опять стал гладить ее лицо и грудь, потом его громадные ладони осторожно скользнули к ее ногам, и она не стала сдерживать сладостную муку, охватившую ее от его прикосновений.

— Дафна... Дафна... — шептал он ее имя, когда они лежали на диване у камина. Все его тело трепетало от желания, и тогда она поднялась, взяла его за руку и повела в свою спальню.

— Ты не ошибаешься?

Он понимал, что они мало знакомы, что она его почти не знает. Все между ними произошло так стремительно, и он не хотел, чтобы она совершала что-нибудь, о чем могла бы пожалеть на следующее утро. Он хотел, чтобы это была близость надолго, а не просто на одну ночь или на мгновение.

— Нет, нет. — Ее голос перешел на слабый шепот, он медленно раздевал ее, пока она наконец не предстала перед ним — миниатюрная, идеально сложенная; кожа ее матово белела при свете луны, а светлые волосы казались почти серебряными. Он взял ее на руки и положил на кровать, аккуратно разделся сам, положил одежду на пол и лег рядом с ней. Прикосновение ее атласной кожи было таким пленительным, что его влечение к ней достигло своей вершины. Он был уже не в состоянии сдерживать себя, но именно она взяла ладонями его лицо, прильнула к нему и ощутила, как медленно, со сладостной полнотой возвращается к ней забытое чувство, она ощутила, как он проникал в нее, и она взлетела на высоты, которых не знала даже с Джеффри — Джон был искусным, необыкновенным любовником. Потом, усталые, они лежали рядом, и она шептала ему на ухо, что любит его.

— Я тоже люблю тебя, малышка. О Боже, как я люблю тебя...

И когда он это произнес, она посмотрела на него с сонной улыбкой, крепче прижалась к нему, ее глаза закрылись, и она уснула в его объятиях — снова женщиной, такой женщиной, какой еще не бывала никогда... его женщиной, и женщиной для самой себя. Джон был прав. Годы сделали ее сильной, сильнее, чем она могла предположить.

Глава 10

— Что это? — Джон стоял голый на кухне в шесть утра следующего дня, держа в руках два дневника Дафны в кожаных переплетах. Дафна встала, чтобы приготовить ему завтрак перед уходом на работу, но они припозднились из-за нового прилива страсти.

Она посмотрела через свое обнаженное плечо с улыбкой, все еще удивляясь, как же хорошо она себя чувствовала рядом с ним.

— Что? А, это мои дневники.

— Можно мне их когда-нибудь почитать?

Дафна поставила на стол яичницу с беконом.

— Конечно. — Она была слегка смущена. — Они тебе могут показаться немного глуповатыми. Я излила в них свою душу.

— В этом нет ничего глупого. — Он улыбнулся, глядя на ее голый зад. — Знаешь, у тебя просто грандиозная попка!

— Заткнись и ешь свою яичницу.

— Так говорят в конце романа.

Но роман между ними только начался. Они даже умудрились урвать еще один разочек, «быстренько» до того, как он спустя час уехал на работу.

— Не знаю, хватит ли у меня сегодня сил работать после такой дозы любви.

— Ладно, тогда оставайся дома. Я о тебе позабочусь.

— Это уж точно! — Он громко рассмеялся, застегивая на «молнию» теплую аляску, которую держал в машине, как робу. — Избалуешь ты мужика, Дафна Филдс.

Но, обняв его перед уходом, она тихо прошептала:

— Это ты меня балуешь. Ты делаешь меня счастливее, чем я когда-либо была, и я хочу, чтобы ты это знал.

— Весь день помнить буду. По пути домой я заеду в магазин, и мы мило поужинаем. О'кей?

— Отличная идея.

— А что ты будешь делать?

Ее глаза на мгновение засветились, и она улыбнулась:

— Может быть, я напишу новое предисловие к своему дневнику.

— Ладно. Я проверю его, когда приеду. До вечера, малышка.

И он уехал, шурша гравием, а она стояла у окна кухни, обнаженная по пояс, и махала ему вслед.

После отъезда Джона день казался Дафне бесконечным, и она стала придумывать, чем бы заняться, пока его нет. Она думала съездить навестить Эндрю, чтобы убить время, но слишком часто навещать его было нельзя. Тогда она осталась дома и занялась уборкой. Потом стала писать дневник, но голова у нее все утро была занята другим, и после обеда она вдруг обнаружила, что пишет рассказ. Он получился сразу весь, сложился сам собой, и, когда он был закончен, она села, с удивлением глядя на дюжину исписанных страниц. Она впервые сделала нечто подобное.

И когда Джон вернулся, Дафна ждала, одетая в серые слаксы и ярко-красный свитер.

— Ты очаровательна, малышка моя. Как прошел день?

— Великолепно, но мне тебя не хватало.

Это было так, словно он всегда был частью ее жизни, и она ждала его каждый вечер. Они опять вместе приготовили ужин из того, что он купил в лавке, и Джон рассказал ей, как прошел день в базе лесорубов. А потом она показала ему свой рассказ, и он с удовольствием прочел его, когда они сидели у камина.

— Изумительно, Дафф. — Он посмотрел на нее с нескрываемой гордостью.

— Ну, скажи правду. Все чепуха?

— Да нет, черт подери. Это просто здорово.

— Это мой первый в жизни рассказ. Я даже не знаю, откуда он пришел мне на ум.

Он с улыбкой коснулся ее шелковистых волос.

— Отсюда, маленькая моя. И я думаю, там еще куча таких рассказов, как этот.

Она открыла в себе возможности, о которых раньше не подозревала, и почувствовала даже большее удовлетворение, чем когда писала свои дневники.

В эту ночь они предавались любви у камина, потом на кровати и еще раз в половине шестого утра. И он уехал на работу, напевая какую-то песенку, а она на этот раз не ждала второй половины дня. Сразу же после его отъезда она написала новый рассказ. Он отличался от написанного накануне, и, когда Джон прочел его вечером, он ему больше понравился.

— Ты чертовски сильно пишешь, Дафф.

И после этого он неделями зачитывался ее дневниками.

К Рождеству их жизнь как-то наладилась. Джон практически переехал к Дафне в домик, Эндрю становился благодаря школе все более и более самостоятельным, а у Дафны было больше свободного времени, чем когда-либо. Это позволило ей писать рассказы ежедневно. Одни удавались лучше, другие хуже, но все были интересны, и у всех был свой неповторимый стиль. Было так, словно она открыла ту свою грань, о которой раньше не подозревала, и Дафна признавалась себе, что это ей очень нравилось.

— Это такое замечательное чувство, Джон. Я не знаю, мне трудно объяснить. Все это, знаешь, как будто всегда во мне было, а я об этом не знала.

— Может, тебе следует написать книгу? — Он произнес это совершенно серьезно.

— Не шути. О чем?

— Не знаю. Посмотри, что получится. Я знаю, что она у тебя внутри.

— Не знаю, не знаю. Писать рассказы — это совсем другое дело.

— Но это не значит, что тебе не под силу написать книгу. Попробуй. Почему бы и нет? Время у тебя есть. Что тут еще делать зимой?

Он был прав, оставалось только посещать Эндрю. Она ездила к нему во второй половине дня по два раза в неделю, и каждый уик-энд они ездили туда с Джоном. К Рождеству стало очевидно, что Эндрю совершенно счастлив, он подружился с Джоном, которому показывал жестами что-то смешное, а Джон к тому времени уже выучил его язык. Они затевали на улице возню, и чаще всего Эндрю оказывался у Джона на одном плече, а кто-нибудь из его друзей — на другом. Он полюбил малыша, и Дафна смотрела на них с гордостью, восторгаясь дарами, которые ей подносила жизнь. Получалось так, словно вся боль прошлого наконец ушла. Теперь с воспоминаниями о Джеффе стало легче жить. Единственное, что по-прежнему доставляло ей сильную боль, — это видеть девочек, ровесниц Эми. Но и с этим теперь было легче. Джон умел смягчать всякую боль и делать так, чтобы она была спокойна и счастлива.

Иногда они даже привозили Эндрю на несколько часов домой. Джон давал ему с дюжину мелких заданий, которые надо было сделать по дому. Они вместе носили дрова, и Джон вырезал ему маленьких зверюшек из щепок. Вместе с Дафной они пекли печенье и покрасили старое плетеное кресло-качалку, которое Джон нашел за сараем. Было очевидно, что Эндрю становится более самостоятельным, и ему самому легче было с ними общаться. Дафна стала более искусна в жестах, и напряженность между ними ослабла. Эндрю стал терпимее к ее ошибкам, он только раз или два хихикнул, когда она неправильно показала одно слово, а потом с улыбкой объяснил языком жестов Джону, что мама сказала, что собирается на ужин приготовить лягушку. Но его молчаливое общение с Джоном оставалось таким же глубоко трогательным. Они подружились, словно всегда были частью одной жизни, гуляли вместе молча по полям, останавливаясь, чтобы проследить бег зайца или оленя, их глаза встречались, словно и не нужно было слов. А когда наступало время возвращаться в школу, Эндрю садился на колени Джону в грузовике и брался своими ладошками за руль рядом с большими ладонями Джона, а Дафна с улыбкой смотрела, как они вместе рулили. Он всегда радовался возвращению в школу. И разлука с ним уже не была такой болезненной. У нее с Джоном была своя жизнь. Дафна считала, что никогда ей не приходилось испытывать такое удовлетворение. И это отразилось на ее творчестве.

В феврале она наконец набралась храбрости начать книгу и работала над ней тяжело и подолгу каждый день, пока Джон был на работе, а вечером он читал дневную порцию, оценивал и комментировал, и, казалось, он ни минуты не сомневается, что это ей под силу.

— Знаешь, если бы не ты, я бы не смогла этого сделать.

Она лежала, развалившись, на диване в джинсах и ботинках со стопкой исписанных листов, а он в это время ломтиками нарезал для них обоих яблоки.

— Смогла бы. Я тут ни при чем, ты же знаешь. Это все у тебя внутри, вот тут. И никто не
сможет это у тебя отнять.

— Не знаю... Я все еще не понимаю, откуда
это все берется.

— Это не важно. Просто знай, что оно там, внутри
тебя. Никто больше не может на это повлиять.

— Нет. — Она взяла ломтик яблока и наклонилась,
чтобы поцеловать его. Ей очень нравилось прикасаться
губами к его лицу, особенно к вечеру, когда оно было
уже немного шершавым, небритым. Все в нем было таким мужественным и удивительно сексапильным. — Я
все-таки думаю, что это благодаря тебе. Если бы не ты,
я бы никогда не написала и строчки.

Они оба с улыбкой вспомнили, что Дафна написала
свой первый рассказ после их первой ночи. В начале
нового года она послала его в «Коллинз» так, на всякий
случай, и все еще ждала ответа.

Ответ пришел в марте, от ее бывшей начальни-
цы Аллисон Баер. Они предлагали ей гонорар в
пятьсот долларов.

— Ты видишь это, Джон? Они купили мой рассказ!
Они спятили! — Дафна ждала его в этот вечер с бу-
тылкой шампанского и чеком и письмом Аллисон.

— Поздравляю! — Он был рад не меньше ее,
и они отмечали это в постели до самого рассвета.
Он подтрунивал над ней, что она не дает ему спать,
но было более чем очевидно, что обоим это доставляло наслаждение.

Покупка «Коллинзом» ее рассказа ободрила Дафну,
она еще упорнее стала работать над книгой, писала всю
весну и окончательно закончила ее в июле. Она сидела,
глядя на увесистую рукопись, несколько испуганная про-
деланной работой, и в то же время сожалея о прощании

с персонажами, которые стали так реальны за долгие месяцы, пока книга писалась.

— Что же делать теперь?

Работы больше не было, и Дафна почти сожалела, что закончила.

— Это, радость моя, интересный вопрос. — Он посмотрел на нее, преисполненный гордости, с обнаженным торсом, с загорелым лицом и руками, потягивая пиво после долгого трудового дня. Стояло прекрасное лето. — Я не знаю, но мне кажется, тебе надо нанять агента. Почему бы тебе не посоветоваться с твоей бывшей начальницей из «Коллинза»? Позвони ей завтра.

Но Дафна всегда терпеть не могла с ней говорить. Та вечно твердила, какая у Дафны необычная жизнь. Дафна не сказала ей про Джона, и Аллисон решила, что Дафна живет в Нью-Гемпшире, чтобы быть поближе к Эндрю. Она все настаивала на том, что Дафне следует вернуться в Нью-Йорк и начать работать. Дафна возражала, ссылаясь на то, что сняла жилье до сентября. А потом она бы нашла другие отговорки. Сейчас в ее планы не входило уезжать отсюда. Она была счастлива с Джоном и хотела остаться в Нью-Гемпшире навсегда. Но даже Джон никогда с этим не соглашался, считая, что ее место в Нью-Йорке, среди «своих» за интересной работой. Он не считал, что ей следует проводить остаток жизни с дровосеком. Но на самом деле он не хотел, чтобы она уезжала, да и у нее не было намерения бросать его, ни сейчас, ни когда-либо.

— Как ты полагаешь, следует искать агента?

— Может, следует отвезти книгу в Нью-Йорк и искать там?

— Только если ты поедешь со мной.

— Это глупо, дорогая. Я тебе для этого не нужен.

— Ошибаешься. — Она выглядела, словно счастливая девочка, сидя рядом с ним. — Ты нужен мне для всего. Разве ты этого до сих пор не уяснил?

Он уяснил, но оба они знали, что многое ей под силу сделать самой. И это было действительно так.

— Что мне делать в Нью-Йорке? — Он не был там двадцать лет и не имел особого желания туда ехать. Он был счастлив в горах Новой Англии. — И все-таки почему бы тебе не позвонить завтра Аллисон и не послушать, что она скажет?

Но на следующий день Дафна этого не сделала. Она решила подождать до осени. Она как-то еще не была готова к тому, чтобы предлагать свою книгу, и заявила, что хотела бы ее еще перечитать пару раз, чтобы внести окончательную правку.

— Цыпленок, — шутил он, — нельзя же без конца прятаться.

— Почему нет?

— Потому что я тебе не позволю. Ты этого недостойна.

Он всегда заставлял ее чувствовать себя так, словно ей все по плечу. Просто поразительно, сколько уверенности ей прибавили те месяцы, что она провела с ним.

Изменился и Эндрю. Ему было почти пять, он уже не был маленьким несмышленышем. В августе Дафна планировала отправиться с ним и с группой других детей и родителей в палаточный поход под покровительством миссис Куртис. Для всех участников это было событие, и Дафна хотела, чтобы Джон тоже пошел в четырехдневный поход, чтобы поделился опытом с Эндрю, но он не смог отпроситься. На их базе работало двадцать ребят из колледжей, и все взрослые мужчины были нужны, чтобы присматривать за «зеленью».

— Неужели ты не можешь отпроситься? — Она была так расстроена.

— Я правда не могу, дорогая. Я очень сожалею. Вы наверняка отлично проведете время.

— Без тебя это будет не то. — Она надула губы, а он засмеялся, ему нравилась в ней женщина-ребенок.

В двадцатых числах августа они отправились, со спальными мешками, палатками и лошадьми. Для детей это были новые впечатления: путешествовать по лесам, где их окружали опасности и открытия. Дафна взяла один из своих дневников, чтобы записывать для Джона все, что будет делать смешного Эндрю, и детали, которые она могла бы не запомнить. Но большую часть времени, как оказалось, она писала о Джоне, вспоминая их последнюю ночь перед выходом. В первый раз за девять месяцев им предстояла разлука, и ее огорчала эта перспектива. Потеряв один раз любимого человека, она ужасно боялась покидать Джона. Иногда по ночам ее даже мучили кошмары, что она может его потерять.

— Ты так легко от меня не избавишься, крошка, — шептал он ей на ухо, когда она делилась с ним своими страхами. — Я тертый калач.

— Я не смогла бы жить без тебя, Джон.

— Смогла бы, смогла. Но тебе и пытаться-то не надо будет. Это же ненадолго. Путешествуй с детьми в свое удовольствие, а мне потом расскажешь.

Она лежала рядом с ним на рассвете, после ласк, и чувствовала, как его гладкое прохладное тело касалось ее бедра. Это всегда вызывало у нее волнение.

— Я могу соскучиться по твоим ласкам за эти дни.

Как любовник он избаловал ее. Может, он и называл себя «стариком», но в его страсти не было и тени старости. Пылом он не уступал юноше, но обладал еще и опытом, научил ее вещам, о которых она раньше не

имела понятия. Иногда она задумывалась, было ли ей
так хорошо просто потому, что она по-настоящему его
любила. И именно об этих и подобных вещах она писала
в своем дневнике, пока была в походе, когда не играла с
Эндрю. Дафна наслаждалась этими особыми днями, про-
веденными с сыном, возможностью наблюдать его с
друзьями, жить вместе в лесу и, просыпаясь утром, видеть это маленькое лучезарное личико, которое она уже
так давно не будила.

Они вернулись через четыре дня, как заправские ту-
ристы, грязные, усталые, но довольные. Родителям поход понравился не меньше, чем их детям. Дафна
проводила Эндрю до школы, положила свой спальный
мешок и рюкзак в машину и, сев за руль, зевнула.

Ей не терпелось вернуться домой, к Джону. Но когда Дафна подъехала к домику, она его там не застала.
В раковине была грязная посуда, постель была не засте-
лена. Дафна улыбнулась и с наслаждением встала под
душ. К его приходу она все приберет. Но когда она
стояла на кухне и мыла посуду, раздался незнакомый
стук в дверь. Она пошла открыть с руками в пене и
улыбнулась, увидев одного из друзей Джона, человека,
с которым они редко виделись, но которого — она это
знала — Джон любил.

— Здравствуй, Гарри, что нового?

Она была загорелой, отдохнувшей и счастливой, но
друг Джона казался угрюмым.

— Когда ты вернулась?

Его лицо было серьезным, а глаза печальными,
как всегда. Джон всегда над ним подтрунивал, что
у него вид, как будто только что скончался его лучший
друг. У него была толстуха жена и шестеро детей,
а этого хватило бы, чтоб любого повергнуть в тоску, как говорил Джон.

— Как Гладис?

— Дафна, можно тебя на минутку?

На этот раз видно было, что он по-настоящему расстроен. Вдруг где-то за своей спиной она услышала тиканье кухонных часов.

— Конечно. — Дафна вытерла руки о джинсы, отложила полотенце и подошла к нему. — Что-то случилось?

Гарри медленно кивнул, не зная, как сказать. Он никак не мог начать, и между ними наступила жуткая тишина.

— Давай сядем. — Он нервно направился к дивану, она последовала за ним как во сне.

— Гарри? В чем дело? Что случилось?

Его глаза были словно два мрачных черных камня, когда он взглянул на нее.

— Джон погиб, Дафна. Он погиб, когда тебя не было.

Ей показалось, что комната заходила ходуном, а лицо Гарри она увидела как бы на расстоянии... Джон погиб... Джон погиб... Слова были как из дурного сна, из нереальности, это не могло случиться, не с ней... опять. И вдруг в окружавшей их тишине она услыхала женский смех — истерический, хриплый.

— Нет! Нет! Нет! — Пронзительный смех превратился в рыдания, пока Гарри смотрел на нее, желая рассказать, как он погиб, но она не хотела этого слышать. Это было неважно. Она это предчувствовала. Но, невосприимчивый к тому, что она чувствовала, Гарри стал рассказывать. Ей хотелось заткнуть пальцами уши, завопить и убежать.

— На базе в тот день, когда вы ушли в поход, произошел несчастный случай. Мы позвонили в школу, но они сказали, что тебя невозможно вернуть. Эти чертовы студенты не справились с лебедкой, и штабель бревен раздавил его... — Гарри стал плакать, а Дафна глядела на него широко раскрытыми глазами. — ...Перелом спины и шеи. Он умер на месте.

Джефф тоже. Так они, во всяком случае, говорили. Какая разница? Какое значение это имеет теперь? Она села, глядя на Гарри, и все ее мысли сосредоточились на сыне. Что она скажет ему?

— Нам чертовски горько. Студентов отправили домой. Попрощались с телом. У него здесь нет родственников, да и нигде, по-моему, нет. Они все умерли. И мы не знали, что ты захочешь сделать... Гладис думала...

— Спасибо. — Она вскочила с напряженным и бледным лицом. — Не беспокойся.

Она уже проходила этот путь раньше. И только когда Гарри ушел, подступили слезы, громадные реки молчаливых, страдальческих слез. Она оглядела комнату и снова села. Джон Фоулер уже больше никогда не вернется домой.

«Ты справишься сама, крошка». Она помнила эти его слова, сказанные когда-то. Но она не хотела «справляться сама» Она хотела быть с ним.

— Ох, Джон... — Это был тихий, надломленный шепот в тишине домика. Она вспомнила все, о чем они раньше говорили: он о смерти своей жены, а она о гибели Джеффа. То, что произошло, по своему значению было сопоставимо, она это хорошо понимала, и все-таки все было иначе в этот раз, и было ясно, что сопротивление бесполезно. На закате она пошла в лес, и слезы хлынули снова, когда она глядела на летнее небо и думала о нем, о широких плечах и больших ладонях, низком голосе, о человеке, который любил ее и Эндрю.

— Я проклинаю тебя! — закричала она в розово-лиловое с оранжевым небо. — Я проклинаю тебя! Зачем ты так?

Она долго так стояла, обливаясь слезами, между тем как небо темнело. А потом, вытирая щеки рукавом его рабочей блузы, в которой она была, Дафна кивнула:

— О'кей, дружище. О'кей. Мы справимся. Только помни, что я любила тебя.

И все еще плача, она посмотрела в ту сторону, где за холмами только что скрылось солнце, и прошептала:

— Прощай, — и со склоненной головой пошла домой.

Глава 11

На следующее утро Дафна проснулась еще до рассвета в кровати, которая вдруг показалась ей слишком большой для нее одной. Она лежала, думая о Джоне и вспоминая утренние часы, когда часто перед рассветом их тела были сплетены в единое целое.

Солнце медленно проникало сквозь окна, но Дафна чувствовала себя свинцовой, она хотела бы больше никогда не вставать. Она не испытывала ужаса или паники, как было после гибели Джеффа. Было только чувство опустошенности и потери, некая беспредельная печаль, которая давила на нее как собственная могильная плита, когда она прикосновением своей памяти снова, и снова, и снова бередила эту рану... Жгучие слова регулярно проносились сквозь ее сознание: «Джон погиб, погиб, погиб... Я больше никогда его не увижу... никогда не увижу...» И самое плохое, что не увидит его и Эндрю. Как ему рассказать?

Настал полдень, когда она наконец заставила себя подняться, и когда встала, в первый момент у нее закружилась голова. Было ощущение тошноты от голода, ведь она с прошлого утра вообще ничего не ела и сейчас не могла ничего есть, потому что в ее голове продолжало эхом отдаваться: «Джон погиб... Джон погиб...»

Полчаса она провела под душем, уставившись в пространство, в то время как вода хлестала ее, словно яростный дождь, а потом ей потребовался почти час, чтобы надеть джинсы, рубашку Джона и туфли. Она глядела на их гардероб, словно там были несметные сокровища, но она уже имела опыт и не позволила себе снова расклеиться. После гибели Джеффа сознание, что она носит в себе их неродившегося ребенка, в конце концов помогло ей выжить, но в этот раз такого не было — чуда жизни, уравновешивающего смерть. Однако у нее был сам Эндрю, и Дафна знала, что ей надо теперь отправиться к нему, ради него и ради себя самой. Он у нее еще оставался.

Дафна поехала в школу, все еще ошеломленная, оцепенелая и отсутствующая, и только когда она увидела Эндрю, радостно играющего в мяч, она снова начала плакать.

Она долго стояла, глядя на него, пытаясь привести в порядок мысли и сдержать слезы, но они не хотели останавливаться, и наконец Эндрю повернулся и увидел ее, нахмурился, выронил мяч и медленно подошел к ней с выражением беспокойства и озабоченности в глазах. Она села на траву газона и протянула к нему руки, улыбаясь сквозь слезы. Теперь он снова был центром ее жизни.

— Привет, — сказала она ему жестом, когда он сел рядом.

— Что случилось? — Вся любовь и преданность, которые они чувствовали друг к другу, отразились в его глазах.

Наступила длительная пауза, и Дафна заметила, что руки у нее трясутся. Она не могла заставить себя жестикулировать.

Наконец она решилась:

— Я должна сообщить тебе что-то очень грустное.

— Что? — Он был удивлен. Она оберегала его от всех огорчений и несчастий, и в жизни он еще не сталкивался с чем-либо подобным. Но нельзя было скрывать это от него. Мальчик очень привязался к Джону. Подбородок у Дафны дрожал, и глаза наполнились слезами, когда она обняла сына, а потом отпустила, чтобы он увидел жесты, которых она боялась.

— Джон погиб, когда нас не было, мой милый. Произошел несчастный случай. Я узнала вчера, и мы его больше никогда не увидим.

— Никогда-никогда? — Глаза Эндрю недоверчиво расширились.

Она кивнула и ответила:

— Никогда. Но мы его всегда будем помнить и будем любить его, как я люблю твоего папу.

— Но я не знаю своего папу. — Маленькие ручки дрожали, когда он жестикулировал. — И я люблю Джона.

— Я тоже. — Слезы опять потекли по лицу Дафны. — Я тоже...

А потом:

— И тебя я тоже люблю.

Они обнялись, и малыш начал всхлипывать, с шумом глотая слезы, этот звук раздирал ей сердце. Так они и сидели, тесно прижавшись друг к другу. Казалось, прошло несколько часов, пока оба смогли пошевелиться. Они стали гулять, взявшись за руки, и Эндрю то и дело что-то показывал о Джоне, какой он был, чем они вместе занимались. Дафну опять поразило, как невероятно случилось, что этот громадный лесоруб так без слов очаровал ее сына. Джон был человеком, которому не нужны были слова. В нем было что-то редкостное и сильное, что побеждало все остальное, даже инвалидность Эндрю и страхи Дафны.

Ее удивило, когда Эндрю потом спросил ее:

— А ты здесь без него останешься, мама?

— Да. Я здесь ради тебя, ты же знаешь. — Но они оба знали, что в последние шесть месяцев это было не совсем так. Эндрю становился все более и более самостоятельным, а Дафна оставалась в Нью-Гемпшире из-за Джона. Но уехать сейчас она не могла. Эндрю в ней нуждался, и больше, чем когда-либо, а она нуждалась в нем самом.

Уходили последние недели лета, а Дафна тихо тосковала по Джону. Вскоре она перестала плакать и больше не вела дневник. Она почти ничего не ела и ни с кем не виделась, кроме Эндрю. Только миссис Обермайер однажды, встретив ее, была поражена увиденным. Дафна, и так худенькая, потеряла двенадцать фунтов, на ее лице были страдание и изможденность, и пожилая австрийка обняла ее, но даже тогда Дафна не заплакала, она просто стояла. Дафна превозмогла боль, она просто цеплялась за жизнь и даже не совсем знала, зачем это делает, разве что ради Эндрю. Даже ему она не особенно была сейчас нужна. У него была школа, и миссис Куртис убеждала ее, что визиты следует сократить.

— Почему бы вам не вернуться в Нью-Йорк? — спросила миссис Обермайер за чашкой чая, к которому Дафна едва притронулась. — К вашим друзьям. Вам здесь слишком тяжело. Я это вижу.

Дафна это тоже понимала, но ей не хотелось возвращаться. Ей хотелось остаться в домике навсегда, в окружении его одежды, обуви, запаха, его духа. Еще задолго до гибели он переехал к ней насовсем.

— Я хочу быть здесь.

— Вам здесь быть нехорошо, Дафна. — Мудрая пожилая женщина говорила с убежденностью. — Вы не можете жить только прошлым.

Дафна хотела ее спросить — почему, но и так знала, что та ответит. Она уже через это прошла. Но от этого ей отнюдь не было легче.

Ее рассказ напечатали в октябрьском номере «Коллинз», и Аллисон выслала ей дополнительный экземпляр с припиской: «Когда ты вернешься, черт возьми? Твоя Алли». — «Никогда», — мысленно ответила ей Дафна. Но в конце месяца она получила письмо от владельца дома, из Бостона. Срок ее аренды истек, и дом был продан. Они хотели, чтобы она выехала до первого ноября.

У нее больше не было отговорки, что ее квартира в Нью-Йорке занята. Ее квартирант выехал первого октября. Следовательно, ей ничего другого не оставалось, кроме как возвращаться в Нью-Йорк. Она могла бы и здесь найти другую квартиру или домик, но особого смысла это не имело. Дафна виделась с Эндрю только раз в неделю, и он едва обращал на нее внимание. Он был все более и более самостоятельным, и миссис Куртис подчеркивала, что ему пора все свое внимание уделять школе. В какой-то степени посещения Дафны мешали, так как он цеплялся за нее. Но на самом деле это Дафна цеплялась за него.

Она упаковала все вещи, в том числе и Джона, погрузила все на грузовик, в последний раз оглядела домик, чувствуя, как к горлу подступает комок, и наконец издала ужасный крик. Рыдания сотрясали ее целый час, она сидела на диване и плакала в тишине. Она была одна. Джона не стало. Ничто его не вернет. Он ушел навсегда. Она тихо прикрыла за собой дверь и на мгновение прислонилась к ней лицом, чувствуя на щеке древесину, вспоминая минуты, проведенные вдвоем с ним, а потом медленно пошла к машине. Грузовик Джона она подарила Гарри.

В школе Эндрю был поглощен занятиями и друзьями. Дафна поцеловала его на прощание и пообещала вскоре приехать на День Благодарения. Она тогда остановится в «Австрийской гостинице» как и другие родители. Прощаясь с Дафной, миссис Куртис не говорила о Джоне, хотя она знала его и очень сожалела о его гибели.

5—4

Дафна ехала до Нью-Йорка семь часов, а когда въехала в город и вдали мелькнул Эмпайр-Стейт-билдинг, не почувствовала никакого волнения. Это был город, который она не желала видеть, куда не хотела возвращаться. Здесь у нее больше не было дома. Здесь была только пустая квартира.

Квартира была в приличном состоянии. Квартирант оставил ее чистой, и она вздохнула, бросив чемодан на кровать. Даже здесь обитали призраки. В пустой комнате Эндрю были его игрушки, в которые он больше не играл, книги, которые больше не читал. Он забрал с собой в школу все любимые сокровища, а из остального уже вырос.

И Дафна почувствовала, как будто тоже выросла из этой квартиры. Она казалась удручающе городской после многих месяцев жизни в сельском доме, из окон которого открывался вид на холмы Нью-Гемпшира. Здесь из окон видны были только другие здания; миниатюрная кухонька совершенно не похожа на ту, уютную, к которой она привыкла; гостиная с выцветшими занавесками, старый ковер со следами игр Эндрю и мебель, местами оббитая и поцарапанная. Когда-то она так следила за ней, желая, чтобы это был счастливый, радостный дом для нее и ее сына. Теперь, без него, эта квартира потеряла значение. В первый же уик-энд Дафна пропылесосила ковер и поменяла занавески, купила новые цветы, а остальное ее мало волновало. Большую часть времени она проводила на прогулках, снова привыкая к Нью-Йорку и просто избегая своей квартиры.

Время года было прекрасное, самое лучшее для Нью-Йорка, но даже прохладная, солнечная золотая осень не радовала Дафну. Ей все было совер-

шенно безразлично, и в ее глазах было что-то мертвое,
когда она вставала каждое утро и задавалась вопросом, что с собой делать. Она знала, что ей следует идти искать работу, но ей этого не хотелось.
У нее все еще было достаточно денег, чтобы пока
не работать, и она решила для себя, что после Нового года подумает об этом. Она положила рукопись в письменный стол и даже не стала себя
утруждать звонками своей старой начальнице, Алли. Но однажды Дафна встретила ее в универмаге
в центре, где выбирала пижаму для Эндрю. Он за
прошедший год вырос на два размера, и миссис Куртис прислала ей список нужных ему вещей.

— Что ты здесь делаешь, Дафф?

— Зашла купить кое-что для Эндрю. — Она
говорила нормально, но выглядела хуже, чем год
назад, и Аллисон Баер не могла сдержаться, чтобы не выразить удивление и не спросить, что с ней
в самом деле произошло.

— Он в порядке? — В ее глазах было беспокойство.

— Более чем.

— А ты?

— Весьма.

— Дафна, — старая подруга коснулась ее руки, обеспокоенная увиденным, — ты не должна жить
только ребенком.

Неужели она так горюет от того, что отдала ребенка
в школу? Это было бы просто вредно.

— Я знаю. С ним все прекрасно. Ему там очень
нравится.

— А ты? Когда ты вернулась?

— Пару недель назад. Я собиралась позвонить, но
была занята.

— Писала? — с надеждой спросила Алли.

— Нет, что ты. — Она теперь не могла даже об этом думать. Это было частью ее жизни с Джоном, которая закончилась. Как она считала, закончилось и ее писательство.

— А что случилось с той книгой, о которой ты говорила, что писала, и пообещала мне прислать? Ты ее уже закончила?

Она хотела сказать «нет» но почему-то не сказала.

— Да, я закончила ее этим летом. Но не знаю, что делать дальше. Я хотела просить тебя найти агента.

— Ну так что? — Аллисон была воплощением нью-йоркской деловитости; Дафне это претило, она была утомлена уже буквально через пять минут.

— Можно мне посмотреть?

— Думаю, да. Я тебе занесу.

— Как ты насчет пообедать завтра?

— Я не знаю, смогу ли... Я... — Она отвела взгляд, обессилевшая от толчеи в универмаге и напористости подруги.

— Послушай, Дафф, — Алли мягко взяла Дафну за локоть, — откровенно говоря, ты выглядишь хуже, чем когда уезжала год назад. На самом деле ты выглядишь просто дерьмово. Тебе надо взять себя в руки. Ты же не можешь избегать людей всю оставшуюся жизнь. Ты потеряла Джеффа и Эми, Эндрю пристроен в школу; так, Боже ты мой, надо и самой чем-то заняться. Давай вместе пообедаем и поговорим об этом.

Перспектива была пугающей.

— Я не хочу говорить об этом.

Но когда она пыталась отделаться от Алли, было так, словно она слышала откуда-то издалека голос Джона: «Давай, крошка, черт подери... ты сможешь... ты должна...» Похоронить книгу в письменном столе было все равно что подвести Джона.

— Ну ладно, ладно. Сходим пообедать. Но я не хочу говорить об этом. Ты можешь рассказать мне, как найти агента.

На следующий день они встретились в «Золотой Вдове» У Алли было полно заманчивых предложений. Казалось, что она пытается разглядеть все в глазах Дафны, но Дафна строго придерживалась темы. Алли дала ей список телефонов агентов, взяла рукопись и пообещала вернуть ее после уик-энда. Когда же вернула, восторгу ее не было предела. По ее мнению, это была лучшая вещь из того, что она читала за последние годы, и, несмотря на свое отношение к ней, Дафна обрадовалась ее похвале. Алли всегда была чертовски суровым критиком и редко расщедривалась на одобрительные оценки. Но Дафне она рукоплескала.

Она объяснила, кому из списка следует позвонить, и в понедельник Дафна позвонила, все еще делая это ради Джона, но неожиданно и ей стало передаваться возбуждение Алли. Дафна занесла рукопись в контору агента, думая, что позвонят ей теперь лишь через несколько недель, но через четыре дня, когда она собирала вещи, чтобы поехать навестить Эндрю в День Благодарения, агент Айрис позвонила в четыре часа и спросила, можно ли с ней увидеться в понедельник.

— Что вы думаете о книге? — Дафне вдруг понадобилось это знать. Она медленно возвращалась к жизни, и книга становилась для нее важной. Это была последняя нить, связывающая ее с Джоном, и последняя нить, связывающая ее с жизнью.

— Что я думаю? Честно? — Дафна затаила дыхание. — Я в восторге. И Аллисон права, она мне звонила в тот день, когда вы ее принесли. Это лучшая вещь, какую я читала за последние годы. Это, безусловно, ваш большой успех, Дафна.

Впервые за три месяца Дафна по-настоящему улыбнулась, и слезы наполнили ее глаза. Слезы волнения и облегчения, и опять явилось знакомое желание поделиться чем-то с Джоном, и боль от сознания, что это невозможно, потому что его нет.

— Я думала, что в понедельник мы могли бы вместе пообедать.

— Я уезжаю из города... — Дафна не хотела соглашаться обедать, но в то же время знала, что в воскресенье вернется. — Ну, хорошо. Где? — Аллисон предупреждала Айрис, что Дафна сложный человек, что ее травмировала гибель мужа и дочери три года назад, что у нее сын в интернате и что она еще по-настоящему не оправилась. Аллисон всегда думала, что Эндрю умственно неполноценный из-за глухоты.

— В «Лебеде» в час?

— Я буду.

— Хорошо. Еще, Дафна!

— Да?

— Поздравляю!

После этого разговора она села на кровать, ее колени дрожали, а сердце колотилось. Им понравилась ее книга... книга, которую она написала для Джона... Это было поразительно. Даже более поразительно, чем если бы ее купил издатель.

Глава 12

Ужин вместе с Эндрю в День Благодарения был сам по себе особо радостным событием, но в ту ночь в своей постели в «Австрийской гостинице» она лежала без сна, и ее мысли нервно блуждали. Трудно было забыть, как год назад Джон подобрал ее на темной проселочной дороге и началась их совместная жизнь. И вот всего год спустя она закончилась. Теперь ей предстояло возненавидеть еще один праздник, День Благодарения, как раньше она возненавидела Рождество. И она знала, что в этом году Эндрю чувствовал то же самое. Она часто видела его задумчивым, и раз или два он с тоской в глазах жестами рассказывал ей о Джоне. Им обоим приходилось жить со слишком большой ношей воспоминаний. Неимоверно большой, думала она про себя, тщательно избегая проходить мимо их домика. Но Дафна не могла давать волю воспоминаниям о Джоне, ей надо было думать об Эндрю и его успехах в школе.

В этот раз прощание с Эндрю было не особенно болезненным. Она собиралась приехать снова на рождественские каникулы.

Перед отъездом Дафна совершила одинокую прогулку по холмам, где рассыпала пепел Джона. И вдруг поймала себя на том, что громко разговаривает с ним. Она рассказала ему о книге и об Эндрю, а потом, глядя на деревья и зимнее небо, прошептала: «Мне тебя правда очень не хватает».

Она могла почувствовать эхо его мыслей и знала, что ему тоже не хватает ее. Может быть, это было везение, что она полюбила его. Дафна поняла это, только когда все кончилось.

Она села в машину и поехала обратно в Нью-Йорк и, приехав, утомленная, свалилась в кровать. На следующий день она встала, надела белое шерстяное платье, теплое черное пальто и сапоги, — на улице был заморозок. Дафне казалось, что она уже сто лет ни с кем не обедала в городе. Тем более странно было идти и обсуждать с какой-то женщиной свою книгу. Дафна помнила обеды с авторами по своей работе в «Коллинзе», но забавно, что автором теперь была она.

— Дафна? Меня зовут Айрис Маккарти, — представилась ей рыжеволосая, гладко причесанная дама; на ее ухоженных руках сверкал целый набор дорогих колец.

В течение всего обеда они обсуждали ее книгу, а за кофе и шоколадным муссом Дафна заговорила о своем замысле второй книги. Этот замысел она обсуждала с Джоном, и он ему понравился. Айрис он тоже понравился, и Дафна довольно улыбнулась. Она как будто слышала, что Джон шепчет ей на ухо: «То, что надо, крошка... Тебе это под силу».

К концу обеда они договорились о названиях обеих книг, и Дафне они очень понравились. Первую назвали «Осенние годы» — ту, которую она написала в Нью-Гемпшире, о женщине, которая в сорок пять лет теряет мужа, и как ей удается это пережить. Эту тему она знала хорошо, и Айрис заверила ее, что «на нее будет громадный спрос». Вторая должна была называться просто «Агата» — история молодой женщины в Париже после войны. Дафна уже написала это в форме рассказа, но он так и просился, чтобы его расширили, и теперь такая возможность появилась. Дафна пообещала начать работу над планом немедленно, а затем обсудить его с Айрис. Уже вечером того же для она сидела за письменным столом перед чистым листом бумаги. И когда идеи стали приходить в голову, она дала им выход. К полуночи она набросала начало очень основательного плана, а по возвращении с рождественских каникул он был не просто закончен, но и хорошо отделан. План был доставлен Айрис в ее офис, и та дала автору зеленый свет. На протяжении следующих трех месяцев Дафна заперлась у себя в квартире и работала день и ночь. Писать эту книгу было нелегко, но работа ей очень нравилась. Часто она была так поглощена, что даже не подходила к телефону, но, когда однажды в апреле он зазвонил, она встала, со стоном потянулась и пошла на кухню ответить.

— Дафна?

— Да. — Ее всегда так и подмывало ответить: «Нет, Дракула».

Кто еще мог взять трубку? Может, горничная с верхнего этажа? Звонила Айрис.

— У меня для вас новости. — Но Дафна слишком устала, чтобы внимательно ее слушать. Накануне она работала над книгой до четырех часов утра. — Нам только что звонили из издательства «Харбор и Джонс».

— И что? — Сердце Дафны вдруг стало бешено колотиться. За прошедшие четыре месяца это стало для нее важным. Ради нее самой, ради Джона, ради Эндрю. Она хотела, чтобы это случилось, и казалось, что все тянулось слишком долго. Но Айрис уверяла ее, что четыре месяца — пустяк. — Им понравилось?

— Можете так считать. — Айрис улыбалась на том конце провода. — Я бы сказала, что предложенные ими двадцать пять тысяч долларов, пожалуй, об этом свидетельствуют.

Дафна стояла у себя на кухне с открытым ртом, уставившись на телефон.

— Вы серьезно?

— Ну конечно, серьезно.

— О Господи... ах Боже мой! Айрис! — По лицу Дафны разлилась улыбка, она глядела на весеннее солнце за окном кухни. — Айрис! Айрис! Айрис!

Наконец это случилось, Джон был прав. Она смогла это сделать!

— А что же дальше?

— Во вторник у вас обед с вашим редактором. В «Четырех Сезонах». Для вас это большой успех, миссис Филдс.

— Да, да, конечно.

Дафне был почти тридцать один год, и намечался выход в свет ее первой книги и обед с редактором в «Четырех Сезонах». Уж на этот обед она никак не могла не пойти. И она пошла. Дафна прибыла точно в назначенное время, в полдень во вторник, в новом розовом костюме от Шанель, который она купила ради такого случая. Редактором оказалась строгого вида женщина с хищной улыбкой, но к концу обеда Дафна знала, что работать с ней можно, и не только работать, но и многому научиться. Когда они сели за столик рядом с бассейном в мраморном зале, с суетящимися официантами, Дафна завела речь о своей второй книге. Редактор спросила, можно ли взглянуть на наработки Дафны к новой книге. Через месяц поступило предложение о заключении договора на издание второй книги. Закончив писать ее в конце июля, Дафна отправилась в Нью-Гемпшир, чтобы провести месяц с Эндрю.

Ее первая книга вышла на Рождество, с посвящением Джону, и имела скромный успех, но вторая сделала ей имя. Она вышла следующей весной и почти сразу возглавила список бестселлеров газеты «Нью-Йорк таймс». За нее Дафна получила сто тысяч долларов.

— Как ты воспринимаешь свой успех, Дафф? — Алли испытывала материнскую гордость за ее успех и пригласила ее на обед по случаю своего тридцатидвухлетия. — Черт возьми, мне следовало бы заставить тебя заплатить за обед.

Но было очевидно, что Аллисон не завидовала ей, а просто радовалась ее возвращению к жизни так, как и все те, кто знал Дафну и беспокоился за нее.

— Над чем ты сейчас работаешь?

Дафна писала уже третью свою книгу, заранее приобретенную издательством «Харбор и Джонс». Дафна рассчитывала закончить ее к лету.

— Над вещью, которая будет называться «Сердцебиение».

— Мне нравится название.

— Надеюсь, тебе понравится и содержание.

— Наверняка понравится, как и всем твоим читателям. — Алли ни на секунду в этом не сомневалась.

— Я немного беспокоюсь. Они собираются послать меня в турне, чтобы ее рекламировать.

— Давно пора.

— Это ты так считаешь. Ну о чем мне говорить на шоу-программах в Кливленде? — Дафна по-прежнему выглядела очень молодой и немного застенчивой, и перспектива телесъемок заставляла ее очень нервничать.

— Расскажи им о себе. Людям это интересно. Они меня всегда расспрашивают.

— Ну и что им сказать? — Аллисон достаточно долго была ее подругой, чтобы знать правду. — Что у меня трагично сложилась жизнь? Именно этого я и не хотела бы им рассказывать.

— Тогда расскажи им, как ты пишешь книги, и все такое прочее. — Аллисон хихикнула. — Расскажи им, с кем ходишь на свидания.

Дафна стала прекрасно выглядеть за последние два года, Алли решила, что у Дафны толпа поклонников. Она не знала, что в жизни Дафны не было никого на протяжении двух лет, с тех пор как погиб Джон. Дафна приходила к выводу, что лучше так и оставить. Она не могла снова испытывать судьбу, да и не собиралась.

— Кстати, в твоей жизни есть мужчина?

Дафна улыбнулась:

— Эндрю.

— Как он? — спросила Алли из приличия.

Ее интересовали взрослые мужчины, карьера, успех. Она никогда не была замужем и не особенно любила детей.

— Прекрасно. Он большой, красивый и очень, очень занятой.

— Он все еще в интернате?

— Да, он пробудет там какое-то время. — В глазах Дафны мелькнула грусть, и Аллисон пожалела, что задала ей этот вопрос. — Надеюсь, что через пару лет я смогу забрать его домой.

— Ты уверена, что это правильно? — Аллисон выглядела шокированной. Она все еще считала, что Эндрю ненормальный. Дафна знала об этом ее мнении, но не обижалась на свою подругу.

— Посмотрим. На этот счет существуют разные мнения. Я хотела бы отдать его здесь в обычную школу, когда он будет к этому готов.

— А это не помешает тебе в работе?

Конечно, Аллисон не дано было этого понять. Как мог любимый ребенок помешать в работе? Дафна знала, что он, наоборот, мог быть только стимулом ее. Речь могла идти только о некоторых сложностях, но это были сложности, желанные для нее.

— Ладно, расскажи мне о поездке. Куда ты собираешься?

— Еще не знаю. Средний Запад, Калифорния, Бостон, Вашингтон. Настоящее безумие. Двадцать городов за двадцать дней, без сна, без еды и страх от того, что не помнишь, где находишься, проснувшись утром.

— По мне, так просто здорово.

— Может быть. Для меня это как кошмар. — Она все еще тосковала по жизни, которую однажды испытала в домике в Нью-Гемпшире, но то уже ушло и никогда не вернется. Теперь Дафна подумывала, не купить ли квартиру в Восточном районе шестидесятых улиц.

После обеда Дафна отправилась домой работать над новой книгой, которой посвящала все дни, все ночи, все свое время, исключая лишь посещение Эндрю. Она нашла, чем заполнить вакуум: вымышленной жизнью, которую вели на страницах ее книг люди, жившие и умиравшие в ее воображении, удовольствием сотен и тысяч читателей и миллионными тиражами. В жизни Дафны не было ничего, кроме работы, но работа не была напрасной. Прямо накануне того, как ей исполнилось тридцать три, книга Дафны Филдс «Апач» вышла на первое место списка бестселлеров газеты «Нью-Йорк таймс». Она справилась.

Глава 13

— Как она? — глаза Барбары устало глядели на
сестру, когда та снова проверяла все мониторы, но спрашивать было бесполезно. Было очевидно, что перемен
нет. Невозможно было представить себе, что Дафна лежит здесь, такая неподвижная, такая безжизненная, ли-
шенная энергии, которой она так щедро делилась с теми,
кто в ней нуждался. Барбара лучше других знала, какие
горы Дафна могла свернуть. Она свернула их ради Эндрю, ради себя самой, а потом и ради Барбары.

Когда сестра снова вышла из комнаты, Барбара на
минуту прикрыла глаза, вспоминая свою первую встречу
с ней, когда Барбара еще жила со своей матерью, —
это были давно ушедшие, кошмарные дни. В тот день
она вышла купить продукты и вернулась усталая, едва
переводя дыхание после долгого подъема по лестнице в
их мрачную, обшарпанную квартиру в Вест-Сайде, где
Барбара уже много лет жила со своей больной матерью.

Дафна нашла ее через Айрис Маккарти, которая знала, что Барбара берет на дом машинопис-
ные работы. Она этим занималась, чтобы дополнить
свою мизерную секретарскую зарплату, и еще, чтобы
найти себе отдушину в жизни, которую она так отчаянно ненавидела. Рукописи же позволяли хоть краем
глаза заглянуть в иной мир, даже если работать при
этом приходилось тяжело.

Барбара вошла в дверь, пошатываясь под тяжестью
сумок с продуктами. В нос, как всегда, ударил запах
капусты и второсортного мяса. В квартире ее ждала
Дафна — серьезная, спокойная, превосходно одетая и
вся какая-то очень свежая. Для Барбары это было как
открытое окно или глоток свежего воздуха. Глаза жен-

щин встретились почти мгновенно, и Барбара покраснела. Никто сюда никогда не приходил, она всегда сама
ходила в литературное агентство за работой.

Барбара собиралась заговорить с Дафной, когда услышала знакомый жалобный вопль:

— Ты купила мне рису?

Барбара почувствовала внезапное желание ответить криком, но, видя, что Дафна на нее смотрит,
сдержалась.

— Ты всегда покупаешь не тот сорт. — Голос
матери, как всегда, был отвратительный, жалобный,
злой и настойчивый.

— Да, я купила рис. Теперь, мама, почему бы тебе
не пойти в комнату и не полежать, пока я...

— А как насчет кофе?

— Я купила. — Старуха стала копаться в обеих сумках, издавая негромкие квохчущие звуки, а
у Барбары тряслись руки, когда она снимала куртку. — Мама, пожалуйста...

Она виновато глядела на Дафну, которая улыбалась,
стараясь не раздражаться от наблюдаемой сцены. Но
находиться здесь было невыносимо. Глядя на Барбару и
ее мать, Дафна чувствовала себя в западне. В конце
концов старуха ушла в комнату, и Дафна смогла объяснить цель своего визита. Рукопись свою она получила в
срок, превосходно перепечатанную, без единой ошибки,
похвалила Барбару и сказала, что такой результат просто удивителен при таких условиях работы. Дафне такая
жизнь показалась ужасной, она задавалась вопросом,
почему Барбара живет с матерью.

Потом Дафна принесла ей новую работу — перепе-
чатку правок, черновиков и сюжетных набросков, а через некоторое время предложила Барбаре приходить
работать к себе на квартиру. И именно тогда Барбара

наконец рассказала о себе. Ее отец умер, когда ей было девять лет. Мать прилагала все силы, чтобы вывести ее в люди — отдавала в лучшие школы, потом оплачивала учебу в колледже. Барбара поступила в Смитовский колледж и закончила его с отличием, но у матери тогда случился инсульт, и она больше не могла ей помогать. Теперь пришла очередь Барбары прилагать все силы ради матери — на протяжении двух лет ее необходимо было обслуживать. Барбара работала секретарем у двух адвокатов, а ночью ухаживала за матерью. Ни на что другое не оставалось ни времени, ни сил. О романе, который был у нее в колледже, пришлось забыть: ее молодой человек не выдержал бы такой жизни, и, когда он сделал ей предложение, Барбара со слезами на глазах отказалась. Она не могла оставить мать, да та и сама умоляла дочь не делать этого. Барбара просто не имела права ее бросить, после того как Элеонора Джарвис столько лет сбивалась с ног, работая на двух работах, чтобы Барбара могла закончить школу и колледж. Долг надо было отдавать, и мать постоянно напоминала ей об этом. «После всего, что я сделала, ты собираешься меня бросить...» Она жаловалась на судьбу и во всем обвиняла дочь. Барбара даже не помышляла ее бросать. Два года она выхаживала мать, одновременно работая в юридической фирме. К концу тех двух лет ее шеф бросил свою жену и стал ухаживать за Барбарой. Он знал, какую жизнь она ведет, и ему было ее очень жаль. Она была способной, умной девушкой, и он не мог смотреть, как она гробит свою жизнь. В двадцать пять Барбара стала выглядеть, говорить и поступать, как старуха.

Именно он уговаривал ее каждую свободную минуту проводить вне дома. Он заезжал за ней и частенько разговаривал с ее матерью. Мать сильно протестовала каждый раз, когда она уходила, но он был непреклонен, считая, что Барбаре надо хоть чуть-чуть жить и для себя. И Барбара старалась быть с ним когда только могла, и в то же время стараясь угодить матери. Вся эта история продолжалась шесть месяцев, до Рождества, когда он сказал Барбаре, что возвращается к своей жене. У той был климакс, ей было тяжело, да и дети доставляли массу хлопот.

— У меня есть обязательства, Барбара. Мне надо вернуться и помочь ей. Я просто не могу позволить ей продолжать бороться одной... — Он говорил это извиняющимся тоном, и Барбара смотрела на него с легкой горькой усмешкой и со слезами на глазах.

— А как же твоя собственная жизнь? Ты же говорил мне, чтобы я пользовалась жизнью, а не плясала под чужую дудку?

— Все это правильно. Я верю во все то, что говорил. Но, Барб, ты должна понять. Это нечто другое. Она моя жена. На тебя давит властная, требовательная, безрассудная мать. У тебя есть право на собственную жизнь. Но моя жизнь принадлежит также и Джорджии... просто невозможно выбросить за окошко двадцать два года.

А что она должна была делать со своей матерью? Убежать и никогда не возвращаться? Он был подлец, и Барбара это поняла. Он вернулся к жене на следующий день, и так закончилась эта история. После Нового года Барбара уволилась с работы, а двумя неделями позже обнаружила, что беременна. Целую неделю она раздумывала, закрывшись в своей комнате, рыдая в подушки. Она думала, что любит его, что он разведется и когда-нибудь женится на ней... что она уедет от своей матери. А что, черт возьми, ей было делать теперь? Сама она растить ребенка не может, а сделать аборт значило пойти против всего, во что она верила. Барбара не хотела делать этого. В конце концов она решилась позвонить ему. Он пригласил ее на обед, был очень деловит и несколько холоден.

— У тебя все в порядке?

Она кивнула с мрачным видом, чувствуя себя ужасно гадко.

— А как мать?

— Она в порядке. Но доктор беспокоится за ее сердце. — По крайней мере так мать говорила Барбаре каждый раз, когда та хотела уйти, пусть даже в кино. Теперь Барбара никуда не ходила. Незачем, да и не хотелось. Ее все время подташнивало. — Я хочу тебе кое-что сказать.

— Да? — Он насторожился, словно нутром почуял. — Ты получила последний чек?

Они решили, что ей будет лучше уволиться из фирмы, и он оформил ей большое выходное пособие, чтобы смягчить свою вину. «Да, сукин ты сын, — думала она про себя, — но дело не в деньгах. Дело в моей жизни. И твоем ребенке».

— Я беременна. — Она не могла думать о том, чтобы сообщить ему это в более мягкой форме, да и не хотела. Плевать на Джорджию и ее климакс. Это было важнее. По крайней мере для Барбары.

— Это в самом деле проблема. — Он пытался не подавать виду, но по его глазам она поняла, что он обеспокоен. — Ты уверена? У врача была?

— Да.

— Ты уверена, что это мой? — Даже зная ее жизнь, он не постеснялся сказать такое. Слезы брызнули у нее из глаз и скатились по щекам.

— Знаешь что, Стэн? Ты настоящее дерьмо. Ты что, на самом деле думаешь, что я спала с кемто другим?

— Извини. Я просто подумал...

— Нет. Ты просто захотел увильнуть от этого.

Он помолчал. Потом, когда он снова заговорил, его тон немного смягчился, но он даже не потрудился взять ее за руку, в то время как она, плача, сидела напротив за столиком.

— Я знаю одного, он...

Она съежилась от страха перед тем, что он собирается сказать.

— Не знаю, смогу ли я это сделать... Я просто не могу... — Она стала всхлипывать, и он нервозно оглянулся.

— Послушай, будь реалисткой, Барб. У тебя нет выбора. — И ничего больше не говоря, он нацарапал фамилию на клочке бумаги, выписал ей чек на тысячу долларов и все это вручил ей. — Позвони по этому номеру и скажи, что это я тебя прислал.

— Ты что, там на особом положении? — Несомненно, с ним это случалось не впервые, и тогда она с отчаянием в глазах взглянула на него — это не был мужчина, которого она знала, это не был мужчина, которому она верила... мужчина, который, как она думала, спасет ее. — Ты бы и Джорджию отправил к нему?

Он с каменным лицом смерил ее долгим взглядом:

— В прошлом году я посылал к нему свою дочь.

Барбара опустила глаза и покачала головой.

— Извини.

— И ты меня тоже. — Это были последние добрые слова, которые он ей сказал. Он встал, глядя на нее сверху вниз. — Барб, сделай это побыстрее. На это надо решиться. Ты почувствуешь себя гораздо лучше.

Она посмотрела на него со своего места:

— А если я этого не сделаю?

— То есть как это? — Он почти плевал в нее словами.

— Что, если я решу оставить ребенка? У меня еще есть выбор, ты знаешь. Я не обязана делать аборт.

— Ну что ж, это будет только твое личное дело.

— Ты хочешь сказать, чтобы я к тебе больше не обращалась? — Теперь она его ненавидела.

— Я хочу сказать, что даже не знаю, мой ли это ребенок. И эта тысяча долларов — это последнее, что ты от меня получишь.

— Вот как? — Она взяла чек, посмотрела и порвала его пополам, а потом отдала ему. — Спасибо, Стэн. Но сомневаюсь, что он мне понадобится. — С этими словами она встала и мимо него вышла из ресторана.

Она плакала всю дорогу домой, а вечером мать ворвалась в ее спальню.

— Он тебя бросил, не так ли? Он вернулся к своей жене. — Она такая злая, чуть ли не злорадствовала. — Я так и знала... Я говорила тебе, что он плохой... он, наверное, ее вообще не бросал.

— Мама, оставь меня одну... пожалуйста... — Она легла на спину на кровати и закрыла глаза.

— Что с тобой? Ты больна? — И она моментально догадалась. — О Господи... ты беременна... Ну, скажи! Скажи!

Мать наступала на нее, кипя от злости, и встала напротив Барбары.

Барбара села, горестно глядя на мать.

— Да, беременна.

— О Господи... незаконнорожденный ребенок... ты знаешь, что люди о тебе скажут, ты, маленькая шлюха? — Ее мать вытянула руку и дала ей пощечину, и вдруг все разочарование и одиночество взорвалось в Барбаре.

— Черт побери, да оставь же меня в покое. У тебя случилось то же с моим отцом.

— Нет... мы были помолвлены... он не был женат. И он женился на мне.

— Он женился на тебе, потому что ты была беременна. И он ненавидел тебя за то, что ты поймала его в ловушку. Я слышала это, когда вы дрались. Он всегда ненавидел тебя. Он был помолвлен с другой...

Мать опять дала ей пощечину, и Барбара, рыдая, снова упала на кровать.

На протяжении следующих двух недель они почти не разговаривали, кроме моментов, когда мать изводила ее по поводу незаконного ребенка.

— Это будет конец... позор... ты никогда больше не найдешь себе работу.

И на самом деле, Барбару беспокоило то же самое. Она не могла найти работу с тех пор, как ушла из конторы Стэна. С минувшего лета безработица росла, и, даже имея диплом с отличием, она ничего не могла найти. А теперь еще и ребенок.

В конце концов ей больше ничего не оставалось. Из гордости она не стала обращаться к Стэну за координатами его врача, она позвонила подруге, та ей порекомендовала врача, и она сделала нелегальный аборт в Нью-Джерси. Домой она ехала на метро, ошеломленная, мучаясь от обильного кровотечения, и на платформе потеряла сознание. Матери позвонили из неотложки Рузвельтовской больницы, но та отказалась приехать. Когда спустя три дня Барбара вернулась домой, мать встретила ее в гостиной и произнесла только:

— Детоубийца.

После этого ненависть между ними усилилась, и Барбара собиралась уйти от нее. Но с матерью случился новый инсульт, и Барбара не могла ее оставить. Все, что она желала, — это иметь свою жизнь и собственную квартиру. Она получала пособие по безработице, поскольку Стэн оформил ей увольнение по сокращению штатов; мать получала пенсию, и на это они жили, едва сводя концы с концами. Барбара опять на протяжении шести месяцев выхаживала мать, и все это время та не давала ей забыть об аборте. Она обвиняла ее в своем инсульте и выражала разочарование дочерью как человеком. Не сознавая этого, Барбара жила в состоянии постоянной подавленности. В конце концов она нашла другую работу, в другой юридической фирме. Но на этот раз не было ни романов, ни мужчин, была только ее мать. Она растеряла всех своих подруг по колледжу, и даже когда они звонили, сама им потом не звонила. Что она могла им сказать? Все они были замужем, или помолвлены, или имели детей. У нее же был роман с замужним мужчиной, аборт, работала она секретаршей и, кроме того, постоянной нянькой при матери. А мать все время придиралась, что у них мало денег. В юридической форме, где Барбара работала, была еще одна секретарша, которая посоветовала ей обзвонить литературные агентства. По вечерам она могла бы перепечатывать на машинке, деньги за это платили вполне приличные. И в самом деле, заработок иногда был совсем неплохим. Вот этим Барбара и занималась, когда Дафна Филдс с ней познакомилась — к тому времени она уже десять лет занималась перепечатыванием на дому рукописей, была иссушенной, одинокой, нервной старой девой тридцати семи лет. Когда-то интересная, хорошо сложенная, спортивная девушка, староста выпускного курса в колледже и получившая диплом с отличием по специальности «политические науки», занималась машинописными работами на четвертом этаже без лифта в Вест-Сайде, присматривая за своей еще более озлобленной матерью, которая ненавидела в Барбаре все. Особенно ее злило отсутствие в дочери характера и живости. А ведь именно она их в ней подавила. И главным образом из-за матери Барбара так никогда и не оправилась от трагического романа и аборта.

Барбара была сразу же очарована Дафной, но не посмела расспрашивать о ее прошлом. В Дафне была какая-то замкнутость, как будто она хранила множество секретов. И только однажды поздно вечером, когда Барбара привезла ей рукопись — это было через год после их знакомства, — обе женщины стали рассказывать друг другу о себе. Барбара тогда рассказала ей об аборте и об отношениях с больной матерью. Дафна молча выслушала длинную горестную историю, а потом рассказала ей о Джеффе, Эми и Эндрю. Они сидели на полу в ее квартире, пили вино и говорили до рассвета. Теперь, когда Барбара смотрела на нее, безжизненную, прикованную к больничной койке, ей казалось, что это было вчера.

Дафна была тверда во мнении, когда услышала рассказ Барбары, что той следует оставить мать.

— Подумай, черт возьми, это же вопрос твоего выживания. — Они обе были немного пьяны, и Дафна ткнула в нее пальцем.

— Что я могу сделать, Дафф? Она с трудом ходит, у нее больное сердце, и было три инсульта...

— Помести ее в дом престарелых. Тебе это по средствам?

— Если поднапрячься, то было бы можно, но она говорит, что покончит с собой. А я перед ней в таком долгу. — Барбара подумала о прошлом. — Благодаря ей я закончила школу и колледж.

— И теперь она гробит твою жизнь. Тут уж долг ни при чем. Подумай о себе.

— А что я? Мне уж ничего не осталось.

— Ты не права.

Барбара посмотрела на Дафну, готовая с ней согласиться, но уже многие годы она не решалась думать о себе. Мать убила в ней все желания.

— Ты можешь делать все, что тебе захочется.

Так говорил Джон в домике в Нью-Гемпшире. И она рассказала о нем Барбаре — первой, с кем Дафна этим поделилась. Когда ночь подошла к концу, секретов больше не осталось. Снова и снова они возвращались к разговору об Эндрю. Он был всем для Дафны, всем, что имело значение и принималось в расчет, что вселяло жизнь и огонь в ее глаза.

— Везет тебе, что он у тебя есть. — Барбара посмотрела на нее с завистью. Ее собственному ребенку теперь исполнилось бы десять. Она все еще часто об этом думала.

— Да, я знаю. Но у меня нет его в обычном смысле. — Выражение сожаления промелькнуло на лице Дафны. — Он в школе. А у меня своя жизнь, так уж вышло.

Барбара понимала, что по-своему судьба у Дафны далеко не лучше, чем у нее. У Дафны был сын и работа, но больше ничего. В ее жизни не было мужчины, с тех пор как погиб Джон, да она и сама не хотела никого. Конечно, на протяжении последних лет многие мужчины проявляли к ней интерес: старые друзья Джеффа, писатель, с которым она познакомилась в своем агентстве, издатели, но всем она отказывала. В общем-то она была так же одинока, как Барбара. И это их роднило. Дафна ей доверяла как никому другому, и когда Барбара стала приходить работать к ней домой, они вместе ходили обедать или по магазинам в субботу, во второй половине дня.

— Знаешь что, Дафна? Мне кажется, что ты сумасшедшая.

— Это не новость. — Дафна улыбнулась своей высокой подруге, когда они шли вдоль прилавков в магазине «Сакс». Барбаре удалось сбежать от матери на целых полдня, которые они решили провести вместе.

— Я серьезно. Ты молода, красива. Ты могла бы иметь любого, какого захочешь, мужика. Зачем ты ходишь по магазинам со мной?

— Ты моя подруга, и я тебя люблю. А мужчина мне не нужен.

— Вот в этом и сумасшествие.

— Почему? У некоторых никогда не бывает того, что было у меня. — Дафна сразу пожалела, что сказала это Барбаре, у которой так неудачно сложилась жизнь.

— Конечно. — Барбара посмотрела на нее с теплой улыбкой, внезапно став моложе. — Я знаю, что ты имеешь в виду. Но у тебя-то нет причин ставить на этом крест.

— Есть. У меня больше никогда не будет того, что было с Джеффри и Джоном. Чего еще можно желать?

— Это не аргумент.

— В моем случае — да. Больше в жизни такого мужчину найти невозможно.

— Может, не именно такого. Какого-нибудь другого. Неужели ты действительно собираешься отказаться от этого на ближайшие пятьдесят лет? — Барбару ужаснула эта мысль. — Это в самом деле чертовски неумно.

Самой же ей не казалось таким безумием то, что она отказалась от своей жизни ради матери, которую ненавидела. Но к себе она подходила с другой меркой. Дафна была красивой, миниатюрной, и Барбара сразу поняла, что она добьется большого успеха. Их жизни были, по мнению Барбары, диаметрально противоположны.

Однако Дафна не считала ситуацию своей подруги безвыходной и постоянно ворчала, чтобы та была поактивней.

— Почему, черт возьми, ты не переезжаешь?

— Куда? В палатку в Централ-Парке? А что я поделаю со своей матерью?

— Помести ее в дом престарелых. — Это стало постоянным рефреном их разговоров, но когда Дафна купила квартиру на Шестьдесят девятой улице, она разработала план и с горящими глазами познакомила с ним Барбару.

— Господи, Дафна, я же не могу.

— Можешь, можешь. — Она хотела, чтобы Барбара переехала в ее бывшую квартиру.

— Я не смогу платить за две.

— Подожди, выслушай меня до конца. — Дафна предлагала Барбаре работу у нее на полную ставку за очень хорошее вознаграждение, которое ей самой было вполне по карману.

— Работать у тебя? Ты серьезно? — Глаза Барбары засветились, словно летнее небо. — Ты серьезно?

— Конечно, но я не считаю, что делаю тебе благодеяние. Так мне, черт возьми, нужно. Благодаря тебе я избавлена от многих проблем. И не хотела бы услышать в ответ «нет».

Барбара почувствовала, что сердце в ней подпрыгнуло, но в то же время она испугалась. А что же с матерью?

— Не знаю, Дафф. Мне надо это обдумать.

— Я уже все за тебя обдумала, — улыбнулась ей Дафна. — Ты не можешь начать работать, пока не переедешь от матери. Как по-твоему, предложение дельное? — Оно было дельным, и обе это прекрасно понимали, но только после месяца мучительных колебаний Барбара стала внутренне готова это сделать. Дафна налила ей пару рюмочек, а потом на такси отвезла домой. На прощание она обняла Барбару, поцеловала и сказала, что в ее поступке нет ничего предосудительного.

— Это твоя жизнь, Барбара. Дорожи ею. Матери и дела нет до тебя, а ты свой долг уже оплатила. Не забывай этого. Сколько еще ты можешь давать?.. Сколько еще ты бы хотела давать?

Барбара уже знала ответ. Впервые за многие годы она видела свет в конце тоннеля и стремилась к нему так настойчиво, как только могла. Она поднялась наверх, сказала матери, что переезжает, и осталась глуха к угрозам мести, или инсультов, или шантажа.

Мать переехала в дом престарелых в следующем месяце, и хотя она никогда не признавалась в этом Барбаре, ей там на самом деле понравилось. Она была с людьми своего возраста, и у нее была целая компания подруг, которым она могла жаловаться на свою эгоистичную дочь. И когда новая квартира Дафны была готова, Барбара переехала в ее старую и чувствовала себя, будто наконец освободилась из тюрьмы. Свои прежние переживания она теперь вспоминала с улыбкой. Каждое утро она просыпалась с легким сердцем и ощущением свободы, потягивалась в постели, варила кофе в солнечной маленькой кухне, чувствуя себя так, словно ей был подвластен весь мир, а бывшую спальню Эндрю использовала в качестве кабинета, если приносила работу домой, что случалось нередко. Она работала у Дафны каждый день с десяти утра до пяти вечера и, уходя домой, всегда забирала с собой кипу работы.

— Тебе что, больше делать нечего, ей-богу? Оставь это здесь. — Но, говоря это, Дафна сама сидела за письменным столом, намереваясь работать до поздней ночи. Они хорошо подходили друг другу. Ни у одной, ни у другой жизнь не сложилась нормально, и все, что Барбара хотела от жизни, — это отплатить подруге за добро. Но существовала другая опасность, что Барбара перенесет свою склонность к преданности и рабству на Дафну.

— Только не относись ко мне, как к своей матери! — шутливо наставляла Дафна, когда Барбара заходила в кабинет с обедом на подносе.

— Ой, заткнись.

— Я серьезно, Барб. Ты всю жизнь заботишься о ком-нибудь. Позаботься о себе для разнообразия. Сделай себя счастливой.

— Я делаю. Мне нравится моя работа, ты же знаешь. Невзирая на то, что приходится трудиться до боли в заднице.

Дафна рассеянно улыбалась и снова принималась за работу, она сидела за пишущей машинкой с полудня до трех-четырех часов утра.

— Как, черт возьми, ты можешь так работать? — Барбара смотрела на нее с изумлением. Дафна никогда не делала больше одного перерыва, только когда пила кофе или принимала душ. — Ты угробишь здоровье, работая в таком режиме.

— Нет, не угроблю. Это делает меня счастливой.

Но «счастливая» не было тем словом, которое бы Барбара употребила, чтобы охарактеризовать эту женщину. Глаза Дафны не светились счастьем уже несколько лет подряд; оно в них поселялось лишь непосредственно после посещения Эндрю. Обстоятельства ее жизни глубоко отразились в ее глазах, и тоска по людям, которых она потеряла, никогда по-настоящему не покидала ее. Радость и удовлетворение от работы она поместила между собой и призраками, с которыми жила, но все рав-

но они всегда присутствовали, и это было видно, хотя
она редко говорила об этом.

Но временами, когда она была одна в своем кабинете, Дафна частенько просто сидела и смотрела в окно, и
мысли ее были далеко... в Нью-Гемпшире, с Джоном,
или в местах, куда они ездили с Джеффом... или, несмотря на железный контроль, которому она себя под-
вергала, ее глаза застилали воспоминания об Эми. Это
были ее сугубо личные переживания, которыми она делилась только с Барбарой. Дафна рассказывала ей о
разных периодах своей жизни, о людях, которых потеряла, таких, как Джон, Джефф и Эми. И всегда, всегда
она говорила об Эндрю — как она по нему тоскует.
Теперь ее жизнь была не такой, как до отъезда Эндрю
в Нью-Гемпшир. Она была наполнена работой, обуст-
ройством, славой, встречами с издателями, журналиста-
ми и ее агентом. У Дафны оказались неплохие деловые
способности, которых она раньше у себя не подозревала, она хорошо знала свое ремесло, искусно владела пе-
ром и чувствовала, чего ждут от нее читатели.
Единственное, что она ненавидела в своей работе, —
это рекламные шоу, в которых ей периодически приходилось участвовать, потому что она не желала, чтобы
кто-то совал нос в ее личную жизнь или расспрашивал
об Эндрю. Она хотела защитить его от всего этого.
Ничем из своей личной жизни Дафна не желала делиться с другими, она считала, что ее книги говорят сами за
себя, но признавала, что для издателей реклама важна.
Эта проблема снова возникла, когда ее пригласили на
«Шоу Конроя» в Чикаго. Она колебалась, нервно гры-
зя карандаш.

— Что мне им ответить, Дафф? Ты поедешь завтра
в Чикаго? — они приставали к Барбаре все утро, и
пора было дать им ответ.

— В двух словах? — Дафна улыбнулась, массируя себе шею. Она накануне до поздней ночи работала над новой книгой и к утру ужасно устала. Но такую усталость она любила. Работа шла хорошо, и она ощущала удовлетворение. Дафна никогда не жаловалась на боль в спине или неизбежную боль в плечах. — Нет, я не хочу ехать в Чикаго. Позвони Джорджу Мердоку в «Харбор» и спроси его, считает ли он это нужным. — Но она уже и так знала ответ. Хоть в тот момент новая книга только писалась, популярность всегда была важна, а «Шоу Конроя» в Чикаго было одним из самых известных.

Барбара пришла через пять минут с виноватой улыбкой.

— Ты на самом деле хочешь знать, что он сказал?

— Нет, не хочу.

— Так я и думала.

Барбара наблюдала, как Дафна со вздохом погрузилась в удобное кресло, откинув голову назад на мягкую белую подушку.

— Почему ты так чертовски много работаешь, Дафф? Нельзя же все время выдерживать такой темп.

Дафна по-прежнему выглядела как девочка, когда так сидела, но атмосфера женственности всегда окружала ее, хотя сама она старалась об этом не задумываться. Дафна была добра со всеми, с кем ей приходилось общаться: с издателями, агентом, секретаршей, несколькими тщательно подобранными друзьями, сыном, персоналом школы, другими детьми. Она была добра ко всем, но не к себе. Себе она ставила непосильные цели и предъявляла почти невозможные требования. Она работала по пятнадцать часов в сутки и всегда была терпеливой, участливой, душевной. В душевности она отказывала только себе. Она в самом деле никого к себе не допускала. В ее жизни было слишком много боли, слишком много утрат, и теперь она навсегда окружила себя стенами. Барбара снова об этом подумала, глядя на неподвижное тело, распластанное на больничной койке, и эхо слов Дафны раздавалось у нее в голове.

— Я не убегаю, Барб. Я делаю карьеру, а это не одно и то же.

— Разве? По мне, так то же самое.

— Может быть. — С Барбарой она обычно была откровенна. — Но это ради доброго дела.

Она работала на благо Эндрю. Благосостояние ему когда-нибудь понадобится, и она хотела, чтобы его жизнь была легкой. Все, что она делала, казалось, сфокусировалось на сыне.

— Я уже раньше это слышала. Но ты достаточно уже сделала для Эндрю, Дафф. Почему бы тебе для разнообразия не подумать о себе?

— Я думаю.

— Неужели? Когда?

— В течение примерно десяти секунд, когда умываюсь утром, — она улыбнулась своей наперснице и подруге. Были вещи, о которых Дафна не любила говорить. — Итак, они хотят, чтобы я ехала в Чикаго, да?

— Ты можешь оторваться от работы над книгой?

— Если понадобится.

— Так мы едем?

— Не знаю. — Она нахмурила брови и поглядела в окно, прежде чем снова перевела взгляд на Барбару. — Меня это шоу беспокоит. Я никогда в нем не участвовала и, по правде говоря, не хочу.

— Почему? — Барбара предвидела ответ на этот вопрос. Боб Конрой задавал много каверзных вопросов и был дотошен. У него была превосходная команда «ище-

ек» он умел раскапывать мелочи из прошлого людей и
выкладывать их в своих передачах на национальном те-
левидении. Барбара понимала — Дафна боялась, что
это может случиться и с ней. Она прилагала большие
усилия, чтобы ее биография не стала достоянием масс:
ни с кем никогда она не говорила о Джеффе или Эми и
была непреклонна в том, что касалось Эндрю. Она не
хотела, чтобы сын стал предметом досужего любопытства или сплетен. Он жил счастливой, изолированной жизнью в Говартской школе в Нью-Гемпшире и понятия не
имел, что его мама — знаменитость. — Ты боишься
Конроя, Дафф?

— Если честно? Да. Я не хочу, чтобы старое вы-
ставлялось напоказ. — Она смотрела на Барбару своими большими голубыми и печальными глазами. — То,
что случилось со мной, — это мое личное дело. Ты
знаешь, как я это воспринимаю.

— Да, но ты не можешь всегда все держать в секре-
те. Что, если что-то откроется, разве это так страшно?

— Для меня — да. Я не нуждаюсь ни в чьем
сочувствии, да и Эндрю тоже. Нам этого не нужно. — Она распрямила спину и села на стуле, глядя независимо и дерзко.

— Это бы только заставило твоих читателей любить
тебя еще больше.

Барбара лучше, чем кто-либо, знала, как они уже ее
любили. Она отвечала на все письма от почитателей
таланта Дафны. Дафна умела изливать душу в своих
книгах, так что ее читателям казалось, что они с ней
знакомы. В самом деле, они знали ее лучше, чем она
думала, секреты ее души придавали ее книгам реальность, хотя она и выдавала их за вымысел.

— Я не хочу, чтобы они любили меня больше. Я
хочу, чтобы они любили книги.

— Может, тут и нет разницы.

Дафна молча кивнула со своего места и затем со вздохом поднялась.

— Кажется, у меня нет выбора. Если я не поеду, Джордж Мердок мне не простит. Они весь нынешний год пытались затащить меня на это шоу. — Она посмотрела на Барбару с улыбкой. — Поедешь со мной? В Чикаго отличные магазины.

— Поедем с ночевкой?

— Конечно.

У Дафны там была любимая гостиница, как и почти во всех больших городах. Это всегда были самые спокойные, самые консервативные и в то же время самые элегантные гостиницы в каждом городе. Гостиницы, где дамы носят собольи шубы и полагается говорить шепотом. Она заказывала номер и пользовалась возможностями, которые ей предоставляла ее профессия. Она к этому уже привыкла, и ей приходилось признавать, что в ее успехе были стороны, которые были ей очень приятны. Дафне больше не надо было беспокоиться о деньгах, она знала, что будущее Эндрю обеспечено. Она удачно вкладывала деньги; по возможности покупала дорогую одежду, антиквариат и картины, которые ей нравились. Но в то же время в Дафне не было ничего показного. Она не тратила деньги на то, чтобы щеголять своим успехом, не устраивала шикарных вечеринок и не пыталась удивить своих друзей. Все было очень спокойно, просто и основательно. И, как это ни забавно, она знала, что это было именно то, чего бы хотели Джеффри и Джон. Она повзрослела, и сознание этого было ей приятно.

— У тебя шоу в десять вечера. Ты хочешь ехать утром или после обеда? Перед тем, как мы поедем в студию, тебе надо поужинать и немного отдохнуть.

— Да, мамочка.

— Ой, заткнись.

Барбара что-то быстро записала в своем блокноте и исчезла, в то время как Дафна опять вернулась к письменному столу с озабоченно нахмуренными бровями и уставилась на клавиатуру машинки. Она сказала Барбаре, что у нее странное чувство по поводу шоу, странное, нехорошее предчувствие. А Барбара сказала ей, что она глупая. Теперь Барбара вспомнила это, глядя на лицо Дафны, так искалеченное сбившей ее машиной. Казалось, в Чикаго они были сто лет назад.

Глава 14

Дафна и Барбара прибыли в студию точно в девять тридцать. На Дафне было простое шелковое платье бежевого цвета, а волосы уложены в изящный узел. В ушах были жемчужные серьги, а на руке — кольцо с большим красивым топазом, которое в этом году она купила у Картье. Она выглядела элегантно и отнюдь не шикарно или вызывающе. Это было типично для Дафны. На Барбаре, как обычно, был один из ее темно-синих костюмов. Дафна всегда подтрунивала, что у нее их четырнадцать и все похожи, но Барбара выглядела аккуратно и строго, прямые черные волосы падали гладким блестящим потоком ей на плечи. Теперь, после разрыва с матерью, она выглядела моложе. Дафна заметила, что на протяжении года Барбара делается все более и более привлекательной. Она стала напоминать свои фотографии студенческих лет, и теперь, когда смотрела на Дафну, ее глаза смеялись.

Когда их проводили в стандартную комнату ожидания с удобными креслами, баром и обслугой, Барбара наклонилась и шепнула:

— Не будь такой скованной. Он не собирается тебя укусить.

— Откуда ты знаешь? — Дафна всегда нервничала на подобных мероприятиях. Отчасти поэтому она брала с собой Барбару. Да и вообще здорово было иметь рядом подругу, с которой можно поболтать в самолете, которая помогала разобраться, если с броней гостиницы не все было в порядке. Барбара обладала замечательной способностью держать все под контролем. Благодаря ей багаж нико-

гда не терялся, еду Дафне приносили в номер вовремя, постоянно были под рукой свежие газеты и
журналы, не досаждали репортеры, а когда предстояло интервью, вещи всегда были отглажены. Казалось, что все это ей удается без особого труда.

— Может, хочешь выпить?

Дафна покачала головой:

— Не хватает только, чтобы я там появилась под-
шофе. Тогда я и впрямь выболтаю ему кое-что. — Они
обе улыбнулись, и Дафна устроилась в кресле. Она вообще практически не пила.

— Мисс Филдс? — Помощник режиссера просу-
нул голову в дверь. — Вы первая.

— О Господи.

— Мистер Конрой не хотел, чтобы вы ждали.

Так было труднее всего — у нее не оставалось времени расслабиться и понаблюдать, как себя ведут другие, но она также знала, что в тот вечер она являлась
гвоздем программы.

— Уж лучше бы они не делали мне такую любезность, — прошептала Дафна Барбаре, чувствуя, что ладони у нее начинают потеть, но та шепнула ей ободряюще:

— Все будет хорошо.

— Сколько я буду в эфире? — Это напоминало
установку внутреннего таймера при пломбировании зу-
бов: двадцать минут... выдержу или нет? Но у зубного
по крайней мере обезболивают новокаином.

— Они мне не сказали. Я вчера спрашивала.
Девушка сказала: Конрой хочет, чтобы «оно свободно
текло». Но я не думаю, что это будет дольше пятнадцати минут.

Дафна кивнула, словно подбодрив себя. Мгновением
позже появился помощник режиссера и дал ей знак следовать за ним.

— Пока, детка.

Она оглянулась через плечо на Барбару, вспомнив древнее приветствие гладиаторов: «Идущие на смерть приветствуют тебя, Цезарь».

— Ты будешь великолепна.

Дафна закатила глаза и исчезла, а Барбара устроилась в кресле с бокалом вина, чтобы наблюдать ее на мониторе. Помощник режиссера проводил Дафну в студию, указал на стул и прикрепил микрофон к вороту платья, в то время как подбежавшая гримерша припудрила ей лицо. Ее прическа была в полном порядке, и остальной макияж также. Гримерша кивнула и исчезла, а помощник режиссера надел наушники и шепнул Дафне:

— Мистер Конрой сейчас появится. Он сядет там. — Он показал на стул. — Первые девяносто секунд он будет говорить один, а потом представит вас.

Дафна кивнула и заметила две свои последние книги на низком столике. Обычно ее предупреждали, о чем будет идти разговор, но Конрой работал иначе. И именно поэтому она и нервничала.

— Сказать, чтобы вам принесли стакан воды?

— Спасибо.

Глаза у нее болели, во рту пересохло, она чувствовала, как струйки пота стекают у нее по бокам. Между тем появился Боб Конрой в темном костюме, светло-голубой рубашке и красном галстуке. Ему было под пятьдесят, и он, несомненно, был интересный мужчина. Но в его глазах было что-то очень холодное и колкое, что-то преувеличенно шустрое.

— Дафна?

Нет. Мата Хари.

— Да. — Она улыбнулась, стараясь не чувствовать головокружения.

— Рад, что ты прибыла на наше шоу. Какая погода в Нью-Йорке?

— Прекрасная.

Он сел, огляделся. Но прежде чем успел что-либо еще ей сказать, помощник режиссера стал считать, зажглась красная лампочка, и камера приблизилась к лицу Конроя, он же улыбнулся своей чарующей улыбкой, которая приводила в трепет американок, и сообщил телезрителям, с кем им предстоит встретиться в сегодняшней программе. Это было точно так же, как на других шоу, в которых Дафне доводилось участвовать. Гостя демонстрировали, словно дрессированную собачку, а потом, едва поблагодарив, отправляли прочь из студии, в то время как ведущий вытворял свои эгоцентрические пируэты, чтобы позабавить зрителей.

— И наш первый гость сегодня — писательница, книги которой большинство из вас читали, я имею в виду, конечно дам. — Он остановился, чтобы улыбнуться в камеру, а затем взял с журнального столика книгу и снова взглянул в камеру. — Но предвижу, что большинство из вас знают о ней самой очень мало. Но судя по всему, Дафна Филдс особа очень замкнутая.

Он снова улыбнулся и медленно повернулся к Дафне, в то же время камера захватила и ее, вторая камера медленно приближалась к ним.

— Мы рады, что ты прибыла к нам сюда, в Чикаго.

— Я рада встрече с тобой, Боб. — Дафна застенчиво улыбнулась Конрою, зная, что камера покажет ее спереди, и поворачиваться к ней не обязательно. Такая проблема возникала во время шоу в провинциальных городах, где камеры всегда были направлены только на ведущего. Однажды в Санта-Фе она целый час участвовала в шоу, не зная, что зрители видели только ее затылок.

— Ты живешь в Нью-Йорке, не так ли? — Это был типично безобидный вопрос.

— Да, — она улыбнулась.

— Ты сейчас работаешь над книгой?

— Да. Она называется «Любовники».

— Вот это твое название, — он глубоко заглянул в глаза своим зрительницам. — Твоим читателям оно понравится. Ну и как продвигается исследование? — Он издал двусмысленный смешок, и Дафна слегка покраснела под макияжем.

— Моя работа — художественный вымысел. — Голос Дафны и улыбка были мягкими, и в ней было что-то необыкновенно деликатное, из-за чего сам Конрой выглядел наглым и грубым со своим вопросом. Но потом он ее за это проучит. Это была его программа, и он собирался вести ее долго. Дафна была только гостем одного вечера. Он оказался в дураках, и никогда ей этого не забудет.

— Погоди, погоди, ведь у такой красивой женщины... должна быть целая армия любовников.

— Однако не сейчас. — На этот раз в ее глазах блеснуло озорство, и она не покраснела. Она начинала чувствовать, что сможет это пережить.

Но юмор пропал в голосе Конроя, когда он повернулся к ней.

— Как я понял, Дафна, ты вдова? — Этого хода она не ожидала, и на мгновение у нее чуть не перехватило дыхание. Он хорошо провел свое расследование. Дафна кивнула. — К большому сожалению. Но, — он выдавливал из своего голоса симпатию и сострадание, — может, именно поэтому ты так хорошо пишешь. Ты много пишешь о проблеме потери близких, и тебе эта тема, несомненно, знакома. Мне говорили, что ты потеряла еще и маленькую дочку.

Ее глаза от возмущения наполнились слезами. Он как ни в чем не бывало потрошил ее за своим журнальным столиком и позволял себе разглагольствовать о Джеффе и Эми.

— Я вообще-то не обсуждаю свою личную жизнь в контексте моей работы, Боб. — Она старалась вернуть себе самообладание.

— Может, напрасно? — Его лицо было серьезным, голос участливым. — Это бы приблизило тебя к читателям.

Цап! Тут она и попалась.

— Поскольку мои книги реалистичны...

Он прервал ее:

— Как они могут быть реалистичны, если читатели не знают, какая ты? — Прежде чем она смогла ответить, он продолжал: — Правда ли, что твои муж и дочь погибли при пожаре?

— Да. — Она сделала глубокий вдох, и Барбара видела на мониторе, как слезы выступили у нее на глазах. Как противно. Сукин сын... Дафна была права, опасаясь приезжать сюда.

— Твой муж был прототипом мужчины из повести «Апач»?

Она покачала головой. Прототипом был Джон. И вдруг она в панике подумала: а если он знает и о нем?! Но это было невозможно.

— Какой необыкновенный персонаж. Я думаю, все женщины Америки влюбились в него. Знаешь, из этой книги получился бы замечательный фильм.

Она стала немного оправляться, молясь, чтобы интервью быстрее закончилось.

— Я очень рада, что ты так думаешь.

— А перспективы на будущее?

— Пока неясны, но мой агент считает, что они есть.

— Дафна, скажи, сколько тебе лет?

Вот дрянь. Никак не удавалось от него улизнуть, но она мягко рассмеялась.

— Я должна сказать правду? — Но она не делала секрета из своего возраста. — Мне идет тридцать третий.

— Господи Боже мой, — он оценивающе оглядел ее. — Тебе столько не дашь. Я бы спокойно дал тебе двадцать.

Это был шарм, который так нравился его женской аудитории. Но в то время как Дафна улыбнулась, он снова пошел в наступление с тем же участливым видом, которому она уже не верила, и правильно делала.

— И ты никогда не выходила замуж вновь? Как давно ты вдова?

— Семь лет.

— Это, вероятно, был ужасный удар. — И с невинным видом: — А сейчас в твоей жизни есть мужчина?

Дафна хотела закричать или дать ему пощечину. Они никогда не задавали таких вопросов писателям-мужчинам, но женщины были законной добычей, считалось как бы само собой разумеющимся, что личная жизнь женщины-писателя была частью ее работы, а следовательно, общим достоянием. Мужчина бы послал его ко всем чертям, Конрой никогда не стал бы задавать ему подобных вопросов.

— В данный момент нет, Боб, — ответила она с любезной улыбкой.

Он слащаво осклабился.

— Я не могу в это поверить. Ты слишком красива, чтобы оставаться одной. Ну, а книга, над которой ты сейчас работаешь... как бишь, «Любовники»? — Она кивнула. — Когда она выйдет? Я уверен, что твои читатели ждут ее затаив дыхание.

— Да нет, пусть дышат спокойно. Книга не выйдет раньше следующего года.

— Будем ждать.

Они снова обменялись искусственными улыбками. Дафна ждала передышки, она знала, что конец близок, и не могла дождаться момента, когда можно будет вскочить со стула и убежать подальше от его вопросов.

— Знаешь, я хотел тебя спросить еще вот о чем... — Она уже приготовилась к тому, что он спросит, какой у нее размер лифчика. — Наш следующий гость тоже писатель, но по другой, чем у тебя, тематике. Его книга не беллетристика. Он написал замечательную книгу об умственно отсталых детях. — Дафна почувствовала, что бледнеет, видя, к чему он клонит... но он не посмеет... — Моя хорошая знакомая из «Коллинза» где ты работала, сказала мне, что у тебя неполноценный ребенок. Может, с родительской точки зрения, ты могла бы пролить нам свет на данный вопрос?

Она посмотрела на него с неприкрытой ненавистью, но думала об Алли... Как она могла сказать ему такое? Как она могла?

— Мой сын не аутичный, Боб.

— А, понятно... может, я не так понял... — Она почти представила себе, как его зрительницы затаили дыхание. За десять коротких минут они узнали, что Дафна потеряла мужа и дочь при пожаре, работала в «Коллинзе», в данный момент в ее жизни нет никакого мужчины, а теперь они еще думают, что ее единственный выживший ребенок ненормальный. — У него просто задержка развития?

— Нет, это не так. — Ее голос повышался, а глаза сверкали. Неужели он думает, что ему все позволено? — Мой сын слабослышащий, он учится в специальной школе, но в остальном это совершенно нормальный, замечательный ребенок.

— Я рад за тебя, Дафна.

Сукин сын. У Дафны внутри все кипело. Она чувствовала себя так, словно с нее сорвали одежду. Но хуже, гораздо хуже этого было то, что он раздел Эндрю.

— Я был рад узнать о «Любовниках» и сожалею, что наше время подходит к концу. Но надеемся встретиться с тобой снова, когда ты посетишь Чикаго.

— С удовольствием. — Она улыбнулась сквозь стиснутые зубы, затем улыбнулась телезрителям. Наступила рекламная пауза. Едва сдерживая бешенство, она отстегнула микрофон от платья и вручила ему, пока шли рекламы.

— Знаешь, я поражаюсь, как тебе самому не совестно.

— Почему? Потому что у меня пристрастие к правде? — Теперь он улыбался. Ему было на нее наплевать. Его заботил только он сам, его зрители и спонсоры.

— Для чего это все нужно? Какое ты имеешь право задавать кому бы то ни было такие вопросы?

— Это вещи, которые люди хотят знать.

— Это вещи, которые люди не имеют права знать. Разве в твоей жизни нет такого, что бы ты не хотел выставлять напоказ? Неужели для тебя не существует ничего святого?

— Вопросы здесь задаю я, Дафна, — сказал он холодно. Между тем следующий гость готовился занять ее место. Она еще мгновение постояла, глядя на него, и не подала ему руки на прощание.

— Это твое счастье. — И, сказав это, Дафна повернулась и покинула студию. Она стремительно прошла в комнату ожидания и дала знак Барбаре следовать за ней.

Двумя часами позже они были в самолете, летящем в Нью-Йорк. Это был последний рейс, и в аэропорт Ла Гуардия они прибыли в два часа ночи. В два тридцать Дафна была уже у себя в квартире. Барбара поехала домой на такси. Дафна закрыла за ней дверь и пошла прямо к себе в спальню. Не включая свет, она упала на кровать и зарыдала. Она чувствовала себя так, словно в этот вечер вся ее жизнь была выставлена напоказ — вся ее боль и печаль. Единственное, о чем он не знал, это о Джоне. Хорошо, что она не рассказала Алли... а скажите-ка, мисс Филдс, это правда, что вы сожительствовали с дровосеком в Нью-Гемпшире?.. Она повернулась на спину и лежала в темноте, глядя в потолок, думая об Эндрю. Может, и хорошо, что он был в школе. Может, если бы он был дома с ней в Нью-Йорке, его жизнь превратилась бы в интермедию. Люди вроде Алли относились бы к нему как к уроду... ненормальному... отсталому... Она съежилась от этих слов и лежала так, пока не заснула в своей кровати, в бежевом платье, которое было на ней, со следами слез на лице и таким чувством в сердце, словно ее избили камнями. В эту ночь ей снились Джеффри и Джон, и она проснулась на следующее утро от телефонного звонка, чувствуя, как ее омывает волна ужаса... Она вообразила, что что-то случилось с Эндрю.

Глава 15

— Дафна, ты здорова? — это была Айрис. Она видела шоу.

— Как-нибудь переживу. Но больше этого делать не буду. Можешь сказать это Мердоку, или я сама скажу. Как хотите, но это решено. Мои публичные выступления закончены.

— Я не думаю, что тебе следует это так воспринимать, Дафф. Подумаешь, одно неудачное шоу.

— Это по-твоему. А я не собираюсь переживать такое вновь, да и не обязана. Мои книги и так хорошо продаются, я не желаю, чтобы какие-то подонки развешивали мое белье на своей веревке.

Но самое главное, что непрерывно болело, — это как они поступили с Эндрю. Она так старалась защитить его от этого мира, и в один миг они прорвали ее защиту и представили его «аутичным» Она все еще содрогалась от того, что они сказали. И каждый раз, когда она думала об этом, ей хотелось убить Алли. Дафне пришлось заставить себя слушать то, что говорила Айрис. Та настаивала, чтобы они пообедали в «Четырех сезонах» но Дафне этого совершенно не хотелось.

— Что-то случилось?

— Нет. Очень интересное предложение, и я хотела бы его с тобой обсудить. Может, зайдешь в офис?

— А почему бы тебе не прийти сюда? Я не настроена никуда выходить, — по правде, ей хотелось спрятаться в какое-нибудь укромное место. Или уехать в школу, чтобы обнять Эндрю.

— Хорошо. Я буду в полдень. Ты здорова?

— Абсолютно. И не забудь позвонить Мердоку. —
Но Айрис хотела с этим немного повременить. Реклама
книг Дафны была просто слишком важна, чтобы принимать скоропалительные решения, и она надеялась, что
Дафна передумает. Хотя, зная Дафну, можно было бы
предположить, что она не передумает. У нее был упрямый характер, и больше всего она ценила неприкосно-
венность своей личной жизни. Надругательство над ней
по национальному телевидению было для Дафны тяжелым испытанием.

— Ну, тогда до скорого.

Было уже десять часов, и Дафна услышала в двери
скрежет ключа Барбары, а она была на кухне босая и в
том же платье, что было на ней вчера. Вид у нее был
как после грандиозной попойки.

— Господи, ну и видок у тебя сегодня утром. — На
Барбаре были серые слаксы и красный свитер, она луче-
зарно улыбалась, и Дафна улыбнулась ей, ставя на огонь
кофеварку. Барбара вошла на кухню и поставила сумку.
Это был один из редких моментов, когда у нее в руках
не было блокнота. — Ты хоть спала сегодня? — Барбара очень беспокоилась за нее, но не решилась звонить. Она полагала, что Дафна если и не спит, то, во
всяком случае, не станет ни с кем общаться. Однако
наутро Дафна была уже законной добычей, и Барбара
себя не сдерживала.

— Ты меня, конечно, извини, но выглядишь ты дерьмово. Ты спала?

— Немного.

Барбара отхлебнула горячего кофе.

— Я очень сожалею, что вчера вечером все так получилось, Дафф.

— И я тоже. Но больше этого не случится. Я только что сказала Айрис, чтобы она позвонила Мердоку.

— Она не позвонит. — Барбара сказала это со знанием дела, и Дафна улыбнулась.

— Ты всех знаешь как облупленных, не так ли? Может, ты и права. Но если она не позвонит, я сама это сделаю.

— Как ты намерена поступить с Аллисон Баер?

В глазах Дафны появилась угроза.

— Откровенно говоря, я хотела бы убить ее. Но я ограничусь тем, что выскажу, что я об этом думаю, и больше с ней разговаривать не буду.

— С ее стороны гадко было так поступать.

— Я могу простить ей почти все, но не то, что она сказала про Эндрю. — Они обе мгновение помолчали, и Дафна со вздохом уселась в кресло с усталым и взъерошенным видом. Казалось, что ей был необходим кто-то, кто бы раздел ее, приготовил горячую ванну и расчесал волосы, и Барбаре вдруг стало жаль, что у Дафны нет мужа, который бы все это сделал. Она могла бы быть хорошей женой, но и сама нуждалась в ком-то, кто бы о ней заботился. Дафна слишком напряженно работала, испытывала слишком много огорчений и несла все заботы на своих хрупких плечах. Ей был нужен мужчина, как и самой Барбаре, но вопрос был в том, чтобы найти подходящую кандидатуру, а Дафна не хотела об этом и слышать. Она пальто себе подавать не позволяла, какой уж там брак.

— Кстати, а что Айрис было нужно?

— Не знаю. Она что-то сказала об интересном предложении. Но если это рекламная поездка, — Дафна грустно улыбнулась и встала, — я намерена сказать ей, чтобы она от этого отказалась.

— Совершенно с тобой согласна. Надо ли кому-нибудь позвонить? — Дафна подала ей список и пошла принять душ. А когда без пяти двенадцать пришла ее агент, на Дафне были белые габардиновые слаксы и белый кашемировый свитер.

— Господи, ну и прелестно же ты выглядишь, — характерная для нее спокойная элегантность всегда нравилась Айрис. У большинства писателей элегантность была зачастую показная, у Дафны же никогда. Она имела свой очень изысканный стиль, который временами делал ее старше своих лет, но менять его она не собиралась. Впрочем, тяжелые жизненные испытания тоже не могли пройти бесследно для ее внешности, но они же наделили ее мудростью, уравновешенностью и большим чувством сострадания.

— Ну, что новенького? — Они сели обедать, и Дафна налила Айрис бокал белого вина, Айрис же посмотрела на нее долгим и строгим взглядом. — Какие-то неприятности?

— Ты работаешь слишком напряженно. — Айрис сказала это как строгая мать, она знала Дафну достаточно долго, чтобы читать по ее глазам, что она и сделала в этот раз. Она заметила, что Дафна устала.

— Почему ты так считаешь?

— Ты слишком похудела, и глаза у тебя, словно тебе полтораста лет.

— На самом деле мне столько и есть. Сто пятьдесят два, если быть точной. В сентябре исполнится сто пятьдесят три.

— Я серьезно, Дафна.

— И я тоже.

— Ну ладно, я это с мыслью о моем бизнесе. Как продвигается книга?

— Неплохо. Я закончу ее в следующем месяце.

— А что потом? Какие планы?

— Я хотела бы какое-то время провести с Эндрю. Знаешь, — она с горечью посмотрела на Айрис, — с моим аутичным сыном.

— Дафна, не принимай это так близко к сердцу. В телеинтервью и в газетах говорится множество такой чепухи.

— Да, но они не будут говорить этого обо мне и моем сыне. Вот и все. Ты позвонила Мердоку? — она строго посмотрела на Айрис.

— Еще нет. Но позвоню. — Барбара была права, и Айрис обманывала ее.

— Если ты не позвонишь, я сделаю это сама. Утром я говорила с тобой совершенно серьезно.

— Ну ладно, ладно. — Айрис протянула руку, словно моля о помиловании. — Я хотела бы обсудить прежде всего еще кое-что. Тебе поступило очень интересное предложение.

— Что надо делать? — Дафна не казалась особенно обрадованной, скорее подозрительной. Она жестоко обожглась накануне вечером.

— Сделать фильм на Западном побережье. — Айрис предложение явно нравилось. Дафна внимательно слушала. — Они хотят купить права на «Апача». Вчера, после твоего отлета, звонили со студии «Комсток». Они хотят приобрести права, но хотят также предложить тебе написать сценарий.

Дафна долго сидела молча.

— А ты думаешь, я смогла бы? Я никогда этого не делала, — ее глаза выражали беспокойство.

— Для тебя нет ничего невозможного, если ты только захочешь. — Это опять было эхо слов Джона, и Дафна улыбнулась.

— Я бы хотела в это верить.

— Ну так я верю, и они тоже. Они предлагают очень приличный гонорар. Ты бы жила там, а они бы оплачивали все расходы по проживанию, в пределах разумного.

— Что это значит?

— Дом, питание, развлечения, горничная и машина с водителем.

Дафна сидела, задумчиво уставившись в тарелку, и потом посмотрела на Айрис:

— Я не могу этого сделать.

— Почему? — Айрис удивленно подняла брови. — Дафна, это фантастическое предложение.

— Я не сомневаюсь в этом и уступлю им книгу. Но я не могу написать сценарий.

— Почему?

— Сколько мне пришлось бы там пробыть?

— Возможно, около года, чтобы написать, и еще они хотят, чтобы ты была консультантом на съемках.

— Не меньше года, а может, и больше. — Дафна вздохнула, трезво глядя на Айрис. — Я не могу оставить Эндрю на такой большой срок.

— Но он и так ведь здесь не живет.

— Айрис, я стараюсь навещать его хотя бы раз в неделю, если могу. Иногда я остаюсь там на уик-энд. Я не смогу этого делать, живя в Лос-Анджелесе.

— Ну тогда возьми его с собой.

— Он не готов уйти из школы. Я бы этого очень хотела, но он не готов.

— Отдай его в тамошнюю школу.

— Ему это будет слишком тяжело. Это было бы просто нечестно. — Она решительно покачала головой. — Я не могу. Может, через пару лет, но не сейчас. Я действительно очень сожалею. Попробуй им это объяснить.

— Я не хочу им это объяснять, Дафна. По-моему, это жертва, которую вы оба должны принести. Я хотела бы, чтобы ты подумала об этом, хотя бы до понедельника.

— Я не изменю своего решения.

Зная Дафну, Айрис опасалась, что она действительно не изменит его.

— Ты совершишь серьезную ошибку. Это на самом деле следующий важный шаг в твоей карьере. Как бы тебе не пришлось потом жалеть, если ты его не сделаешь.

— А как я это объясню семилетнему ребенку? Сказать ему, что моя работа для меня важнее, чем он?

— Постарайся объяснить это ему, ты в конце концов можешь прилетать на день или два, когда у тебя будут перерывы.

— А что, если я не смогу вырваться? Тогда что? Я не могу позвонить ему по телефону и объяснить.

Это остановило Айрис. Конечно, Дафна не могла бы позвонить ему. Об этом Айрис не подумала.

— Я просто не могу, Айрис.

— Но почему бы тебе не подождать с решением?

Но Дафна уже знала, каким будет ее решение в понедельник, и после того, как Айрис ушла, она обсудила его с Барбарой, свернувшись калачиком в большом уютном белом кресле.

— А ты бы хотела поехать, если бы могла?

— Честно говоря, я не вполне в этом уверена. Я не уверена, что могла бы написать сценарий, да и жизнь в течение года в Голливуде — это не в моем вкусе. — Она оглядела свою милую небольшую квартиру со вздохом и пожала плечами. — В любом случае думать об этом даже не стоит. Я не могу оставить Эндрю на такой срок. Нет гарантии, будет ли у меня возможность навещать его.

— А разве он не мог бы прилететь к тебе, если бы ты не могла? Я бы могла сопровождать его обратно, если хочешь.

Хотя они никогда не встречались, Барбаре всегда казалось, что она знает ребенка. Дафна улыбнулась этому великодушному предложению.

— Я люблю тебя за это. Спасибо.

— Почему бы тебе не поговорить об этом с миссис Куртис, когда ты будешь там в этот уик-энд, Дафф?

Но о чем тут можно было думать? Ни Айрис, ни Барбара не могли этого понять. Они не знали, чего ей все это стоило — обнаружить, что Эндрю глухой, когда ему было всего несколько месяцев, пытаться общаться с ним, сражаться с врачами, которые настаивали, что его надо отдать в интернат. Они не знали, что это было, — собирать его вещи и везти его в Нью-Гемпшир... или сообщать ему о гибели его друга Джона. Им не были известны ее переживания во все эти моменты.

А вдруг с ним что-нибудь случится, а она будет находиться за три тысячи миль? Они не знали этого и никогда не узнают. Ей нечего было обдумывать — Дафна это вновь осознала, когда собрала чемодан, положила его в машину и отправилась в Нью-Гемпшир повидаться с Эндрю.

Глава 16

Дафна была в пути пять часов и подрулила к Говардской школе темным зимним вечером. Когда она приезжала сюда, у нее всегда ныло сердце, не только из-за Эндрю, но и из-за Джона. Дафна мыслями всегда возвращалась к дням, которые они вместе провели в домике. Школа была ярко освещена, и через мгновение ей предстояло увидеть Эндрю. Дафна посмотрела на часы и поняла, что самое время поужинать с ним.

Когда Дафна вошла, миссис Куртис была в вестибюле и явно обрадовалась и удивилась, видя ее.

— Я не знала, что ты приедешь на этой неделе, Дафна, — за эти годы они подружились, и она звала Дафну по имени. Дафне же, из-за почтенного возраста Хелен, всегда было неудобно называть ее по имени. Она посылала ей все свои книги, и Хелен Куртис говорила, что они ей очень нравятся.

— Как там наш мальчик?

Дафна сняла в вестибюле пальто и почувствовала себя как дома. В Говартской школе всегда царили теплота и гостеприимство. Школа хорошо финансировалась и поэтому прекрасно содержалась. Все здание было прошлым летом отремонтировано, и теперь холлы украшали фрески, которые очень нравились детям, а на потолке были нарисованы облака.

— Ты не узнаешь Эндрю! — Миссис Куртис улыбалась ей.

— Что, опять постригся?

Обе женщины рассмеялись, вспоминая, как он выглядел прошлой зимой, когда он и двое его друзей решили побаловаться ножницами. Правда, Эндрю пострадал

от этого меньше, чем его друзья. Маленькие девочки с
нарядными светлыми косичками, когда их так же «обра-
ботали», стали почти лысыми и похожими на маленьких
пушистых утят.

— Нет, нет, дело не в этом. — Миссис Куртис с улыбкой покачала головой. — Просто за этот
месяц Эндрю, похоже, вырос на целых два дюйма.
Он вдруг стал огромным. Тебе опять придется кое-
что ему купить.

— Слава Богу, у меня есть гонорары!

И потом, с голодным выражением глаз:

— Где он?

Миссис Куртис ответила ей, указав на лестницу. Эндрю спускался в бежевых вельветовых джинсах, красной фланелевой рубашке и новых ковбойских сапожках,
которые она купила ему в прошлый раз. Ее лицо просияло широкой улыбкой, а глаза искрились, когда она
медленно шла к нему.

— Привет, мой сладкий. Как дела?

Теперь она не только объяснялась с ним жестами, но
и говорила; он с широкой улыбкой читал по ее губам, а
потом изумил ее, заговорив:

— Все в порядке, мама... а как... у тебя? —
слова были корявыми, он еще не мог говорить отчетливо, но любой бы понял, что он сказал. — Я
по тебе соскучился!

И он бросился ей в объятия, а она держала его,
сдерживая слезы, которые всегда подступали, когда она его видела.

Они уже привыкли к своей теперешней жизни,
и дни их добровольного заточения в ее старой квартире
казались далеким сном. Эндрю побывал в ее новой
квартире, но сообщил ей, что старая ему больше
нравилась. Дафна заверила его, что он привыкнет

и к этой, показала ему его комнату и сказала, что
когда-нибудь он поселится в ней насовсем. Но теперь для нее важно было только одно — прижи-
мать к себе теплое маленькое тело сына.

— Я тоже по тебе соскучилась. — Она немного
отклонилась, чтобы он мог видеть ее лицо. — Чем
ты занимался?

— Я ращу огород! — сообщил Эндрю взволнован-
но. — И вырастил два помидора.

Он показывал ей это жестами, но когда говорила Дафна, он читал по губам и, казалось, делал
это без труда.

— Посреди зимы? Как это тебе удалось?

— В большом ящике внизу, там особое освещение.
А когда наступит весна, мы все пойдем на улицу
сажать цветы.

— Вот здорово!

Потом они, держась за руки, пошли в столовую и
сели вместе с другими детьми, которые ели жареных
цыплят с вареной кукурузой и печеной картошкой, смеялись, перекидывались шутками.

Дафна побыла в школе, пока Эндрю не пошел спать,
уложила его и потом спустилась вниз, чтобы перед уходом увидеться с миссис Куртис.

— Неделя прошла удачно?

Но в глазах миссис Куртис, когда она задавала
этот вопрос, было что-то странное, и Дафна инстинктивно поняла, что та смотрела шоу. А кто его
не смотрел?

— Не совсем. Я вчера была в Чикаго. — Она
колебалась, сказать ли что-нибудь еще, но это было не обязательно.

— Я знаю. С его стороны это было гадко, что
он сделал.

— Ты смотрела шоу?

— Да. Но больше я никогда не буду его смотреть. Он ублюдок.

Дафна улыбнулась этому не типичному для Хелен крепкому словечку.

— Ты права. Я сказала своему агенту: я больше в рекламных шоу не участвую. Хватит с меня. Меня особенно возмущает, что они никогда бы не задали мужчине таких вопросов. Но самое плохое, конечно, что он и Эндрю не оставил в покое.

— Послушай, это не важно. Ты и он знаете правду, а остальные это быстро забудут.

— Может, да, — Дафна не казалась столь уверенной в этом, — а может, и нет. Копаться в грязи очень занимательно. Через десять лет кто-нибудь вытащит эту пленку и сделает из нее историю.

— Твоя работа не из легких, моя дорогая. Но ведь она и вознаграждается.

— Иногда. — Дафна улыбнулась, но в ее взгляде была озабоченность, которую Хелен заметила.

— Что-нибудь случилось?

— Нет... нет, нет... но... Мне нужно посоветоваться. Я думала, что, может, мы поговорим позже.

— А зачем ждать? Давай поговорим сейчас. Может, зайдешь и присядешь? — Она указала на свою комнату, и Дафна кивнула. Для нее это было бы большим облегчением.

Квартира миссис Куртис при школе была маленькой и опрятной, в ней было много старинных вещей, которые она купила сама, и висели пейзажи Нью-Гемпшира. На низком столике стояла ваза с живыми цветами и лежала вязаная скатерть, которую Хелен купила в антикварном магазине в Бостоне. Не вызывало сомнений, что это жилище

школьной учительницы, но в то же время здесь цари́ль
уют, и некоторые из вещей были просто очарова-
тельны. Дафна огляделась — как и все в школе,
это было ей близко. Хелен Куртис тоже огляделась, почти с ностальгией, но Дафна этого не заметила.

Хелен налила чаю в маленькой кухне и подала Дафне чашку с нежными цветочками и маленькую кружевную салфетку.

— Ну так что тебя беспокоит, моя дорогая? Что-
нибудь связанное с Эндрю?

— Да, но косвенно. — Дафна решила перейти прямо к сути. — Мне предложили сделать фильм. Студия
«Комсток» хочет приобрести моего «Апача», что очень
хорошо. Но это бы означало мое пребывание в Лос-
Анджелесе примерно в течение года. И я думаю, что
это невозможно.

— Почему? — Хелен выглядела и обрадованной и
удивленной.

— А как же Эндрю?

— Как быть с ним? Ты хотела бы отдать его в
тамошнюю школу?

На этот раз уже миссис Куртис выглядела озабоченной. Она знала, что в данный момент смена школы была
бы для мальчика нежелательна. Говартская школа стала
его домом, и он бы сильно страдал.

— Я думаю, что смена школы — это будет слишком большая ломка для него. Нет, если я поеду, я бы
оставила его здесь. Но он будет очень тосковать.

— Нет, если ты ему это правильно объяснишь,
и не более, чем любой ребенок его возраста. Ты
могла бы сказать ему, что это нужно для твоей работы и что это ненадолго. Он мог бы летать к те-

бе, мы могли бы сажать его в самолет, или ты бы сама его здесь навещала.

— На последнее рассчитывать не придется. Насколько я знаю, когда идут съемки, почти невозможно отлучиться. Но ты и вправду считаешь, что он мог бы прилететь ко мне?

— Я не вижу препятствий, — ласково и спокойно ответила Хелен. — Он становится старше, Дафна, он уже больше не несмышленыш и многое умеет, это поможет ему. Он раньше летал на самолетах? — Дафна покачала головой. — Может, ему это понравится?

— А тебе не кажется, что все это будет слишком тяжелым испытанием для него? Он ведь не сможет видеть меня так часто, как сейчас.

— Знаешь, большинство родителей не навещают детей так часто, как ты. Это твое счастье, что ты можешь приезжать, другим, как правило, мешают домашние дела, работа... Эндрю с тобой просто повезло.

— А если я уеду?

— Он привыкнет. Должен будет привыкнуть.

Расстаться с Эндрю было бы так тяжело. Дафна чувствовала себя ужасно виноватой.

— Я знаю, что поначалу будет нелегко, но это может пойти на пользу вам обоим. Для тебя это необычное и интересное дело. Как скоро ты, возможно, уедешь?

— Очень скоро. В течение месяца.

— Ну, все-таки у тебя достаточно времени, чтобы его подготовить. — Она вздохнула и посмотрела на свою молодую подругу. За последние годы она полюбила Дафну, в которой ее покоряла выдержка и доброта. Обе эти черты находили отражение в книгах Дафны, это было очень привлекательное сочетание. — К сожалению, у меня не было столько времени, чтобы подготовить тебя.

— Подготовить меня? К чему? — Дафна побледнела, ее мысли все еще были заняты раздумьями, покидать Эндрю или нет и ехать ли в Лос-Анджелес.

— Я ухожу из школы, Дафна. На пенсию.

— Ты? — У Дафны словно камень лег на сердце. Слишком много у нее самой было тяжелых переживаний и потерь близких людей. — Но почему?

Хелен тихо засмеялась:

— Спасибо, что ты спросила. По-моему, причина налицо. Я старею, Дафна. Мне пора на покой, а школу надо поручить кому-то более молодому, более динамичному.

— Но как это ужасно!

— Это совсем не ужасно. Так будет лучше для школы. Дафна, я просто стара.

— Неправда! — Дафна искренне возмутилась.

— Правда, правда. Мне шестьдесят два года. Это уже многовато, и я не хочу ждать до тех пор, пока вы меня вывезете отсюда на инвалидной коляске. Поверь мне, время пришло.

— Но ты не больна... — Дафна казалась ребенком, который вот-вот может потерять свою мать... так, наверно, отреагировал бы Эндрю, если бы она ему сообщила о своих намерениях уехать. Да и как она могла теперь его оставить, когда не будет и миссис Куртис? Он решит, что все, кого он знает, покинули его. Дафна посмотрела на нее почти с отчаянием:

— Кто тебя заменит? Да это просто невозможно.

— Ты не права. Женщина, на чье место я пришла, думала, что она незаменима, а теперь, спустя пятнадцать лет, никто ее даже не помнит. И в этом вся правда. Школа сильна, пока сильны люди, которые ею управляют, и надо, чтобы эти люди были молоды, энергичны и полны новых идей. С нового года у нас будет работать замечательный педагог, который сейчас руководит Нью-Йоркской школой для глухих и на год перейдет к нам, чтобы познакомиться с нашей работой. Он возглавлял Нью-Йоркскую школу восемь лет и чувствует потребность в новых идеях. Впрочем, ты с ним завтра познакомишься. Он приехал на неделю войти в курс дела.

— А для детей не слишком ли много перемен?

— Я так не думаю. Нашему совету директоров он понравился. Он принят на год. У Мэтью Дэйна исключительно хорошая репутация в нашей области. В прошлом году я подарила тебе его книгу. Он их написал три. Значит, у вас есть общие интересы.

Дафна помнила книгу и считала ее очень толковой. Но все же...

— Я завтра тебя с ним познакомлю. — Хелен с мягкой улыбкой встала. — А теперь, прости меня за чрезмерную заботливость, я думаю, тебе надо хорошенько выспаться. Ты выглядишь ужасно усталой.

Тогда Дафна подошла к ней и сделала то, чего никогда раньше не делала — она крепко обняла ее.

— Нам будет вас не хватать, миссис Куртис.

У Хелен на глазах были слезы, когда она высвободилась из объятий Дафны.

— Мне тебя тоже будет не хватать. Но я часто буду приезжать.

Потом Дафна простилась с ней и поехала в знакомую гостиничку Миссис Обермайер проводила ее в комнату, где на столе стояли термос с горячим шоколадом и блюдо с печеньем. Жители городка

любили Дафну, она была знаменитостью, которую
они знали, и женщиной, которую уважали. Им нравилось наблюдать, как она гуляет с Эндрю. Все счи-
тали ее очень человечной.

Дафна, зевая, улеглась в постель, налила себе
чашку шоколада и выпила ее с мечтательным выражением лица. Ни с того ни с сего все вдруг стало меняться. Она выключила свет, опустила голову
на большую мягкую подушку и через пять минут
уснула — так спокойно и крепко, что даже не поменяла позу, пока утренние солнечные лучи не стали
проникать в окошко.

Глава 17

В субботу утром, позавтракав в гостинице, Дафна приехала в школу, как раз когда дети играли в салки в саду. Эндрю бегал и смеялся с друзьями, а Дафна со стороны наблюдала за ним. А может, он не будет цепляться за нее и рыдать от отчаяния, когда узнает, что мама покидает его надолго? Ведь он теперь уже многое понимал. Дафна порой пыталась представить себе, что будет, когда он наконец покинет школу. Ему будет так одиноко без постоянного общения с другими детьми. Именно это обстоятельство беспокоило Дафну, когда она думала о далеком дне его возвращения домой. Но к тому времени он станет старше, да и жизнь изменится. У него будет учеба и новые друзья — слышащие дети, не такие, как он.

Дафна немного постояла, оглядываясь по сторонам, ожидая миссис Куртис, чтобы продолжить разговор, начатый накануне вечером. Но когда она увидела ее вновь, та была погружена в беседу с высоким, худощавым, симпатичным, по-мальчишески улыбчивым мужчиной, и обнаружила, что загляделась на него. Дафне показалось, что она его откуда-то знает. В этот момент миссис Куртис повернулась, поймала взгляд Дафны и пригласила подойти к ним.

— Дафна, я хочу познакомить тебя с нашим новым директором, Мэтью Дэйном. Мэтью, это мама Эндрю, мисс Филдс. — За годы своих литературных успехов «миссис» невзначай превратилась в «мисс» даже здесь.

Дафна протянула ему руку, но ее взгляд слегка изменился, из приветливого стал вопросительным:

— Рада с вами познакомиться. Мне понравилась ваша последняя книга.

Он улыбнулся комплименту широкой и юношеской улыбкой, которая делала его моложе:

— А мне понравились все ваши книги.

— Вы их читали? — Она выглядела и обрадованной и удивленной одновременно, и его это рассмешило.

— Как и около десяти миллионов других людей, как я полагаю.

Вообще-то Дафна всегда задавалась вопросом, кто читал ее книги; в конце концов она часами просиживала за письменным столом, придумывая характеры и сюжеты, и все-таки всегда было трудно представить, что где-то были реальные люди, которые их читали. Ее всегда удивляло, когда люди говорили, что читали ее книги. А самым удивительным было повстречать прохожего со своей книгой под мышкой. «Эй... постойте... Это я написала... вам нравится?.. Кто вы?..» Она опять улыбнулась ему, их взгляды, полные вопросов, встретились.

— Миссис Куртис сказала мне, что вы на год приедете в Говардскую школу. Для детей это будет большая перемена. — Дафна это говорила, а в ее глазах было беспокойство.

— Для меня это тоже означает большую перемену.

В нем было что-то очень убедительное, когда он так стоял, глядя на нее сверху, с высоты своего роста. Он был очень моложав и в то же время излучал спокойную силу.

— Я понимаю, многих родителей может беспокоить, что мое пребывание здесь только временное, но миссис Куртис будет рядом и сможет нам помочь, — он с улыбкой посмотрел на нее, а потом на Дафну, — и думаю, этот опыт всем нам пойдет на пользу. Нам есть чему поучиться друг у друга. — Дафна кивнула. — К тому же мы хотим опробовать некоторые новые программы, осуществить обмены с Нью-Йоркской школой.

Дафна об этом слышала впервые, и это ее заинтересовало.

— Обмен?

— Да. Как вы знаете, большинство наших детей старше, а здесь больше малышей. Но миссис Куртис и я думаем, что это может быть очень полезно, если некоторые из учащихся Нью-Йоркской школы приедут сюда на недельку-другую, чтобы познакомиться с сельской жизнью, может, взять шефство над здешними детьми, а потом можно привезти малышей туда на неделю или две. Здесь они сильно изолированны, и для них это может стать открытием. Посмотрим, во что выльется эта идея. — И опять на его лице появилась мальчишеская улыбка. — У меня есть еще кое-какие задумки, миссис Филдс. Главное, не забывать о наших задачах — вернуть детей в мир слышащих. Именно поэтому в Нью-Йоркской школе мы уделяем большое внимание чтению по губам, большее, чем языку жестов, потому что, если в дальнейшем они попадут в мир слышащих, они должны будут понимать, что происходит вокруг, и, несмотря на перемены в последние годы, все еще очень немногие слышащие люди что-то знают о языке жестов. Мы не хотим обрекать этих детей на жизнь только среди таких же, как они.

Это было то, о чем Дафна часто думала сама, и она посмотрела на него почти с благодарностью. Чем быстрее он научит Эндрю необходимым навыкам, тем скорее тот сможет вернуться к маме.

— Мне нравится ваш подход, мистер Дэйн. Именно поэтому мне так понравилась ваша книга. Она была приближена к реальной жизни, а не заполнена безумными идеями.

— О-о! — Его глаза засверкали. — Безумные идеи у меня тоже есть. Например, когда-нибудь открыть интернат для слышащих и глухих. Но это дело далекого будущего.

— А может, и нет? — Они постояли, какое-то мгновение глядя друг на друга, между ними явно наметилась симпатия, он ласково смотрел на Дафну, почти забыв, что рядом стоит Хелен Куртис.

Двумя днями раньше он видел Дафну в «Шоу Конроя» и это ему многое в ней объяснило, о чем он догадывался, но чего не знал. Знания, полученные через шоу, казались в некотором роде насилием, и он не хотел признаваться ей, что смотрел его. Но она и так поняла это по его глазам и его нерешительности.

— Вы видели меня на днях в «Шоу Конроя», мистер Дэйн? — Ее голос был мягким и грустным, а глаза широко раскрыты.

Он кивнул:

— Да, видел. Мне кажется, вы с этим справились очень хорошо.

Она вздохнула и покачала головой:

— Это был кошмар.

— Им не должны разрешать делать это.

— Но они делают. Поэтому я не хочу в этом больше участвовать, так я сказала и миссис Куртис вчера вечером.

— Они что, все такие?

— Большинство. Им неинтересно, что вы пишете. Им хочется залезть в вашу личную жизнь, к вам в сердце, в нутро, в душу. И если им удается там наскрести хоть немного грязи, они в восторге.

— Это была не грязь. Это была боль, и жизнь, и печаль.

Его голос был почти как теплые объятия на холодном воздухе.

— Знаете, читая ваши книги, можно узнать гораздо больше всего того, что они могут вытянуть из вас. Именно это я хотел вам сказать. Я кое-что узнал о вас из ваших книг, но благодаря им я гораздо больше узнал о себе. Меня не постигло столько утрат, сколько вас, — он втайне восхищался, как она пережила их и сохранила здоровье, — но все мы страдаем от потери самого себя, потери, которая касается нас самих, это представляется нам самой тяжелой трагедией. Я прочел вашу первую книгу, когда развелся несколько лет назад, и на меня она повлияла совершенно особым образом. Она помогла мне пережить это. — Он смутился. — Я прочел ее дважды, а потом послал экземпляр моей жене.

Его слова глубоко тронули Дафну. Необычно было сознавать, что ее книги имели для кого-то такое большое значение. В эту минуту к ним подбежал Эндрю, и она счастливыми глазами посмотрела на него, а потом на Мэтью Дэйна, переходя с речи на язык жестов:

— Мистер Дэйн, я хотела бы познакомить вас с моим сыном. Эндрю, это мистер Дэйн.

Мэтью Дэйн жестикулировал и в то же время говорил нормальным голосом, очень отчетливо двигая губами:

— Рад с тобой познакомиться, Эндрю. Мне нравится ваша школа.

— Вы друг моей мамы? — спросил у него Эндрю с выражением откровенного любопытства, и Мэтью улыбнулся, быстро взглянув на нее.

— Я надеюсь им стать. Я приехал сюда, чтобы повидаться с миссис Куртис. — Он продолжал жестикулировать и говорить одновременно. — Я собираюсь сюда приезжать каждый уик-энд.

Эндрю весело посмотрел на него.

— Вы слишком старый, чтобы ходить в школу.

— Я знаю.

— Вы учитель?

— Я директор, как миссис Куртис, школы в Нью-Йорке.

Эндрю кивнул. Этого ему пока была достаточно, и он переключил свое внимание на маму. Он обнял ее, его светлые волосы развевались на ветру:

— Ты будешь с нами обедать, мама?

— Охотно.

Дафна попрощалась с Мэтью и миссис Куртис и пошла за Эндрю в здание. Он бежал вприскочку, махал и жестикулировал, общаясь со своими друзьями. Но мысли Дафны были заняты новым директором. Это был интересный человек. Она повстречала его потом еще раз, он шел по вестибюлю с кипой бумаг в руках. По словам миссис Куртис, он читал все, что ему попадалось под руку, все письма, все документы, все отчеты и классные журналы и при этом наблюдал детей. К работе он относился очень добросовестно.

— Как вы провели время с Эндрю? — темно-карие глаза были добрыми и участливыми.

— Замечательно. Похоже, что у вас огромное домашнее задание. — Она ему улыбнулась, и он кивнул.

— Мне нужно многое узнать об этой школе.

Они стояли в холле. Его голос был очень мягким.

— Я думаю, что нам надо у вас многому учиться, — Дафну заинтересовало его внимание к чтению по губам, она заметила, что новый директор, жестикулируя, в то же время говорил с детьми и обращался с ними так, будто они могут слышать. — Как вы стали этим заниматься, мистер Дэйн?

— Моя сестра не слышала от рождения. Мы были близнецами, и я всегда был к ней очень привязан. Интересно, что мы для себя изобрели собственный язык. Это был странный язык жестов, который работал. Но потом мои родители отдали ее в интернат, — он говорил это с очень серьезным лицом, — не такой, как этот. А такой, какие были тридцать лет назад, в каких люди проводили всю свою жизнь. И она там не приобрела нужных ей навыков, они не научили ее ничему, что бы помогло ей вернуться в нормальный мир. — Когда он сделал паузу, Дафна боялась спрашивать его, что с ней случилось, но Мэтью Дэйн посмотрел на нее со своей мальчишеской улыбкой: — Ну вот, так я и стал этим заниматься. Благодаря сестре. Я подговорил ее сбежать из интерната, когда сам закончил колледж, и мы год жили в Мексике на деньги, которые я скопил, работая летом на стройках. Я научил ее говорить, читать по губам, и мы вернулись к родителям. Сестра уже стала к тому времени совершеннолетней и имела право делать что хотела. Они пытались объявить ее невменяемой, однажды даже пытались меня арестовать... жуткое было время, но она выстояла.

Наконец Дафна решилась спросить:

— А где она сейчас?

Он широко улыбнулся:

— Она преподает в Нью-Йоркской школе и будет меня замещать в течение этого года. Моя сестра замужем, и у нее двое детей, оба слышащие. Ее муж врач, и, конечно, теперь наши родители говорят, что они всегда знали, что она выстоит. Она замечательная девчонка, вам бы она понравилась.

— Я в этом не сомневаюсь.

— Она обожает ваши книги. Погодите, я вот ей расскажу, что с вами познакомился.

Дафна покраснела, это казалось так несерьезно, что женщину, которая столько преодолела, заинтересовали ее скромные повести. В сравнении с ней Дафна почувствовала себя очень маленькой.

— И я тоже хотела бы познакомиться с ней.

— Познакомитесь. Она будет сюда приезжать, а миссис Куртис говорила мне, что вы приезжаете сюда достаточно часто.

Дафна вдруг стала озабоченной и отвела глаза.

— Да, приезжаю... Приезжала... — Она тихо вздохнула, и он жестом руки предложил ей кресло в углу.

— Может, присядем, мисс Филдс?

Они стояли в коридоре уже почти полчаса, и Дафна кивнула.

— Пожалуйста, зовите меня Дафна.

— Хорошо, если вы меня будете звать Мэтт.

Она улыбнулась, и они сели.

— Что-то подсказывает мне, что у тебя проблемы. Чем я могу помочь?

— Не знаю. Мы с миссис Куртис говорили об этом вчера вечером.

— Это имеет отношение к Эндрю?

Дафна кивнула.

— Да. Мне предложили сделать фильм в Голливуде. Это означало бы переезд туда на год.

— И ты его берешь с собой? — Он, казалось, огорчился, но Дафна покачала головой:

— Нет, я думаю, что мне следует оставить его здесь. Но проблема вот в чем. Мы с ним вряд ли сможем видеться... Я не знаю, сможет ли он это выдержать, или, вернее, смогу ли я... — Дафна посмотрела на него, ее огромные голубые глаза встретились с его карими. — Я просто не знаю, что мне делать.

— Трудная проблема. Не столько для него, сколько для тебя. Он-то привыкнет. — И потом мягко: — Я ему помогу. Мы все поможем. Какое-то время он, возможно, будет сердиться, но потом поймет. А я собираюсь не давать им скучать в этом году. Хочу много ходить с ними в походы, как можно больше показывать им мир. Здесь они несколько изолированны.

Она кивнула. Мэтт был прав.

— А что, если ему прилететь к тебе на каникулы?

— Ты думаешь, это возможно?

— После соответствующей подготовки. Знаешь, ведь в конце концов это именно та жизнь, к которой ты его готовишь. Ты же хочешь, чтобы он мог летать на самолетах, всюду ездить, быть самостоятельным, видеть мир, а не только эту местность.

Дафна медленно кивнула.

— Но он такой маленький.

— Дафна, ему семь лет. Если бы он слышал, ты бы не сомневалась, отправить ли его самолетом, не так ли? Почему ты должна относиться к нему иначе? Он очень смышленый мальчик.

Слушая его, она почувствовала значительное облегчение, и стены, которые она воздвигла в своем сознании вокруг Эндрю, постепенно рушились.

— Но дело не только в этом. Для него тоже важно, чтобы ты была счастлива, чтобы он видел, что ты живешь полноценной жизнью. Ты не можешь вечно цепляться за него. — В его голосе не было упрека, только доброта и понимание. — Из Лос-Анджелеса сюда всего семь-восемь часов пути. Если у нас возникнут проблемы, мы тебе позвоним, и ты тут же прилетишь в Бостон. Я даже встречу тебя в аэропорту, и через два часа ты будешь здесь. Если так это рассматривать, вряд ли из Нью-Йорка ты добралась бы быстрее.

У него было необыкновенное умение решать проблемы, находить решения и представлять все таким простым. Дафна теперь легко могла представить, как он выкрал сестру из интерната и бежал с ней в Мексику. Она улыбнулась, думая об этом.

— Из твоих слов все получается так просто.

— Это может быть просто. Для тебя и Эндрю, если вы захотите. Ты должна основать свое решение на том, как ты хочешь поступить. Когда-нибудь и ему придется принимать решения. Самостоятельные решения свободного и сильного человека. Учи его этому заранее. Ты хочешь сделать фильм? Ты хочешь поехать в Голливуд на год? Вот в чем дело. А не в Эндрю. Не надо ради него отказываться от важной части своей жизни. Такие возможности представляются не часто. И если для тебя это важно, если это то, чего ты хочешь, тогда соглашайся. Скажи ему, дай ему привыкнуть. А я тебе помогу.

И Дафна знала, что он действительно поможет.

— Мне надо это обдумать.

— Обдумай, и завтра мы можем опять поговорить об этом. Тебе следует подготовиться к тому, что Эндрю немного будет сердиться. Но такой была бы реакция любого ребенка его возраста на известие об отъезде мамы. Знай, что такая реакция нормальна. Быть родителями не всегда легко. — Он снова ей улыбнулся. — Я вижу по своей сестре. У нее тоже война. Ее девочкам сейчас четырнадцать. И если тебе кажется, что семилетний мальчик груб, посмотри на вдвое старших, и к тому же еще девочек! — Он закатил глаза. — Я бы такого никогда не вынес!

— У тебя своих детей нет?

— Нет, — сказал он с сожалением. — Кроме ста сорока шести, с которыми живу в Нью-Йоркской школе с Мартой, моей сестрой. Моя жена не хотела детей. Она глухая и очень отличается от моей сестры. Она боялась, что ее собственные дети тоже будут глухими. У нее множество комплексов в связи с ее глухотой. И в конце концов, — он сказал это с сожалением, — это привело к разводу. Она очень красивая, была фотомоделью в Нью-Йорке. Я какое-то время занимался с ней, и так мы познакомились. Но ее родители всегда обращались с ней как с фарфоровой статуэткой, и у нее не было сумасшедшего брата вроде меня, когда она росла. Она зациклилась на своей глухоте. Это идеальный пример, почему тебе не следует относиться к Эндрю по-другому, чем ты бы относилась к любому другому ребенку. Не поступай так с ним, Дафна. Если ты так поступишь, ты лишишь его всего, что потом может стать для него важным.

Они немного помолчали, каждый думал о своем. За этот час он дал ей богатую пищу для размышлений. Он поделился с ней важной частью своей жизни, и Дафна знала, что приобрела в нем друга.

— Я думаю, ты прав, Мэтт. Но я ужасно боюсь покидать его.

— Очень многое в жизни нас пугает. В том числе хорошие дела. Подумай обо всех хороших делах, которые ты совершила в жизни. Какие из них дались тебе легко? Скорее всего ни одно, но борьба за них всегда стоила того, ручаюсь. И, по-моему, работа над кинофильмом — это важный шаг в твоей карьере. Кстати, по какой книге?

— «Апач». — Она с гордостью улыбнулась ему и вдруг нисколько не смутилась показать это.

— Мне она больше всего нравится.

— Мне тоже.

А потом, взяв свою кипу бумаг, он встал.

— Ты остаешься на ужин? — Она кивнула. — Потом вместе попьем кофе. Я перекушу наверху, чтобы успеть поработать.

Она опять подумала о том, что он сказал. Хорошее в жизни дается нелегко. Они оба имели возможность в этом убедиться.

— Тогда до встречи, Мэтт.

Они расстались у лестницы, и Дафна посмотрела ему вслед. Почувствовав ее взгляд, он, поднимаясь, оглянулся.

— И спасибо тебе.

— Не стоит. Ты, Дафна, всегда услышишь от меня правду о том, что я думаю и что чувствую. Помни об этом, когда будешь в Калифорнии. Я сообщу тебе, как у него дела, и если он в тебе будет нуждаться, я об этом скажу. Ты можешь прилететь, или я посажу его на ближайший самолет.

Дафна кивнула, а он помахал ей и исчез на верхней площадке лестницы. Ей показалось странным, что он говорил о ее отъезде как о решенном деле. Неужто он прочел ее мысли? Как он мог знать о ее решении еще до того, как она его приняла? Или она это уже втайне для себя решила и очень этого хотела? Эти вопросы мучили ее, когда она входила в большую игровую комнату, чтобы найти Эндрю. И когда она его увидела, то почувствовала, что сердце у нее опустилось. Как можно было покинуть его? Он был такой маленький и такой дорогой.

Но в тот вечер, лежа в постели в гостинице, она заново все это обдумывала. В ней побеждало то чувство долга, ответственности, любви, то восторженность, любопытство, честолюбие. Нелегко было сделать выбор, а потом вдруг зазвонил телефон — звонил Мэтью. Она была весьма удивлена его звонку и моментально подумала, не случилось ли чего.

— Конечно же, нет. Если бы что-то случилось, позвонила бы миссис Куртис. Я здесь пока неофициально, и так будет по крайней мере еще пару недель. Я просто подумал о твоем решении, и мне пришла в голову шальная мысль. Если ты будешь слишком занята в Лос-Анджелесе и не сможешь заняться им там, я мог бы забрать его к себе, чтобы он побыл с моей сестрой и ее детьми. Для этого, конечно, требовалось бы твое разрешение, но вообще ему это может понравиться. Моя сестра на самом деле необыкновенный человек, и у нее замечательные дочки. Ну, как тебе мое предложение?

— Я не знаю, что тебе сказать, Мэтью. Я потрясена.

— Ерунда. В прошлом году я пригласил к себе на рождественский ужин сорок три наших воспитанника. Марта готовила, а ее муж провел с ними в парке матч по регби. Было классно.

Дафна хотела сказать ему, какой он молодец, но не решилась.

— Я не знаю, как тебя благодарить.

— Не стоит. Просто доверь мне Эндрю.

Дафна мгновение помолчала, было поздно, и он был с ней очень откровенен. Она хотела отблагодарить его тем же.

— Мэтт, мне тяжело его покидать... он — это все, что у меня есть.

— Я это знаю. По крайней мере догадываюсь. — Его голос был очень мягким. — У него будет все в порядке. И у тебя тоже.

Его слова не вызывали сомнений, и решение наконец было принято.

— Я думаю, что скорее всего решусь.

— Я думаю, ты должна. — Дафне стало легче, когда он это произнес, и вдруг ей показалось удивительным, что она познакомилась с ним только нынче утром, а уже полагается на его совет и доверяет ему своего сына. — Когда ты вернешься в Нью-Йорк, я познакомлю тебя с моей сестрой. Может, ты захочешь на следующей неделе прийти в школу, чтобы с ней познакомиться, если найдешь время?

— Я выкрою время.

— Отлично. До встречи утром. И прими поздравления.

— С чем?

— С принятием трудного решения. А у меня, кроме того, в этом есть свой интерес. Я хочу, чтобы по моей любимой книге был снят фильм.

Она рассмеялась, и в эту ночь наконец спала спокойно.

Глава 18

— Я знаю, тебе кажется, что это очень долго, мой золотой, но ты можешь прилететь ко мне на каникулы, и мы отлично проведем время в Калифорнии, я обещаю, что вернусь... — Она в отчаянии пыталась объяснить ему жестами, но Эндрю не хотел смотреть на нее. Его глаза были полны слез. — Эндрю... миленький... пожалуйста...

К ее глазам тоже подступили слезы. Она сидела с ним в парке, сдерживаясь, чтобы не прижать его к себе и не разрыдаться. Эндрю стоял, повернувшись к ней спиной, его плечи сгорбились и вздрагивали, голова была наклонена, и, когда она легонько потянула его к себе, у него из горла вырвались ужасные душераздирающие всхлипывания.

— Ну Эндрю... сладенький мой... Прости.

О Господи, она не могла так поступить. Не могла, не с ним. «Он привыкнет», — говорят они. Боже, это то же самое, что привыкнуть к двойной ампутации, и почему он должен привыкать? Просто потому, что ей захотелось сделать фильм. Сидя рядом с ним, Дафна чувствовала себя мерзкой эгоисткой. Она ненавидела себя за принятое решение и за то, что оно ему причинило. Она не могла так поступить со своим ребенком. Он все-таки слишком был к ней привязан... Дафна пыталась его обнять, но он ей не позволял, и так она стояла, в отчаянии глядя на него, когда из школы вышел Мэтью Дэйн. Он молча взглянул на них и по выражению лица Эндрю моментально догадался, что Дафна ему обо всем сказала. Мэтью медленно подошел к ним и с ласковой улыбкой посмотрел на Дафну.

— Он сейчас успокоится, Дафна. Помни, что я тебе сказал. Так бы реагировал любой ребенок, даже слышащий.

— Но он не слышащий, — глаза Дафны сверкали, а голос был резким. — Он особенный.

Она хотела добавить «черт возьми», но сдержалась. Дафна была убеждена, что Мэтью неверно оценил ситуацию, дал ей плохой совет насчет ее сына, а она его послушала. Она не должна была даже думать о поездке на год в Калифорнию. Но Мэтт, казалось, нисколько не изменил своего прежнего мнения, даже теперь.

— Конечно, он особенный, все дети особенные. Особенный — это нормально, а особый нет. Ты же хочешь сказать, что он особый. Ты не должна потворствовать его капризам, Дафна. Это ему не поможет. Любой семилетний ребенок будет расстроен, что его мама уезжает. Это нормально. У других родителей тоже есть обстоятельства, к которым детям приходится привыкать: ревность, разводы, смерть, переезды, финансовые трудности. Невозможно его все время окружать идеальными условиями. Ты сама не сможешь их создать, и в конце концов ему это только причинит вред. Кстати, разве ты сама живешь в идеальных условиях и хочешь ли в них жить?

Ей хотелось накричать на него, что он ничего не понимает, не понимает ее ответственности перед ребенком. Он посмотрел на ее глаза, понял, о чем она думает, и улыбнулся.

— Все правильно, так и есть. Ты меня ненавидишь. Но я прав. Если ты не сдашь позиций еще чуть-чуть, он успокоится.

Они оба увидели, что Эндрю наблюдал за ними, читая по губам, и Дафна повернулась к сыну с сожалением в глазах. На этот раз она, жестикулируя, в то же время говорила:

— Я тоже не испытываю радости, что еду туда, сладенький мой. Но я думаю, что для меня это важно. Я хочу поехать в Голливуд, чтобы сделать фильм по одной из моих книг.

— Почему? — Он показал ей только это слово.

— Потому что это будет интересно, и это поможет мне в работе.

Как можно объяснить семилетнему ребенку, что такое карьера?

— Я тебе обещаю, что ты сможешь меня навещать, а я буду приезжать к тебе. Мы не будем видеться каждую неделю, но ведь это не навсегда...

Она сделала паузу, а в его глазах появилось некоторое любопытство.

— А я смогу прилетать к тебе на самолете?

Она кивнула:

— Да. На большом и красивом.

Это пробудило в Эндрю еще больший интерес, он потупился и ковырнул носком ботинка землю. Когда он снова поднял глаза, Дафна не была уверена, о чем он думает, но вид у него был уже не такой несчастный, как прежде.

— А в Диснейленд мы сходим?

— Да. — Дафна улыбнулась. — И не только туда. Когда приедешь, ты сможешь посмотреть, как снимают кино.

И вдруг она встала возле него на колени и обняла его, а потом опять отстранила, чтобы он мог видеть ее губы:

— Ах, Эндрю, я буду так по тебе скучать. Я люблю тебя всем сердцем, и, как только закончу работу в Калифорнии, я вернусь и поживу здесь, я тебе обещаю. А мистер Дэйн говорит, что он возьмет тебя в Нью-Йорк, чтобы ты познакомился с его сестрой и ее детьми... может, если мы оба будем очень-очень заняты, время пройдет быстро...

Дафна желала этого, она хотела, чтобы время прошло уже сейчас. В глубине души ей не хотелось покидать его, но она знала, что так нужно. Для нее самой. Первый раз за многие годы она делала то, что ей очень хотелось, даже хотя это было нелегко, и вдруг она подумала обо всем том, что Мэтт сказал накануне вечером. Хорошее в жизни не дается легко ни ей, ни Эндрю. Что-то в лице Эндрю говорило ей, что даже хотя ему и не нравится, что она уезжает, за него можно не беспокоиться.

— Эндрю... ты знаешь, как сильно я тебя люблю?

Она смотрела на него, не зная, помнит ли он игру, в которую они так часто играли, когда он был меньше.

— Как? — спросил он, и ее глаза заблестели от невыплаканных слез. Он все-таки помнил.

— Вот так!

Она раскинула руки и обняла его, а потом прошептала ему на ухо:

— Сильнее моей жизни.

Мэтью оставил их наедине, и они провели вместе целый час, беседуя о том, что интересовало Эндрю, — о ее жизни там и возвращении. Дафна сказала ему, что уедет только через месяц, а до того будет навещать его почаще. Потом они говорили о его поездке в Калифорнию, что они там будут делать и как это все будет происходить.

— Ты мне будешь писать? — Эндрю грустно посмотрел на нее, и у Дафны снова заболело сердце. Он был еще таким маленьким, и Калифорния казалась на другой планете.

— Да. Обещаю, что буду писать каждый день. А ты мне будешь писать?

На этот раз он улыбнулся ей.

— Я постараюсь не забыть. — Он шутил, и ей стало легче на сердце.

Когда вечером Дафна вернулась в Нью-Йорк, она чувствовала себя так, словно одолела высокую гору. Она распаковала чемодан и бродила по квартире, и наконец, когда она смотрела в окошко на яркие огни Манхэттена, ее мысли оторвались от Эндрю. Она внезапно почувствовала волнение от того, что ей предстояло, и впервые за три дня осознала реальность этого. Она поедет в Калифорнию работать над фильмом по своей повести «Апач». И вдруг она сама себе улыбнулась и засмеялась... это ей не мерещилось! Она в самом деле «осилила»!

— Слава Богу! — прошептала она тихо, а потом пошла в спальню, забралась в постель и погасила свет.

Глава 19

— Ну, малышка. — Дафна улыбнулась Барбаре, когда та на следующее утро переступила порог. — Приготовься.

— Что случилось?

— Мы едем.

Барбара казалась ошарашенной.

— Куда?

— В Калифорнию, голубушка.

— Ты все-таки решилась, Дафф? — Барбара была явно поражена.

— Да.

— А как же Эндрю? — Ей не хотелось спрашивать, но пришлось.

— В этот уик-энд я ему сказала, он поначалу не особенно обрадовался, но я думаю, что мы оба это выдержим.

И Дафна ей пересказала все, что говорила миссис Куртис, и рассказала о новом директоре школы.

— Я хочу, чтобы Эндрю прилетал ко мне, и я буду его навещать как только смогу. А Мэтью говорит, что привезет его в Нью-Йорк, чтобы он познакомился с его сестрой... — Ее голос оборвался хохотом при виде замешательства на лице Барбары. — Это новый директор школы.

— Мэтью? Как фамильярно! — Барбара явно подтрунивала. — Тут пахнет интересным мужчиной!

— Он очень привлекателен, как друг, мисс Джарвис, не более, уверяю вас.

— Интересно. Ты только что цитировала его как Библию, а он еще и собирается знакомить Эндрю со своей сестрой? Черт возьми, меня ты ни разу даже не познакомила с малышом и доверяешь его незнакомому мужчине? Этот парень, должно быть, чертовски классный, Дафф, иначе ты бы не разрешила ему это делать.

— Ты права, он классный, и он лучше всех, кого я знаю, разбирается в проблемах глухоты, но, ей-богу, это не значит, что он меня интересует как мужчина. — Она все еще смеялась.

— Почему? Он что, уродлив?

— Нет. — Дафна продолжала хохотать. — Вообще-то он очень привлекательный. Но не в этом дело. Давай поговорим о нас самих.

— О нас? — Барбара опять выглядела сбитой с толку. В это утро все было шиворот-навыворот.

— Я хочу, чтобы ты поехала со мной.

— Ты шутишь? — Она села с кипой читательских писем в руках. — Что мне там делать?

— Направлять мою жизнь, как ты это делаешь здесь. — Дафна улыбнулась.

— Разве я это делаю? — Барбара ответила ей улыбкой. — А я считала, что гожусь только на то, чтобы отвечать на письма читателей.

— Ты прекрасно знаешь, что это не так.

Барбара знала, что для Дафны она была неоценима, и это для нее много значило. И она никогда не забывала, что именно Дафна помогла ей покончить с прежней жизнью.

— Ну что, поедешь со мной?

— Когда быть готовой? Завтра не поздно? — Барбара сияла, и Дафна засмеялась, глядя на нее.

— Я думаю, что ты сможешь потерпеть пару недель. Во-первых, надо все организовать здесь, и я хочу, чтобы сегодня во второй половине дня ты пошла со мной к Айрис Маккарти, тебе тоже надо быть в курсе всего. Я думаю, мы отправимся в Калифорнию в следующем месяце. Тогда нам хватит времени, чтобы все здесь закончить.

— А что ты собираешься сделать с квартирой?

— Пусть так остается. Я буду ею пользоваться, когда буду прилетать к Эндрю, а «Комсток» оплатит мне жилье там, так что у меня не будет двойных затрат. Кроме того, я не хочу, чтобы кто-то чужой спал в моей постели.

Дафна скорчила гримасу, и Барбара сочувственно засмеялась:

— Послушай, когда-нибудь, я думаю, с этим не будет так плохо... — Обе они обменялись улыбками.

В тот же день, после обеда в «Плаза», где был поднят тост за Западное побережье и за «Комсток», они отправились к Айрис. Все это выглядело очень заманчиво, и, когда они выходили в половине пятого из офиса Айрис, Дафне уже не терпелось начать. В такси по пути домой она нервно обратилась к Барбаре, озабоченно нахмурив брови:

— Барби, ты на самом деле думаешь, что я справлюсь с этим? Я не шучу, черт возьми, я понятия не имею, как пишется сценарий.

— Сообразишь. Это не может быть труднее книги. Начни, а они тебе подскажут, что им надо.

— Я надеюсь. — У нее от волнения сосало под ложечкой.

Барбара похлопала ее по руке:

— Ты справишься. Увидишь, как это будет здорово.

— Я надеюсь.

Но так или иначе, она знала, что попробовать надо.

На следующий уик-энд она опять поехала навестить Эндрю, и похоже было, что он уже совсем привык к мысли о ее отъезде. Он только однажды посетовал на это, и то лишь слегка, остальное время они говорили о Диснейленде и о ее фильме, и он производил впечатление радостного и беззаботного, а она удивлялась, как быстро он со всем этим свыкся. Дети в самом деле непонятные существа, решила Дафна, и поделилась этим с Мэтью, когда снова с ним повстречалась в субботу вечером за ужином, в главной столовой Говартской школы.

— Дафна, а ты не дашь мне пинка, если я тебе скажу, что говорил тебе то же самое?

Он улыбнулся ей поверх тарелки, и она ответила улыбкой. В этот раз она выглядела счастливой, непринужденной и более молодой — со светлыми волосами, рассыпавшимися по плечам, в джинсах и в ковбойской рубашке оранжевого цвета.

— Могу и дать, так что остерегайся.

— Ты напугала меня до смерти.

Но это была, конечно, шутка. Мэтью рассказал ей о том, что произошло за минувшую неделю в Нью-Йоркской школе, а она рассказала ему о предварительных планах создания картины. За разговором ужин промелькнул незаметно, и Хелен Куртис оставила их после ужина одних, она сказала, что ее ждет работа, а у Мэтью как раз ее не было.

— Дафна, не знаю, как тебе удается писать такие книги. — Он протянул свои длинные ноги к камину. Когда дети улеглись, они сидели в уютной школьной гостиной. Ей пока не хотелось возвращаться в гостиницу, да и было еще не поздно. К тому же быть в его компании ей нравилось.

С ним было интересно разговаривать, и Дафна чувствовала, что у них много общего. Их объединяла забота об Эндрю и интерес к ее книге.

— Я в самом деле не знаю, как тебе это удается.

Он имел в виду повесть «Апач». Дафна посмотрела на него с улыбкой:

— Зачем ты так говоришь? Ты же сам написал три книги.

— Все они не художественные; они о том, чем я живу, дышу. Это ничего особенного. — Он улыбнулся ей со своего места.

— Это гораздо труднее, чем то, что я делаю. Ты должен быть точен, и ты помогаешь очень многим людям этими книгами, Мэтью. Мои же истории все вымышлены, от них никому никакой пользы, кроме развлечения.

Дафна всегда скромно относилась к своему труду, и это ему в ней нравилось. Из разговора с ней ни за что нельзя было бы догадаться, что имеешь дело с одной из самых популярных в стране писательниц. Она была умной, интеллигентной и интересной, но не щеголяла этим.

— Ты ошибаешься насчет своих книг, Дафна, они не просто развлекают. Я уже говорил тебе, что одна из твоих книг очень помогла мне, и в каждой я открывал для себя что-то новое, — он на мгновение задумался, — о людях... их взаимоотношениях... о женщинах.

Он посмотрел на нее с интересом:

— Откуда ты столько знаешь обо все этом, если ведешь такую уединенную жизнь?

— Почему ты думаешь, что я так живу... то есть уединенно? — Вопрос ее рассмешил.

— Ты мне сама об этом сказала на прошлой неделе.

— Разве? — Она пожала плечами и улыбнулась. — Я слишком много болтаю. У меня просто ни на что не остается времени. Я работаю как проклятая всю неделю, а ведь еще есть и Эндрю...

Мэтт взглянул на нее неодобрительно, а выражение его лица, освещаемого огнем камина, смягчилось:

— Не надо сваливать на него.

Она пристально и откровенно посмотрела на Мэтта.

— Обычно я этого не делаю, — а затем улыбнулась, — только когда кто-то ставит меня в затруднительное положение, как ты.

— Извини, я не хотел.

— Хотел, хотел. А как насчет тебя? Разве твоя жизнь полнокровна?

— Иногда, — ответил он уклончиво. — Долгое время после развода я боялся новых знакомств.

— А теперь?

Странно было так его расспрашивать, словно они были старыми друзьями, но Мэтт так умел располагать к себе, был таким душевным, откровенным и легким в общении. Дафне казалось, что они на необитаемом острове — остальной мир не имел значения. Они просто сидели, уединившись, у камина, и им друг с другом было хорошо, каждый желал знать, чем живет другой.

— Не знаю... Сейчас у меня нет времени на серьезные отношения. Слишком много всего происходит в моих профессиональных делах, — он опять ей улыбнулся, — и я не думаю, что в течение ближайшего года, находясь здесь, найду женщину моей жизни.

— Кто знает? Миссис Обермайер может решиться бросить своего мужа. — Они оба рассмеялись, а Мэтью взглянул на нее серьезнее. От Хелен Куртис он слышал историю с Джоном Фоулером, но не знал, можно ли с ней об этом говорить.

— А у тебя, Дафна, не возникает желания повторить попытку?

Он предполагал, что ей было очень одиноко, но все же это не значит, что обязательно надо искать спасения в мужчине, а тем более в нем. У Дафны был легкий, располагающий стиль поведения и отзывчивость, которые напомнили ему сестру. Но, казалось, Дафна забыла, что она женщина, и больше никогда не хочет об этом вспоминать. Несомненно, ее постигла серьезная душевная травма.

Но когда в отсветах тлеющих углей она смотрела на него, он видел в ее глазах безмерную печаль и истории, которые никогда не будут рассказаны.

— Нет, я не хочу пробовать снова, Мэтт. У меня было все, чего я могла желать. И даже дважды, — Дафна сама удивилась, как легко она выдала свой секрет. — С моей стороны было бы нехорошо просить большего... и глупо... алчно... и очень глупо. Я думала, что никогда не найду того, что у меня было однажды, с моим мужем, и все же нашла. Это было нечто совсем другое, особенное. У меня в жизни было два необыкновенных мужчины, Мэтт. Могу ли я желать еще чего-то?

Стало быть, между ними тема Фоулера не являлась табу.

— То есть ты сдалась? А как насчет следующих пятидесяти или шестидесяти лет?

Перспектива ее одиночества удручала Мэтта. Дафна заслуживала лучшей участи... гораздо лучшей... Она заслуживала кого-то необыкновенного, кто бы любил ее. Она была слишком доброй, сильной, молодой и мудрой, чтобы остаток жизни провести в одиночестве. Но Дафна философски ему улыбнулась.

— У меня есть интересное занятие. А когда-нибудь и Эндрю вернется домой...

— Ты опять его используешь как оправдание. — На этот раз Мэтт говорил мягче, не так неодобрительно. — Когда Эндрю подрастет, он станет великолепным и совершенно самостоятельным парнем. Так что не рассчитывай на него как на свою опору в жизни.

— Я особенно не рассчитываю, но должна признать, я много думаю о его возвращении домой.

Мэтью улыбнулся ей:

— Это будет радостный день для вас обоих, но он не будет долго продолжаться.

Дафна тихо вздохнула:

— Уж скорее бы он наступил. Иногда кажется, что этому не будет конца.

Мэтью вспомнил свои юношеские годы, прожитые без сестры.

— Я так же думал в свое время о Марте. Она провела вне дома пятнадцать лет, и не в такой школе, как Говартская. Она себя там чувствовала ужасно. Слава Богу, теперь таких интернатов уже нет.

Дафна молча кивком подтвердила и затем решила, что пора ехать домой, и встала.

— Знаешь, Дафна, мне нравится говорить с тобой.

Он проводил ее до двери, а затем сказал нечто неожиданное для них обоих. Он вообще-то не собирался ей это говорить, но не смог сдержаться:

— Эндрю не единственный, кто будет по тебе здесь скучать в течение ближайшего года.

Если бы вестибюль был поярче освещен, Мэтью бы увидел, как она зарделась, но там было темновато. Дафна протянула ему свою маленькую, хрупкую руку. Он взял ее в свою и на мгновение придержал.

— Спасибо, Мэтью. Я просто рада, зная, что ты будешь здесь с Эндрю. Я буду тебе часто звонить, чтобы узнавать, как у него дела.

Мэтт кивнул, чувствуя лишь легкое разочарование. Но он не имел права рассчитывать на большее. Он был всего лишь директором интерната, где жил ее сын. И не более. Он знал, какую уединенную жизнь она вела, и что-то подсказывало ему, что она не собиралась ее менять. Дафна была волевой женщиной и пряталась за прочными стенами.

— Конечно, звони так часто, как захочешь. Я буду здесь.

Она улыбнулась ему и на прощание лишь шепнула: «Спокойной ночи».

Когда Дафна медленно ехала обратно в гостиницу, то обнаружила, что думает о нем. Он был замечательным человеком, и то, что именно он устроился в Говард, было большой удачей. Но Дафна не могла не признать, пусть только самой себе, что чувствовала к нему нечто большее. Какой-то смутный, беспокоящий, глубокий интерес, словно хотела знать о нем все и говорить с ним бесконечно долго. Она не испытывала такого с тех пор, как повстречала Джона Фоулера, но Дафна также знала, что не должна позволять себе чувствовать такое снова. Ни к какому мужчине. Двух утрат было достаточно. Мэтью Дэйн мог бы быть важен для нее из-за Эндрю и из-за всего, чему он мог научить ее в плане помощи сыну. Но его роль в ее жизни состояла только в этом, и она это знала, независимо от того, как бы он ей ни нравился. Все прошлое для нее уже просто не существовало. Она не допустила бы этого. Невозможно было снова любить и терять, она больше этого не хотела. Никогда. Легко было представить себе любовь к Мэтью Дэйну. Такого мужчину можно было полюбить, он мог нравиться. Но именно поэтому ей следовало быть бдительной. Просто чтобы не подвергать себя опасности. В данный момент она изливала всю свою любовь на Эндрю, на него ежеминутно были направлены все ее желания, все помыслы. Она жила исключительно ради него. И лишь чуть-чуть для себя. Поездка в Калифорнию была первым проявлением этого.

Глава 20

Дафне оставалось только закрыть квартиру в ее последнюю пятницу в Нью-Йорке. Она уже упаковала вещи. Ее чемоданы стояли в прихожей, все было готово, и предстояло только провести последний уик-энд с Эндрю. Она вернется в воскресенье вечером, поставит машину в гараж и полетит в понедельник утром с Барбарой в Лос-Анджелес. Они остановятся в коттедже в отеле «Беверли-Хиллз», пока не найдут подходящий дом, и в течение недели после прибытия в Лос-Анджелес ей надо будет приняться за работу над сценарием. В соответствии с контрактом у Дафны было только два месяца на его написание, а это означало для нее бессонные ночи.

Дафна думала об этом всю дорогу до Нью-Гемпшира и до поздней ночи в гостинице делала записи. Следующее утро она провела с Эндрю и, как обычно, пообедала с ним, пополдничала и поужинала и лишь вечером увидела Мэтью. Вид у него был усталый, как, впрочем, и у нее.

— Ты выглядишь так, как будто у тебя была тяжелая неделя.

Она улыбнулась ему над чашкой кофе, а он провел рукой по жестким каштановым волосам и улыбнулся.

— Да, в самом деле. За неделю четыре крупных конфликта в Нью-Йоркской школе, и это мой последний уик-энд здесь в качестве наблюдателя. Официально я здесь со следующей пятницы. Миссис Куртис уедет насовсем в понедельник утром, и, если у меня к тому времени не случится нервный срыв, все будет нормально.

— Я тебя понимаю, мне отвели два месяца на сценарий, и я начинаю паниковать. Я не имею понятия, как это делается, и каждый раз, когда сажусь перед чистым листом бумаги, у меня в голове сплошная пустота.

Он с пониманием улыбнулся ее словам:

— Это случалось со мной каждый раз, когда мне назначали срок сдачи книги. Но в конце концов, преодолев полное отчаяние, я все-таки заставлял себя взяться за проблему. Так же будет и с тобой. Вероятно, когда ты прибудешь туда, все встанет на место.

— Прежде всего мне надо искать себе дом.

— А где вы остановитесь в первые дни?

— Я оставила миссис Куртис все мои телефоны. Я буду в отеле «Беверли-Хиллз» пока не найду дом.

Он закатил глаза и безуспешно попытался изобразить на своем лице сочувствие:

— Тяжелая у вас жизнь, сударыня.

— А вы думали! — Она улыбнулась.

Дафна поговорила с ним всего несколько минут в вестибюле, перед тем как уехать обратно в гостиницу. Ему еще надо было побеседовать с миссис Куртис, а Дафна была утомлена напряженной работой в последнюю неделю.

На следующее утро, как обычно, она отправилась с Эндрю в церковь и вернулась обратно в школу, чтобы провести день с ним. Теперь каждая минута с Эндрю была драгоценна. Он льнул к ней в этот уик-энд больше, чем обычно, и это было понятно. А она чувствовала потребность быть к нему как можно ближе, касаться его, обнимать, гладить его по волосам, чтобы запомнить их шелковистость, чувствовать губами его шею при поцелуе, вдыхать остатки мыла на его детском теле, когда они обнимались. Все связанное с ним казалось ей теперь

особенным и еще более дорогим. Для нее этот уик-
энд был самым трудным из всех, и, чувствуя это,
Мэтью держался в стороне. Только когда она собиралась уезжать, он снова к ней подошел, наблюдая с молчаливым пониманием, как она обнимала
Эндрю, желая помочь им обоим, когда увидел, что
у нее из глаз брызнули первые слезы. Он знал,
что расставание не будет для них легким. Но Эндрю оправится быстрее. Дафна же будет страдать,
беспокоиться за ребенка, думать о нем каждую свободную минуту, волнуясь за него, и стремиться к
нему, несмотря на такое большое расстояние.

— Ну, как ваши дела? — Он сказал это над
головой Эндрю, делая вид, что не замечает ее слез. —
Знаешь, Дафна, с ним через пару часов все будет
прекрасно, как бы он горько ни плакал, прощаясь.

Дафна кивнула, комок подкатился к ее горлу, потом
она все же сумела глубоко вздохнуть.

— Я знаю. С ним все будет о'кей. Но выдержу ли я?

— Да, я тебе обещаю. — Он мягко коснулся ее
плеча. — А ты звони в любое время. Я буду сообщать
тебе все последние новости.

— Спасибо тебе. — Она улыбнулась сквозь слезы,
ласково коснулась головки сына и наклонилась, чтобы
сказать Эндрю, что ему пора ложиться спать. В этот
вечер она долго с ним сидела и говорила о Калифорнии,
о ее достопримечательностях и о том, как грустно ей там
будет без него. Эндрю не выдержал, и, издав тихий
тоскливый звук, который всегда был у него признаком
печали, стал плакать, протянул ручки и крепко обнял ее,
а потом жестами сообщил:

— Я без тебя буду скучать.

— Я тоже. — Слезы текли по ее щекам. Может, и
хорошо, что Мэтт все-таки увидел их вместе. Так он
поймет, как она будет скучать и по нему тоже. — Но
скоро мы снова увидимся.

Дафна улыбнулась ему сквозь слезы, и он наконец
тоже улыбнулся. Она подождала, пока он заснет, а потом медленно спустилась по лестнице, словно потеряла
своего лучшего друга, и увидела Мэтью, ожидавшего ее
в кресле у подножия лестницы.

— Уснул?

— Да. — Ее глаза были огромными, грустными, и
она даже не попыталась улыбнуться. А Мэтью вообще ничего
не сказал, только проводил ее до дверей. Дафна попрощалась с миссис Куртис, прежде чем уложила Эндрю
спать, рассчиталась с гостиницей, ее чемодан был в машине, ничего не оставалось, кроме как ехать. Как бы
угадывая ее настроение, Мэтью проводил ее до машины
и наблюдал, как она открывала дверцу. Затем она повернулась и посмотрела на него своими громадными голубыми глазами, а он протянул руки и взял ее за плечи.

— Мы его тоже любим и будем о нем хорошо заботиться, обещаю тебе.

О нем всегда и так хорошо заботились, но в этот раз
все было иначе, ей предстояло уехать очень далеко. Расставаться было больнее, чем в прежние годы, и поэтому
она чувствовала себя так, словно ей было десять тысяч
лет, когда подняла глаза и посмотрела в темно-карие
глаза Мэтью.

— Я знаю.

Дафна за свою жизнь потеряла столько любимых
людей, и теперь все, что у нее осталось, — это ее единственный мальчик.

— Я до сих пор к этому не привыкла. Хотя должна
была бы. Вся моя жизнь состояла из прощаний.

Он кивнул, все это было написано в ее глазах.

— Это не одно и то же, Дафна. Сейчас происходит самое трудное. Но это не продлится долго. Год сейчас кажется тебе вечностью, но на самом деле это не так.

Она улыбнулась. Жизнь была такой странной.

— Когда я вернусь, закончится и твой год здесь, и придет время возвращаться.

— И все мы многому научимся. Подумай об этом.

Слезы снова пролились, когда она покачала головой:

— Я не могу... все, о чем я могу сейчас думать, это каким он был, когда я его сюда впервые привезла.

— Это было давно, Дафна.

Она кивнула. Это было началом ее года с Джоном. Почему все всегда должно кончаться прощанием?

Мэтью наклонился и поцеловал ее в щеку.

— Счастливого пути. Звони.

— Обязательно буду. — Дафна опять посмотрела на него, и на мгновение у нее возникло безумное желание кинуться к нему в объятия, испытать чувство защищенности, которое некогда было ей знакомо. Она страстно захотела, чтобы опять наступило время, когда ей не приходилось бы бороться в одиночку, не приходилось бы все время быть храброй.

— Береги себя... и Эндрю тоже.

А потом она села в машину и посмотрела на него через открытое окно.

— Спасибо за все, Мэтт. Удачи тебе.

— Она мне понадобится. — Его лицо осветилось мальчишеской улыбкой. — Смотри, чтобы фильм получился отличный. Я знаю, что ты можешь.

Она улыбнулась, тронулась с места и, удаляясь, махала ему рукой, а он махал ей. И после того как огни ее машины скрылись в ночи, он еще долго, долго стоял.

Глава 21

Самолет легко коснулся взлетно-посадочной полосы аэропорта Лос-Анджелеса и, казалось, еще некоторое время парил над ней, прежде чем остановился и подрулил к месту высадки пассажиров. Барбара с волнением смотрела в окошко, и Дафна улыбалась, глядя на нее. Путешествовать с ней было все равно что с маленькой девочкой. От всего она приходила в восторг и всю дорогу от Нью-Йорка до Лос-Анджелеса была радостно возбуждена. Дафна была спокойнее обычного и уже написала три открытки Эндрю. Но теперь она думала не о нем. Она осознала, что с этого момента для нее наступает новая жизнь.

У выхода их встретил шофер, заказанный «Комстоком» высокий, болезненного вида мужчина неопределенного возраста в черном костюме и фуражке, с длинными, повисшими вниз усами. Он стоял, держа в руках большую табличку с ее фамилией, написанной красными чернилами: «Дафна Филдс».

— Здорово придумали. — Она весело посмотрела на Барбару, и та улыбнулась.

— Это Голливуд, Дафф. Тут не церемонятся.

Это мнение оказалось пророческим, как они выяснили, прибыв в отель «Беверли-Хиллз» Он сиял свежей розовой штукатуркой, окружен пальмами, а поперек фасада сверкало ярко-зеленым неоновым светом его название. В вестибюле царил полный хаос, пробегали какие-то блондинки в плотно облегающих джинсах, с золотыми цепочками на шее, в шелковых блузках и босоножках на каблуках; на проходивших мужчинах были дорогие итальянские костюмы или облегающие джинсы и рубашки, расстегнутые на груди. Стоявший в гостинице аромат был настоящей симфонией из дорогих духов; посыльные пошатывались под тяжестью огромных букетов цветов или гор чемоданов, список гостей напоминал список лауреатов «Оскара».

— Мисс Филдс? Конечно. Коттедж для вас готов.

Посыльный торжественно отвез ее тележку с багажом мимо восходящих звездочек кинематографа и их будущих продюсеров, теснившихся вокруг бассейна, и Дафну восхитило множество тел и золотых цепочек. Все попивали средь бела дня белое вино или мартини. В «коттедже» оказалось четыре кровати, три ванных комнаты, холодильный шкаф, заполненный икрой и шампанским, из окон виднелись пальмы; еще там был огромный букет роз и коробка шоколадных конфет от «Комстока» с запиской «До встречи завтра». И вдруг Дафна повернулась к Барбаре с испуганным видом.

— Я не могу, — ее голос был напряжен. Носильщик только что ушел от них, и обе стояли в роскошно украшенной цветами гостиной. Глаза Дафны были расширены так, как Барбара никогда до этого не видела. — Барб, я не могу.

— Что? Есть шоколад? — Оставалось только шутить, было очевидно, что Дафна в панике.

— Нет. Смотреть на все это. Это Голливуд. Какого черта я здесь делаю? Я писательница. Я ничего об этом не знаю.

— Ну и не надо. Все, что от тебя требуется, это сесть за машинку и делать то же самое, что ты делала дома. Не обращай внимания на все это дерьмо. Это всего лишь декорация.

— Нет, не декорация. Ты видела тех людей? Они все думают, что это реальность.

— Это же гостиница, черт побери. Расслабься. —
Она налила ей бокал шампанского, и Дафна с видом
сироты села на диван в розовые и зеленые цветочки. —
Что ты хочешь от них?

— Я хочу домой.

— Не вздумай, я тебя не пущу. Так что заткнись и
радуйся. Черт побери, я же еще не видела Родео-драйв.

Дафна ей улыбнулась, вспомнив, какую жизнь вела
Барбара со своей матерью. Это было несравнимо со
всем, что происходило здесь.

— Ты не проголодалась?

— Меня вырвет.

— Господи, Дафф. Почему бы тебе не расслабиться
и не порадоваться этому?

— Чему порадоваться? Тому, что я обязалась
сделать то, о чем не имею понятия, в месте, которое похоже на другую планету, за три тысячи миль
от моего единственного ребенка... Ей-богу, Барбара, что я здесь делаю?

— Ты делаешь деньги для своего малыша. — Это
был аргумент, который, Барбара это знала, убедит Дафну, если ничто больше не подействует. — Понимаешь?

— Да. — Но это было слабым утешением. —
Я чувствую себя так, словно записалась в инос-
транный легион.

— Так оно и есть. И чем скорее ты примешься за
работу, тем скорее мы отсюда уедем.

Однако самой Барбаре этого отнюдь не хотелось. Ей
здесь уже очень понравилось.

— Вот это хорошая мысль.

Дафна пошла распаковываться и через полчаса выглядела лучше. Барбара позвонила в «Комсток» и сообщила об их благополучном прибытии, а потом обе пошли
поплавать в бассейне. В тот вечер они поужинали в

спокойной обстановке, сходили поглядеть на внутренний дворик, заполненный актерами, фотомоделями, бизнесменами и темными личностями, возможно, торговцами наркотиками, и в десять часов легли спать — Барбара с чувством возбуждения и радости, а Дафна с чувством страха перед тем, что ее ждало впереди.

На следующее утро они отправились на встречу в «Комсток» и к моменту возвращения в полдень в экзотическое великолепие гостиницы Дафна знала почти уже наверняка, что здесь жить можно. Она лучше представляла себе, чего от нее хотят, многое записала и намеревалась приступить к работе в тот же день. Работа Барбары тоже определилась. У нее был список полудюжины агентов по недвижимости. Она собиралась отправиться на поиски подходящего дома. Барбара также позвонила Айрис и узнала, какие у нее есть сообщения для Дафны. И со второй половины дня дела пошли гладко. Свою машинку Дафна привезла с собой из Нью-Йорка, теперь она передвинула в угол стол и стул и принялась за работу, Барбара же отправилась в бассейн.

Когда через час она вернулась, Дафна все еще работала, и Барбара зажгла ей свет. Дафна была так поглощена работой, что даже не заметила наступления сумерек.

— А? Что?

Дафна подняла глаза с отсутствующим видом, который был для нее обычен, когда она работала; волосы у нее были собраны в пучок, в него воткнута ручка; на Дафне были футболка и джинсы.

— А, привет. Хорошо поплавала?

— Очень. Хочешь поесть?

— Гм... не-а... Может быть, попозже.

Барбаре нравилось наблюдать за Дафной, когда та была полностью поглощена работой. Можно было наблюдать творческий процесс в действии. В восемь часов она заказала ужин, и, когда его принесли, Барбара похлопала Дафну по плечу. Работая, она всегда забывала поесть, и в Нью-Йорке Барбара просто ставила поднос с едой ей на письменный стол.

— Пора есть.

— О'кей. Сейчас.

Что обычно означало «через час», и в этот раз было так же.

— Ну же, малышка. Иди поешь.

— Иду.

Наконец она перестала стучать на машинке, распрямилась, потянулась и потерла себе плечи. А потом улыбнулась Барбаре.

— Хорошее чувство!

— Как движется работа?

— Неплохо. Я словно опять молода.

После ужина она опять засела за машинку и просидела за ней до двух часов ночи. А на следующее утро встала в семь и уже опять стучала, когда Барбара встала.

— Ты что, не ложилась? — Она знала, что временами Дафна действительно не спала, но в этот раз было не так.

— Ложилась. Где-то около двух.

— Слушай, от тебя дым идет!

— Я хочу побольше написать, пока вчерашняя беседа еще свежа в памяти.

И Дафна в самом деле писала весь день. Барбара ездила смотреть три дома, пообедала и сходила в бассейн. Потом она принялась работать в своей комнате — отвечала на письма читателей, а вечером опять заказала ужин в коттедж. Так уж забавно сложилось, что Барбара была для Дафны как мать, но ей это не было обременительно. У нее был многолетний опыт ухода за собственной матерью, а заботиться о Дафне ей было только приятно. Было интересно общаться, работать, да и просто находиться рядом с таким одаренным человеком, хотя Дафна никогда таковым себя не считала.

На четвертый день Дафна позвонила миссис Куртис, чтобы спросить ее о сыне; она держала свое слово и каждый день посылала ему письма. Миссис Куртис сказала, что Эндрю здоров и весел, привык к новой ситуации. Она также напомнила Дафне, что теперь им удастся поговорить только тогда, когда Дафна приедет в Нью-Гемпшир и навестит ее в ее новом доме. Следующий день был последним днем миссис Куртис в Говардской школе. Дафна снова пожелала ей удачи и положила трубку, подумав вдруг о Мэтью — как-то у него дела? Она знала, что Мэтт, видимо, был безумно занят, заканчивая дела в Нью-Йоркской школе перед отъездом.

— Как Эндрю? — Барбара вошла с подносом для Дафны, и та с улыбкой подняла на нее глаза.

— Миссис Куртис говорит, что все очень хорошо. А как, кстати, наши дела с домом?

Барбара улыбнулась:

— Все хорошо. Кроме того, что все они тут жулики. Впрочем, что-нибудь все же должно подвернуться вскоре. Ты хочешь бассейн в форме пишущей машинки или сойдет и в форме книги?

— Забавно.

— Не то слово. Сегодня я видела один в форме сердца, один овальный, один в форме ключа и один в форме короны.

— Звучит очень экзотически.

— Конечно. И к тому же чертовски заманчиво, а самое плохое то, что мне это ужасно нравится.

Дафна весело улыбнулась.

— Знаешь, если расстегнешь блузку до пупа и обвесишься золотыми цепочками, по-моему, это будет полный финиш.

И на следующий день, просто для смеха, Барбара так и нарядилась. Дафна хохотала.

— Мы здесь всего пять дней, а тебя уже это увлекло.

— Ничего не могу поделать. Это атмосфера. Она сильнее меня.

— Сильнее вас ничего нет, Барбара Джарвис.

Это был комплимент, причем сказанный серьезно, но Барбара покачала головой:

— Это неправда, Дафф. Сильная ты. Ты самая сильная из женщин, которых я знаю, и вдобавок в хорошем смысле сильная.

— Хорошо. Если бы только это было правдой.

— А это правда.

— Ты говоришь как Мэтью Дэйн.

— Опять как он. — Барбара внимательно на нее посмотрела. — Я все же думаю, что ты упустила свой шанс в жизни. Я видела фотографию на обложке его книги, он прелесть.

— И что? Что я упустила? Шанс одной ночи перед отъездом из Нью-Йорка на год? Подумай, Барбара, какой в этом смысл? И потом он не предлагал.

— Может, он бы и предложил, если бы ты дала ему хоть полшанса. Да и потом, ты же вернешься.

— Он директор школы, где обучается мой сын. Это неприлично.

— Считай, что он просто писатель.

Но Дафна старалась вообще о нем не думать. Он был замечательным человеком и хорошим другом. И не более.

Как обычно, Дафна после ужина снова принялась за работу, а Барбара в своей комнате читала. А на следующий день она наконец не вытерпела и поехала на Родео-драйв, чтобы просто поглазеть. Барбара сделала все дела, дома смотреть в тот день больше не надо было, и она решила побездельничать.

Водитель высадил ее у отеля «Беверли-Уилшир» и она стояла, с восхищением глядя по сторонам. Длинная красивая улица простиралась перед ней на несколько кварталов, где на каждом шагу были дорогие магазины, предлагавшие одежду, ювелирные изделия, кожу и картины. Зрелище было впечатляющее. Барбара с улыбкой подумала, как далека от этого обшарпанная квартира в Вест-Сайде, где она жила с матерью.

Сначала Барбара зашла в магазин «Джорджио». Там от нее не отходила продавщица в бледно-лиловых туфлях на высоком каблуке, с жемчугом в ушах и розово-лиловом костюме фирмы «Норелл» стоимостью в две тысячи долларов. Ценники на вещах, висевших на вешалках, были примерно такого же уровня. Барбара сказала, что «просто хотела посмотреть» и действительно посмотрела, с трудом сдерживаясь, чтобы не хихикать. В магазине был и мужской отдел, где предлагались норковые шубы, фуфайки из чернобурки, прекрасные изделия из кожи и замши, и шелковые рубашки, и горы разнообразных шарфов. Она примерила шляпу, посмотрела на туфли и наконец купила себе зонтик с надписью «Джорджио» Барбара знала, что Дафна будет над ней за это безжалостно издеваться, но она не захватила с собой зонт из Нью-Йорка, и ей хотелось что-нибудь купить. Потом она зашла в «Гермес», «Селайну» и, наконец, в «Гуччи» — это был огромный магазин с благородным запахом кожи и бесконечными полками, заставленными изысканными итальянскими кожаными

изделиями всевозможного вида. Она стояла в благого-
вении перед витриной черных сумочек из кожи ящерицы. Там была одна сумочка, от которой она особенно не
могла оторвать глаз — простой, прямоугольной формы,
со скромной золотой застежкой и наплечным ремешком.
Она была из дорогой кожи, красиво сделала, без всякой
вычурности. Именно такие сумки нравились Барбаре,
но она не решилась спросить о цене. Она знала, что
сумочка наверняка ужасно дорогая.

— Вы хотели бы посмотреть сумочку, сударыня?

Продавщица в простом черном шерстяном платье,
как и все продавщицы этого магазина, открыла витрину
и подала сумочку Барбаре. Она хотела отказаться, но,
раз уж сумочка мелькала у нее перед глазами, она не
устояла перед соблазном и взяла ее. Она была такая
приятная, что Барбара, глядясь в зеркало, надела ее на
плечо. Это было что-то потрясающее.

— К вашему росту как раз подходит, — про-
щебетала продавщица с мягким итальянским акцентом,
и Барбара почти истекла слюной, а потом просто
так открыла сумочку и увидела цену на ярлыке. Она
стоила семьсот долларов.

— Очень красивая. — Барбара с сожалением сняла
ее с плеча и отдала продавщице. — Я еще здесь кое-
что посмотрю.

— Конечно, сударыня. — Симпатичная светлово-
лосая продавщица улыбнулась.

Отходя от прилавка, Барбара заметила, что высокий
привлекательный мужчина пристально за ней наблюдает. Она взглянула на него, смущенная тем, что он видел,
как она возвращает сумочку, и в тот момент пожалела,
что не может вернуться и купить ее. Как-то неловко
было разглядывать все это великолепие, не имея возможности что-нибудь купить. Но он не спускал с нее

глаз, пока она шла к выходу и рассматривала шарфы.
Она хотела купить один Дафне. Дафна столько для нее
сделала, хорошо было бы привезти ей подарок, пока она
трудится в коттедже над своим сценарием. Но когда
Барбара отдавала одной из продавщиц красно-черный
шарф, то заметила, что мужчина, смотревший на нее,
идет за ней. Она повернулась спиной и сделала вид, что
не замечает, но в одном из длинных, элегантных зеркал
увидела, что он медленно приближается и встал за ней.
На нем были серые слаксы из шерстяной фланели и
хорошего фасона голубая рубашка с расстегнутым воротом, темно-синий свитер был просто наброшен на плечи,
и если бы она посмотрела вниз, то увидела бы, что на
ногах у него коричневые туфли фирмы «Гуччи». Но на
самом деле он не был похож на лосанджелесца, скорее
на ньюйоркца, или филадельфийца, или бостонца. У него
были песочные волосы и голубые глаза, на вид ему было
под сорок или чуть за сорок. И когда Барбара посмотрела на его отражение снова, ей показалось, что она его
уже где-то видела, но вспомнить, кто он такой и откуда,
не могла. Он поймал в зеркале ее взгляд и со смущен-
ной улыбкой наконец подошел к ней.

— Извините, пожалуйста... Я смотрел на вас,
но я думал...

«Знаем, знаем, — подумала она, — старый прием».

— Не встречал ли я вас раньше?

Известный прием: теперь он сунет в руку свою
визитную карточку. Ему показалось, что глаза Барбары не были такими же добрыми, как до того,
как он к ней подошел. Но теперь он уже не со-
мневался. Она сильно изменилась: фигура у нее,
правда, осталась та же, но выражение лица стало
каким-то холодным, почти недоверчивым. Как видно,
жизнь не баловала Барбару Джарвис.

— Барбара?

— Да. — Ни в ее голосе, ни в глазах не было приветливости, но он улыбнулся, уверенный, что это она.

— Меня зовут Том Харрингтон. Вряд ли вы меня помните. Мы встречались только однажды, на моей свадьбе... Я женился на Сэнди Макензи.

И вдруг она вспомнила, ее глаза широко раскрылись, и она с изумлением посмотрела на него.

— О Господи... как ты меня запомнил? Это же было...

Ей страшно сделалось, когда она посчитала. Барбара не виделась с ним с тех пор, как ей было двадцать, то есть почти ровно двадцать лет. Он тогда женился на ее подруге по колледжу, с которой Барбара жила в одной комнате. Сэнди бросила учебу, потому что была беременна, и они поженились в Филадельфии. Барбара ездила на свадьбу и там с ним познакомилась. Но с тех пор они не виделись. Он тогда учился на юрфаке, и после рождения ребенка они переехали в Калифорнию.

— Как вы? Как Сэнди?

Они много лет присылали ей поздравления с Рождеством, а потом перестали. Барбара была слишком занята с матерью, чтобы отвечать, но хорошо помнила Сэнди и Тома тоже. На этот раз она ему улыбнулась уже приветливо:

— Она здесь?

Здорово было бы с ней повидаться, особенно теперь, когда она работает у Дафны. В те годы Барбара не хотела им писать. О чем было ей рассказывать? О том, что она живет в ужасно тесной квартирке вместе с матерью, ходит в магазин и работает секретаршей в юридической фирме? Чем можно было тогда гордиться? Но теперь все изменилось.

— Как дети? — Она помнила, что спустя четыре года у них родился еще один.

— Дети уже большие. Роберт учится в Калифорнийском университете на театральном отделении, мы, конечно, не в восторге, но у него есть способности, и если это то, чего он хочет... — Том с улыбкой вздохнул. — Ты знаешь, что такое дети? А Алекс все еще дома с мамой, в апреле ей будет пятнадцать.

— Боже мой! — Барбара казалась по-настоящему потрясенной. Университет и пятнадцать лет? Как это могло случиться? Неужели это было так давно? Но все было верно. Она была так ошеломлена, что даже не обратила внимания на смысл его вопроса:

— Ну а как ты? Ты здесь живешь?

Она заметила, что он смотрит на ее левую руку, но там ничего не было.

— Нет, я здесь по работе. Женщина, у которой я работаю, пишет сценарий, и мы сюда приехали на год.

— Вот это да. Кто-нибудь известный?

Барбара улыбнулась с нескрываемой гордостью:

— Дафна Филдс.

— Это, должно быть, интересная работа. И вы здесь давно?

Барбара снова улыбнулась:

— Неделю. Мы живем в отеле «Беверли-Хиллз» там крутая жизнь.

Они оба рассмеялись, и тогда к ним подошла рыжеволосая красавица в белых джинсах и белой шелковой блузке. Она устремила на Барбару свои пронзительные зеленые глаза. Ей не могло быть больше двадцати пяти лет. У нее была необыкновенная внешность: матово-белая кожа и рыжие волосы, которые доходили ей почти до талии.

— Ничего не подходит, — она сделала недовольную гримасу, обращаясь к Тому, и решила, что Барбары не стоит опасаться. — Все велико.

Барбара улыбнулась, откровенно любуясь этой парой и задаваясь вопросом, кто она. «Мне бы ее проблемы», — подумала она.

Но в глазах Тома, когда он смотрел на Барбару, была доброта и понимание.

— Ты замечательно выглядишь, ты почти не изменилась за все эти годы.

Это была дружеская ложь, но Барбара подумала, что с его стороны очень мило, что он это сказал, и он не выглядел особенно смущенным рядом с этой молодой красоткой. Тогда Барбара заметила, что у него в руках уже есть сумка с дорогими покупками. Она не совсем могла сообразить, какую роль в жизни его и Сэнди играет эта девушка, но он ее представил, и все сразу же стало ясно.

— Элоиза, разреши познакомить тебя с Барбарой. — Он улыбнулся Барбаре, а потом Элоизе. — Барбара — подруга моей бывшей жены.

Теперь она поняла. Они были в разводе. Стало быть, это была его подруга.

— Барбара Джарвис, — добавила она за Тома и протянула руку, а затем снова повернулась к нему, желая спросить больше о Сэнди, но момент был неподходящий.

— Очень рада с вами познакомиться. — Молодая рыжая красотка сказала только это и отошла посмотреть большую бежевую сумку из ящерицы. Том проводил ее взглядом, а затем опять весело взглянул на Барбару.

— Одно могу сказать, у нее чертовски хороший вкус. Как видно, это его не слишком волновало, да и сама Элоиза, впрочем, тоже.

— Жаль, что у вас с Сэнди не сложилось. — Барбара искренне сочувствовала. Рождественские поздравления от них перестали приходить восемь или девять лет назад. — Когда это произошло?

— Пять лет назад. Она снова вышла замуж. — И после небольшого колебания: — За Остина Уикса.

Но уж эта новость Барбару поразила.

— Актера? — Это был глупый вопрос, сколько в конце концов может быть Остинов Уиксов? Он очень известный английский актер, но по крайней мере в два раза старше Сэнди и был в свое время настоящим донжуаном, но по последнему его фильму Барбара знала, что Уикс по-прежнему потрясающе привлекателен. — Как это случилось?

— Я помог ему в одном сложном правовом вопросе, и мы подружились...

Том пожал плечами, но в его глазах все еще была некоторая горечь, когда он это говорил, и потому он обратился к Барбаре с натянутой улыбкой: — Знаешь, это ведь Голливуд. Это все как бы игра. Сэнди здесь нравится. Ей это как раз подходит.

— А тебе?

Даже двадцать лет назад Барбара плохо его знала, но он ей понравился тогда, на свадьбе. Она была свидетельницей, и Том показался ей умным и порядочным, и она сказала Сэнди, что той повезло. Сэнди согласилась, но она всегда была какая-то... какая-то неудовлетворенная, неугомонная, ненасытная. В колледже у нее дела шли неважно, и Барбара всегда подозревала, что Сэнди забеременела просто для того, чтобы выйти замуж. Том был из благополучной филадельфийской семьи, но этим далеко не исчерпывался список его достоинств. И когда Барбара возвращалась со свадьбы, она думала о них обоих с завистью.

— А тебе здесь нравится, Том?

— Весьма, но должен признать, что последние пять лет я здесь живу ради детей. Да и практикую я здесь уже так давно, что возвращаться в Филадельфию было бы сложно.

Барбара вспомнила, что он специализировался в кинозаконодательстве и, конечно, здесь был на своем месте, но ей показалось, что Тому не особенно нравится Лос-Анджелес.

— Спустя какое-то время это все начинает казаться искусственным.

Он предостерегающе улыбнулся и в эту минуту выглядел не старше, чем на свадьбе.

— Но берегись, как бы тебя не затянуло. Тут соблазнов много.

— Я знаю, — она ответила ему улыбкой. — Мне уже начинает здесь нравиться.

— О, это плохой признак.

Тут подошла продавщица с нарядно упакованным шарфом, и вернулась Элоиза, которая решила, что ящеричная сумка за три тысячи долларов ей не подходит.

— Рада была тебя встретить, Том. — Барбара протянула руку на прощание. — И передай от меня привет Сэнди, если ее увидишь.

— Конечно. Я пару раз в неделю вижусь с Алекс, а заодно и с ней. — В его взгляде опять промелькнула боль: от него ушла жена к тому, кто был его другом. Такой шрам остается на всю жизнь. — Я передам ей от тебя привет. Но ты ей сама позвони, если будет время.

Однако Барбара колебалась. Сэнди замужем за Остином Уиксом — может, она и не захочет с ней видеться?

— Скажи ей, что я в отеле «Беверли-Хиллз», если захочет, пусть мне позвонит. Я не хочу навязываться. — Он кивнул, и через мгновение Барбара вышла, размышляя, как интересна и удивительна жизнь.

— Ну как, ты покорила Родео-драйв? — Когда Барбара вошла, Дафна, развалясь на диване, читала написанное за день. Судя по ее виду, она весь день напряженно трудилась. — Ну, как было?

— Классно. — Барбара провела на Родео-драйв еще два с половиной часа, заходила в «Журдан», «Ван Клеф и Арпельс», «Бижан» и множество других магазинов, а потом перекусила в одном из ресторанов. Посмотреть действительно было на что, и Барбара была очень довольна экскурсией. Она даже купила себе купальник, шляпу и два свитера. — Мне там ужасно понравилось, Дафф.

Дафна улыбнулась:

— Я всегда считала, что ты сумасшедшая. Что ты купила?

Барбара показала Дафне свои покупки, а потом поставила ей на колени небольшую фирменную коробку с надписью «Гуччи»:

— А это вам, мадам босс. Я бы купила вам купальный халат из белой норки, который видела у «Джорджио», но не было вашего размера. — Она радостно улыбнулась.

— Ах, черт возьми! Но ты хоть заказала его?

Они обе рассмеялись. Дафна открыла коробку и была тронута и обрадована. Красный и черный — это были ее любимые цвета.

— Не надо было делать это, глупышка. — Она тепло посмотрела на свою подругу. — Ты меня и так достаточно балуешь, Барбара. Без тебя я не могла бы ничего сделать.

— Чепуха, ты бы прекрасно справлялась и без меня.

— Но я рада, что мне этого не приходится делать.

— Кстати, как движется работа?

— Неплохо. Но это совсем новое дело, которому надо научиться. Я все время чувствую себя такой неуклюжей.

— Ничего, скоро научишься, и могу спорить, это наверняка так же хорошо читается, как и остальные твои вещи.

— Надеюсь, что в «Комстоке» будут того же мнения.

— Будут, будут.

Зазвонил телефон, и Барбара пошла в свою комнату, чтобы ответить. Когда Барбары не было, на звонки отвечала гостиничная телефонистка, а когда Барбара была на месте, она вела бесконечные переговоры с агентами по недвижимости из своей комнаты, чтобы не беспокоить Дафну. Барбара сняла трубку и села на кровать. Она решила один день отдохнуть от поисков дома, но вообще-то хотела побыстрее что-нибудь найти. Она знала, что Дафне будет легче работать в домашней обстановке.

— Алло?

— Попросите, пожалуйста, Барбару Джарвис.

— Это я. — По привычке она схватила блокнот и взяла карандаш.

— Это я, Том Харрингтон. — Барбара удивилась, сердце у нее слегка ёкнуло. Зачем ему понадобилось ей звонить? Но глупо было волноваться. Он был просто бывшим мужем старой подруги и звонил из дружеских побуждений.

— Рада слышать тебя, Том. — Затем она хотела спросить, чем может быть ему полезна. Возможно, как большинство звонивших, он хотел познакомиться лично с Дафной.

— Ты хорошо провела сегодня время?

— Очень. Я исходила вдоль и поперек всю Родео-драйв.

— Это дорогое удовольствие. — Он взглянул на свою чековую книжку, лежавшую рядом на кровати. Элоиза нанесла ей значительный урон, но это было типично для таких, как она. В его жизни за последние пять лет были дюжины таких элоиз, а такой, как Барбара, не было никогда. — Что ты купила?

Барбара смутилась и пыталась догадаться, к чему он клонит. Почему он ей звонил?

— Да всякую ерунду. Не то, что вы.

— Ты в «Гуччи» смотрела отличную сумку.

Значит, он заметил. Его глаза, казалось, все видели; он долго наблюдал за ней, прежде чем наконец подошел заговорить.

— Мне кажется, она не по мне. Немного дороговата.

Да и, кроме того, что бы она делала с такой черной ящеричной сумочкой? Носила в ней карандаш и блокнот?

— Скажи своей работодательнице, чтобы она тебе повысила зарплату.

Барбара промолчала. Она не собиралась говорить Дафне ничего подобного. Дафна и так ее избаловала.

— Или найди какого-нибудь классного мужика, который бы ее тебе купил.

— Боюсь, что это не в моем стиле. — Ее тон сразу стал холодным.

— Я так и думал, — голос Тома был задушевным и добрым.

Конечно, в противном случае он бы не позвонил. Он понимал, что Элоиза и Барбара — это не одно и то же.

— Сегодня нам не удалось как следует поговорить. Ты вообще была замужем?

— Нет. Никогда. Моя мама заболела, когда я окончила колледж, и я долгое время ее выхаживала. — Барбара сказала это обычным тоном, без сожаления. Как было, так было.

— Нелегко, наверное, тебе пришлось? — В его голосе было восхищение. Сэнди никогда не была бы способна на такое, да и сам он тоже. — А когда ты начала работать у Дафны Филдс?

— Около четырех лет назад временно, а потом это стало моей постоянной работой.

— Тебе это нравится?

— Очень. Лучше ее у меня друзей не было, да и работать с ней одно удовольствие.

— Это нетипично для женщины, которая сделала карьеру. — Он ее сравнивал со знакомыми женщинами-адвокатами. Общаться с ними было тяжело.

— Дафна не такая. Она самая скромная из женщин, которых я встречала. Она просто делает свое дело и спокойно идет по жизни. Это в самом деле необыкновенный человек.

— Что ж, рад за тебя. — Видимо, его не особенно интересовала Дафна. — Послушай, нам не удалось поговорить как следует. Как насчет того, чтобы нам посидеть где-нибудь позднее сегодня? Мне надо сначала поужинать с одним из моих партнеров и обсудить с ним дела. Но к девяти я освобожусь. Мы можем встретиться у входа в отель, если это тебе удобно...

Наступило несколько нервозное молчание. Он правильно предположил, что Барбара достаточно осторожна.

— Как тебе мое предложение?

Барбара долго не отвечала. Ей на самом деле не особенно хотелось куда-то идти, и она подозревала, что его деловой партнер — это, наверное, рыжая красотка. Но, с другой стороны, делать ей было нечего — Дафна будет работать, Барбара ей не потребуется, а Том был симпатичным мужчиной. Не позволив себе более размышлять над этим, она вдруг согласилась:

— О'кей. Почему бы нет?

— Я буду ждать тебя в вестибюле в девять. Если буду опаздывать, я тебе позвоню. Ты будешь все время у себя?

Барбара почему-то не сомневалась, что будет на месте.

— Да, я хочу заказать Дафне ужин.

— Она никуда не уходит? — Он представлял себе, что писатели только и делают, что кутят, пьют и ходят по вечеринкам.

— Очень редко, и никогда в процессе работы. Она сейчас работает над сценарием и не выходила из комнаты с самого нашего приезда.

— Это звучит не особенно весело.

— Так оно и есть. Это тяжелая работа. Она и вправду работает больше других.

— С твоих слов можно подумать, что она готовая кандидатура в святые, — сказал Том с улыбкой.

— В моем списке да. — Это было предостережение ему не злословить в адрес Дафны ни сегодня, ни когда-либо в другой раз. Барбара защищала ее, как жрица у алтаря своего божества, и, разумно это было или нет, таким было ее отношение к Дафне. — До встречи, Том.

— Жду с нетерпением.

И пока он в своем доме в Бель-Эр* принимал душ и брился перед встречей с партнером, не переставал удивляться, как безыскусственно все это было. Барбара была

---

* Фешенебельный пригород Лос-Анджелеса. — *Прим. пер.*

привлекательна, но не щеголяла своей красотой. Она скорее была интересной, чем сексапильной, скорее умной, чем хорошенькой, и все же в ней было что-то очень привлекательное, что-то надежное, что-то неподдельное. Барбара производила впечатление женщины, с которой можно говорить, от которой можно ожидать поддержки, которая ценит юмор. Том Харрингтон никогда не был знаком с подобной женщиной, но эти качества удивили его в Барбаре еще двадцать лет назад, по резкому контрасту с Сэнди. Сэнди была миленькой маленькой блондинкой с ослепительно голубыми глазами и покоряющей улыбкой. Но ее ужасно избаловали родители, а потом и он сам, и она всегда подводила его, как в тот последний раз, когда сбежала с Остином. Она забрала обоих детей и позвонила ему через две недели. Он какое-то время после развода подумывал, не отсудить ли дочь, но это разделило бы детей, и он не решался на это. И с тех пор в его жизни не было серьезных увлечений. Он не знал почему, но почувствовал вдруг неодолимую тягу к Барбаре. Сразу как только он ее увидел в магазине, он знал, что ему захочется встретиться с ней еще, даже просто поговорить.

— Дафф, ты ела?

Барбара вошла в ее комнату, взглянула на поднос и сразу поняла, что нет. Но Дафна нахмурилась за машинкой и едва слышала ее слова.

— Дафф... эй, детка, поешь.

Дафна подняла глаза с отсутствующей улыбкой:

— А? Что? Ага, о'кей. Сейчас. Я хочу закончить эту сцену.

И потом, взглянув через плечо:

— Ты уходишь?

— Совсем на чуть-чуть. Может, что-то нужно, пока я не ушла?

— Нет, все в порядке. Извини, что не могу составить тебе компанию.

— Да ничего, я как-нибудь сама.

Она было начала рассказывать Дафне про Тома, но та уже снова стучала на машинке.

— Пока. И не забудь поесть.

Но Дафна не ответила. Она была уже далеко, работала над сценой, и Барбара тихо прикрыла за собой дверь.

Глава 22

Том сообщил Барбаре фамилию его собственного агента по торговле недвижимостью, и в первый же день, когда она поехала с ним посмотреть дома в Бель-Эр и Беверли-Хиллз, они в Бель-Эр нашли именно то, что ей было нужно. Это был красивый небольшой дом на Сиело-драйв с тремя спальнями, выходившими на большой, хорошо ухоженный сад. Участок окружала высокая кирпичная стена, заросшая кустами и виноградом, что не угнетало, а создавало ощущение полной уединенности. Был весь необходимый набор: большая лужайка, простой прямоугольный бассейн, сауна, ванная комната. И интерьеры дома были просто замечательны: полы из светло-бежевого мрамора, повсюду большие белые диваны, собрание ценных образцов современного искусства и кухня прямо как из журнала «Дом и сад». Вокруг дома царили солнце и тишина. Была и библиотека, отделанная панелями из сосны, выходящая окнами на бассейн, для Дафны это было идеальное место работы. Одним словом, было все, чего они желали. И хотя цена была высокая, но не такая, чтобы испугать «Комсток». Дом принадлежал одному очень известному актеру и его жене, которые уехали на натурные съемки в Италию.

Барбара глядела по сторонам с восторженной улыбкой, а агент наблюдал. Она заглядывала во все кладовки, во все шкафы и проверяла все комнаты с учетом вкусов своей работодательницы.

— Ну, что вы думаете, мисс Джарвис?

— Я думаю, мы вселимся завтра, если вы не возражаете.

Они обменялись улыбками.

— Мои клиенты будут только рады. Они уехали на год.

Это было чудо, что дом до сих пор никто не снял, но хозяева выдвинули достаточно жесткие требования к контингенту арендаторов.

— А ваша работодательница не захочет сама его сначала посмотреть?

— Не думаю.

К тому же Дафна была так поглощена работой, что не обратила бы внимания, если бы Барбара сняла шалаш из травы.

— Она очень занята.

— Тогда давайте вернемся в мой офис и подпишем бумаги.

Через час Барбара подписала договор на аренду на год, и они с Дафной на следующий же день переехали.

В тот вечер Дафна бродила по дому, привыкая к новой обстановке. Иногда было трудно сразу включаться в работу на новом месте, и она старалась привыкнуть. Она распаковала все вещи, и ее пишущая машинка была установлена в симпатичном маленьком кабинете. Все было готово, но не было Барбары, и вдруг Дафна уяснила, что не знает, куда она ушла. В последнее время Барбара совершенно освоилась в Лос-Анджелесе. С их приезда она словно расцвела, и Дафна этому радовалась. Жизнь Барбары никогда не была особенно интересной, и если здесь, в Лос-Анджелесе, она радовалась жизни, Дафна радовалась за нее. Но, сидя на кухне за тарелкой яичницы и думая о сценарии, она вдруг почувствовала себя более одиноко, чем за все последнее время. Все ее мысли в тот момент сосредоточились на Эндрю, она вспо-

минала их жизнь вместе до того, как отдала его в интернат. А потом подумала, как там ему живется, в Говарде,
и ей страстно захотелось просто обнять его, прикоснуться к нему, повидать его. Когда Дафна об этом думала, у
нее прорвались рыдания, и она оттолкнула от себя тарелку. И сама, чувствуя себя ребенком, положила голову на стойку и плакала от тоски по маленькому сыну.

Она обещала себе в качестве утешения, когда
наплакалась, что вызовет его в ближайший подходящий момент, пока же приходилось просто стойко
терпеть. Еще хуже было думать о его переживаниях, и мысль, что он, может, сейчас сидит один в
своей комнате и плачет, опять повергла ее в слезы.
Ее охватили чуть ли не паника, отчаяние, ужас от
того, что она его предала, что, поехав в Калифорнию, поступила неправильно. И вдруг Дафна поняла,
что ей нужен кто-то, кто бы ее ободрил, кто бы сказал, что ее ребенок в порядке, и единственный, кто
мог это сделать, был Мэтью. И даже не взглянув на
часы, чтобы проверить, который час на Востоке, она
кинулась к висевшему на кухонной стене телефону.
Дрожащими пальцами Дафна набрала знакомый номер, моля Бога, чтобы Мэтт не спал. Ей надо было
с кем-то поговорить. Немедленно.

Она набрала бывший номер миссис Куртис, и через
мгновение низкий, хрипловатый голос ответил, и от одного его звука ей стало уже не так одиноко.

— Мэтт? Говорит Дафна Филдс. — Когда она услышала его голос, у нее пересохло в горле, а на глазах
снова выступили слезы, хотя она пыталась их сдержать. — Я не слишком поздно?

Он тихо засмеялся в трубку:

— Ты шутишь? На моем письменном столе работы
еще часа на два или на три. Как тебе Калифорния?

— Не знаю. Я ее еще не видела. Все, что я видела, это комнату в гостинице, а теперь мой дом. Мы переехали только сегодня. Я хочу сообщить тебе мой новый номер.

Она сообщила, он записал, тем временем она пыталась вновь обрести спокойствие и не казаться такой расстроенной. Дафна спросила его, как дела у Эндрю.

— Все прекрасно. Сегодня он научился ездить на двухколесном велосипеде. Ему не терпится сообщить тебе об этом. Он сегодня вечером собирался написать письмо.

Все это звучало так нормально и естественно, и вдруг чувство вины, которое она ощутила, стало ослабевать. Но ее голос был все еще печален:

— Жаль, что я не могу там быть.

Мэтью молча слушал Дафну, сопереживая ее чувствам.

— Ничего, приедешь. — Они помолчали. — Дафф, ты-то сама о'кей?

— Вроде бы... вроде да. — И она вздохнула. — Просто ужасно одиноко.

— Писателю приходится работать в одиночестве.

— И бросать единственного сына. — Она снова глубоко вздохнула, но слез больше не было. — Как дела в Говарде?

— У меня напряженно, но я начинаю привыкать. До приезда сюда я думал, что неплохо справлюсь, но так уж получается, что всегда есть еще масса непрочитанных личных дел или ребенок, с которым надо поговорить. Мы вносим некоторые изменения, но ничего разрушительного не предпринимаем. Я буду тебя держать в курсе дела.

— Обязательно, Мэтт.

Он слышал, какой у Дафны усталый голос. Она казалась ему маленькой девочкой, которую услали далеко от дома и которая ужасно по нему тоскует.

Наступила короткая пауза, он попытался представить ее в далекой Калифорнии.

— Опиши мне свой дом.

Дафна рассказала ему, и, судя по всему, на Мэтта это произвело впечатление, особенно когда он услышал, кому дом принадлежит. Беседа с ним отвлекла ее от горьких раздумий. У него и это хорошо получилось. Он был эмоциональным, мудрым и сильным. Но Дафна все еще испытывала знакомую тоску по Эндрю.

— Я на самом деле по вам всем скучаю.

Его тронуло, что она включила и его.

— Мы тоже по тебе скучаем, Дафна.

Ей было приятно слышать его голос, она почувствовала в душе волнение, и, сидя в пустой кухне в восемь вечера, она обратилась к этому мужчине, которого знала так недолго, но с которым тем не менее подружилась перед отъездом:

— Мне здесь не хватает бесед с тобой, Мэтт.

— Я знаю... я ждал, что ты приедешь в минувший уик-энд.

— К сожалению, я не могла. Здесь чувствуешь себя словно за миллион миль от дома, и не имеет значения, что здесь так красиво.

— Ничего, время пройдет быстро.

Но вдруг предстоящий год показался ей всей жизнью. Дафне пришлось подавить слезы, в то время как он продолжал:

— И подумай, какой это шанс для тебя. Нам обоим предстоит много важных новых испытаний.

— Да, я понимаю... как тебе работается в Говарде? — Мало-помалу к ним вновь возвратилась та легкость общения, которая отличала их беседы в школе, и Дафна почувствовала себя не так одиноко. — Твои ожидания оправдались?

— Пока да. Но должен признать... Я чувствую себя здесь таким же оторванным от Нью-Йорка, как ты в Калифорнии. — Он улыбнулся и потянулся в кресле. — Нью-Гемпшир — это ужасная глушь.

Она тихо засмеялась:

— Уж я-то это хорошо знаю! Когда я впервые туда приехала отдавать Эндрю в интернат, эта тишина меня просто раздражала.

— А что ты делала, чтобы к ней привыкнуть? — Он улыбался, вспоминая ее глаза, и разделяющие их тысячи миль словно бы испарялись.

— Я вела дневник. Он стал моим закадычным другом. Именно благодаря ему я стала писать. Дневник превратился в очерки, потом я стала писать рассказы, а потом написала первую книгу, а теперь, — она оглядела сверхсовременную белую кухню, — а теперь смотри, что происходит, я на Западном побережье пишу сценарий, которых никогда не писала. Так вот, я думаю, может, тебе просто свыкнуться с тишиной и выкинуть это из головы?

Они оба рассмеялись.

— Мисс Филдс, вы недовольны?

— Нет. — Она задумалась и с мягкой улыбкой добавила: — По-моему, я сейчас просто скулю. Мне было ужасно одиноко, когда я тебе позвонила.

— В этом нет ничего зазорного. На днях вечером я звонил сестре и чуть ли не плакал. Я попросил одну из моих племянниц передать ей мои жалобы, надеясь найти у Марты хоть каплю сочувствия.

— И что она сказала?

— Что я неблагодарный паршивец, что мне платят в два раза больше, чем я получал в Нью-Йоркской школе, и что мне следует заткнуться и радоваться этому. — Он рассмеялся, вспоминая слова, переданные по телефону племянницей. — Вот такая у меня сестра. Она, конечно, права, но я все равно был ужасно зол. Я хотел сочувствия, а получил пинок под зад. А я думаю, что заслужил его. Подобные вещи я говорил ей, перед тем как сбежали в Мексику.

— А как это было?

Дафне больше не хотелось работать. Ей просто хотелось слышать голос Мэтта.

— О Боже мой, Дафна, Мексика — это был самый безумный из моих поступков, но я о нем нисколько не жалею. Какое-то время мы жили в Мехико. Три месяца провели в Пуэрто-Валларта, который тогда был маленьким сонным городком с булыжными мостовыми, в котором никто не говорил по-английски. Марта не только научилась там читать по губам, она научилась читать по губам по-испански. — В его голосе при этом воспоминании снова прозвучали восхищение и любовь.

— Она, наверно, изумительная женщина.

— Да, — его голос был тихим, — так и есть. Она во многом напоминает тебя, знаешь? У нее есть одновременно воля и доброта, а это редкое сочетание. Большинство людей, переживших в жизни суровые испытания, сами ожесточаются. А она нет, и ты тоже.

Его слова заставили ее опять подумать, как же много он знает, гораздо больше, чем она ему рассказывала. Но он уже решился признаться ей:

— Миссис Обермайер рассказала мне о друге, который у тебя был здесь. Ты о нем упомянула в нашем последнем разговоре. — Мэтт боялся произнести его имя, словно не имел на это права. — Должно быть, это был замечательный человек.

— Да, таким он и был. — Она тихо вздохнула и постаралась не бередить старую рану, но это было трудно. — Сегодня вечером я думала, насколько иной была бы моя жизнь, если бы он был жив или Джефф. Я думаю, что не оказалась бы здесь и не тратила всех умственных сил за машинкой.

— Ты и наполовину не была бы тем, чем стала сейчас, Дафна. Все это сейчас часть тебя. Это часть того, что делает тебя такой особенной. — Она задалась вопросом, прав ли он. — Я не знаю, можно ли считать, что тебе повезло, но, возможно, в некотором роде, да. Тебе пришлось пережить ужасные вещи, но ты перековала их в орудия, которыми можешь пользоваться, превратила в замечательные стороны своей личности. Это настоящая победа.

Дафна на самом деле никогда не думала о себе как о победителе, скорее как о пострадавшем, но она также знала, что в глазах других это выглядело именно так. Она победила: к ней пришел успех. Но жизнь этим не исчерпывалась. Дафна это слишком хорошо знала. Далеко не исчерпывалась. Просто для нее самой другие стороны жизни перестали существовать. Но, как бы то ни было, Мэтью Дэйн улучшал ее восприятие жизни и самочувствие каждый раз, когда она с ним говорила.

— Ты чертовски хороший друг, Мэтью Дэйн. После разговоров с тобой мне хочется жить и снова тягаться со всем миром.

— Окружающий нас мир, с которым мы тягаемся, так прекрасен.

— А кто научил Эндрю ездить на велосипеде?

Но она уже и так знала.

— Я. У меня сегодня после обеда было немного свободного времени, и он как раз не был занят. Я на днях видел, какими глазами он наблюдает за старшими детьми, ну вот мы и пошли с ним попробовать, и у него отлично получилось.

Дафна улыбнулась, представив то, о чем он рассказал.

— Спасибо, Мэтт.

— Он тоже мой друг, знаешь.

— Ему повезло.

— Нет, Дафф. — В глазах Мэтта были доброта и ум. — Это не ему повезло, а мне. Благодаря таким детям, как Эндрю, моя жизнь обретает смысл.

Разговор подходил к концу.

— Наверно, я тебя задерживаю, нам обоим надо работать.

Как-то приятно было сознавать, что, когда она вернется к своему письменному столу, он сядет за свой, и они оба в этот вечер будут работать еще на протяжении нескольких часов.

— Передай завтра Эндрю от меня большущий привет и поцелуй.

— Обязательно. Знаешь, Дафна, — он на мгновение запнулся, как всегда, не зная, что можно сказать, а чего нельзя, — я рад, что ты позвонила.

— Я тоже. — Благодаря ему она почувствовала тепло и радость общения с другом. — Я скоро опять позвоню.

Они попрощались, и даже потом она чувствовала его присутствие рядом с ней на кухне. Дафна пошла к письменному столу и взглянула на свою работу, а потом пошла в спальню, переоделась в черный купальник и вышла к бассейну. Теплая вода ласкала кожу, она проплыла несколько раз туда и обратно, думая о Мэтью.

Когда Дафна вышла, она почувствовала себя свежее и, переодевшись, вернулась за письменный стол. И через полчаса снова была за тысячи миль, погруженная в свой сценарий. Но в Нью-Гемпшире Мэтью Дэйн отложил в сторону свои папки и выключил свет. Он сидел, глядя в огонь, и думал о Дафне.

Глава 23

— Какая она, Барб? — Барбара и Том лежали рядом на краю его бассейна. Со времени их переезда прошло две недели, но Барбара редко виделась с Дафной. Та была с головой погружена в работу и едва замечала, что происходило вокруг. Днем Барбара делала, что ей полагалось, а все вечера проводила с Томом. И его, и ее жизнь в корне изменилась за эти две недели, с тех пор как они стали любовниками.

Они лежали и любовались закатом, Том слегка касался ее руки. Ему всегда нравилось слушать ее рассказы про Дафну.

— Она настоящая трудяга, а еще эта женщина полна любви, сострадания, печали.

— Неудивительно. На ее долю выпало столько несчастий, которых не пережил бы добрый десяток человек.

— А она пережила. Это в ней и удивительно. Она мягче, добрее и душевнее, чем кто-либо, кого я знаю.

— Не может быть. — Он покачал головой и посмотрел Барбаре в глаза.

— Почему? Это правда.

— Потому что нет человека душевнее и добрее тебя. Когда он это сказал, Барбара снова осознала, как ей повезло. По правде говоря, больше, чем Дафне. Она немного помолчала, Том тем временем глядел на нее, а потом наклонился и нежно поцеловал. Он никогда прежде не был так счастлив и наблюдал, как Барбара раскрывалась перед ним, словно летний цветок. Она смеялась, радовалась, и ее глаза были жизнерадостнее, чем тогда, в студенческие годы, когда он с ней познакомился.

— Погляди на себя, дорогая. Ты тоже страдала. Такой одинокий человек не может быть счастлив. Я не был так одинок, и все же был несчастен.

— В тот день, в «Гуччи» ты мне вовсе не показался несчастным. — Ей нравилось подтрунивать над ним по этому поводу. Элоиза исчезла две недели назад и якобы уже жила с молодым актером.

Но Барбара также теперь знала, что, когда он был женат, ему все равно было ужасно одиноко. Именно когда она узнала об этом, она раскрыла ему свое сердце и позволила себе поверить ему. Ему была нанесена жестокая обида, гораздо более жестокая, чем та, которую ей нанес юрист много лет назад. Она об этом тоже рассказала Тому, а он держал ее в объятиях, пока она плакала, изливая комплекс вины и печаль, которые чувствовала и копила в себе. А потом она призналась, что больше всего ее огорчает то, что она уже слишком стара, чтобы иметь детей.

— Да что ты выдумала, сколько тебе лет?

— Сорок.

Ему было сорок два, и он посмотрел на нее с ласковой решимостью.

— В наше время женщины рожают и в сорок пять, и в сорок семь, и в пятьдесят, черт побери. Сорок — это вообще ничего особенного. Может, у тебя какие-то медицинские противопоказания?

— Да вроде нет. — Кроме того, что она всегда задавалась вопросом, не повредил ли ей аборт так, что она не сможет иметь детей. В последние годы она и думать об этом перестала, считая, что об этом вообще не может идти речи. Но Том не соглашался.

— Но это правда слишком поздно. Смешно иметь детей в моем возрасте.

— Если ты их хочешь, смешно их не иметь. Мои дети — самая большая радость в моей жизни. Не лишай себя этого, Барбара.

Он познакомил ее с Александрой, и Барбара могла увидеть, почему дети доставляли ему такую радость. Алекс была прелестной, веселой, непосредственной девочкой, внешне похожей на Сэнди, но с добрым характером отца. Барбара еще не видела его сына, Боба, но, по рассказам, он был вылитый отец, и она не сомневалась, что он ей тоже понравится.

На протяжении шести недель Барбара скрывала от Дафны свою жизнь. Но однажды утром она пришла домой и застала Дафну сидящей в гостиной с почти пьяной улыбкой.

— Что с тобой?

— Я это совершила!

— Что совершила?

— Я закончила сценарий! — Она была преисполнена энергии и гордости, ее глаза возбужденно горели. Завершить работу было ее главной задачей, а еще она знала, что чем скорее закончит работу, тем скорее увидится с сыном.

— У-р-р-а-а!

Барбара заключила ее в объятия, а потом откупорила бутылку шампанского. После третьего бокала Дафна шаловливо посмотрела на нее:

— Так ты мне что, вообще не собираешься рассказывать?

— Что рассказывать? — Барбара сразу перестала соображать.

— О том, куда ты каждый вечер уходишь, пока я просиживаю тут штаны. — Дафна улыбнулась, а Барбара вся вспыхнула. — Только не говори мне, что ходишь в кино.

— Я правда хотела тебе рассказать, но... — Барбара закатила глаза с мечтательным видом, и Дафна застонала.

— О Господи, я так и знала. Ты влюбилась. — Она погрозила ей пальцем. — Только не говори мне, что выходишь замуж. Об этом нет и речи, по крайней мере пока я не закончу картину.

У Барбары упало сердце. Том минувшей ночью впервые заговорил о браке, но ее ответ во многом напоминал предостережение Дафны. Его обидела такая преданность работодательнице, но он согласился подождать до подходящего момента.

— Я не выхожу замуж, Дафф. Но я должна признать, ...я от него без ума. — Она широко улыбнулась и выглядела так, словно ей четырнадцать лет, а не сорок.

— А ты меня с ним познакомишь? Он порядочный? Мне понравится?

— Да — это ответ на все три твои вопроса. Он необыкновенный, я его безумно люблю, и... он женился на моей сокурснице, и я его случайно встретила в «Гуччи» с невероятно красивой глупой рыжей девицей, и... — Все это она выпалила на одном дыхании, и Дафна рассмеялась.

— Да, я, кажется, много потеряла, а? А что он делает? Только, пожалуйста, не говори мне, что он актер. — Она желала Барбаре добра и не хотела, чтобы ее снова постигло разочарование. Она вдруг нахмурилась, обеспокоенная тем, что Барбара сказала о его браке с ее сокурсницей. — Он все еще женат?

— Конечно, нет. Он разведен, и он юрист. В фирме «Бекстер, Шегли, Харрингтон и Роу».

Услышав это, Дафна вдруг улыбнулась.

— Ты о них знаешь?

— Как и ты, милая, по крайней мере тебе следует знать. Мы с ними еще не имели дела, но Айрис упоминала о них перед нашим отъездом из Нью-Йорка. Это юристы «Комстока» по нашему фильму. Он что, не в курсе?

— Он был очень занят налоговой тяжбой одного из клиентов.

— А что случилось с его женой?

— Она сбежала к Остину Уиксу.

— Актеру? — Дафна на мгновение опешила, а потом поняла, что глупо спрашивать об этом, раз роман Барбары продолжается уже два месяца. — Ну, это я так, это глупый вопрос. Слушай, но для твоего друга это, наверно, был тяжелый удар. Остину Уиксу ведь лет двести?

— Не меньше, но он чертовски богат и все еще очень хорош собой.

Дафна кивком подтвердила.

— А как, кстати, зовут твоего друга?

— Том Харрингтон.

Они обменялись улыбками. Дафна выглядела обрадованной.

— Я рада за тебя, Барб. — Она подняла свой бокал с шампанским и пожелала подруге счастья с Томом. — Чтобы вы оба всегда были счастливы... — а потом улыбнулась. — Но только после того, как мы закончим фильм.

В ее глазах был тот же лихорадочный огонь, который Барбара замечала все время с момента приезда в Калифорнию. Она задалась целью работать в сумасшедшем темпе, выполнить намеченное и вернуться домой. Но теперь это почти пугало Барбару. Она не торопилась покидать Калифорнию.

Барбара представила Тома Дафне на следующий же день. Они посидели за рюмочкой у бассейна, и, когда пришло время прощаться, Барбара не сомневалась, что Дафне он понравился. Разговор был свободным, она на прощание поцеловала его в щеку и велела хорошо заботиться о Барбаре. Дафна помахала им, когда они садились в его машину, а потом медленно вернулась к бассейну и собрала посуду. Она была рада за Барбару. И еще у нее было странное чувство, словно дорогие ей люди отправлялись в дальнее плавание. Она почувствовала себя брошенной на пустынном берегу.

В тот вечер, приготовив себе на ужин бутерброд, Дафна решила позвонить Мэтью. Из-за беспрерывной двухмесячной работы она все еще никого не знала в Лос-Анджелесе и время от времени звонила Мэтту. Он становился еще более дорогим для нее другом и единственным связным с Эндрю. Но в тот вечер она его не застала дома. Дафна задавалась вопросом, где он мог быть. До этого он никуда не уходил, и она вдруг подумала, не нашел ли он себе там женщину. Чувство было такое, словно у всех кто-то был, только не у нее, а все что имела она — это был ее маленький мальчик, и он находился за три тысячи миль, в интернате для глухих. Дафне стало от этого ужасно одиноко, и даже победа — окончание сценария — не смягчала боли. Сразу после ужина она пошла спать и долго лежала, борясь с подступавшими слезами, всей душой стремясь к сыну.

Глава 24

На студии «Комсток» все пришли в восторг от сценария. По их словам, он получился выразительнее книги, и всем не терпелось начать съемки. Актеры были уже давно подобраны, декорации готовы. Через три недели они должны были начать, и, приняв поздравления, Дафна вернулась домой, очень собой довольная и взволнованная. На главную роль они взяли Джастина Уэйкфилда, и хотя Дафна считала, что он чересчур хорош собой, она была очень высокого мнения о его таланте.

— Ну, мадам, как ваше самочувствие? — улыбнулась ей Барбара, когда они входили в дом.

— Не знаю. По-моему, я в шоке. Я вообще-то ожидала, что они его раскритикуют. — Дафна села на белый диван и посмотрела по сторонам, чувствуя некоторую растерянность.

Но Барбара улыбнулась подруге:

— Ты ненормальная, Дафф. Ты вечно думаешь, что и «Харбору» не понравятся твои книги, а они всегда от них в восторге.

— Ну, значит, я ненормальная. — Она с улыбкой пожала плечами. — А что, не имею права?

— Чем ты собираешься заниматься все эти три недели?

Они раньше не начали бы съемки. Дафна не могла отойти от своего письменного стола на три дня, не говоря уже о трех неделях, но Барбара поняла, что у той на уме, когда Дафна ей улыбнулась:

— Ты шутишь? Я собираюсь вечером позвонить Мэтту, чтобы он посадил Эндрю на самолет.

— А ты сама не хочешь слетать в Нью-Йорк?

Дафна покачала головой и взглянула на бассейн.

— Я думаю, ему здесь очень понравится, да и пора ему повидать что-то, кроме Говардской школы.

Барбара согласно кивнула, думая, какой Эндрю из себя, она все еще не была с ним знакома. И тогда Дафна посмотрела на нее с теплой улыбкой:

— Поедешь с нами в Диснейленд?

— С удовольствием.

Тому в ближайшее время предстояла деловая поездка в Нью-Йорк, и Барбара уже скучала только при мысли об этом. Она со страхом думала о своих переживаниях, когда в конце концов придется возвращаться в Нью-Йорк. Барбара до сих пор не приняла его предложение под тем предлогом, что не может оставить Дафну. Пока не может.

Через полчаса Дафна встала, направилась к телефону и позвонила Мэтью Дэйну в Говардскую школу.

— Здравствуй, Мэтт. Как дела?

— У меня прекрасно. А как движется сценарий?

— Великолепно. Я все закончила и сегодня узнала, что он им понравился. Мы начнем съемки через три недели. Они ждали, когда я закончу.

— Ты, должно быть, чертовски взволнована, — слышно было, что он по-настоящему рад за нее.

— Да, конечно. И я хочу провести оставшиеся две или три недели с Эндрю. Когда бы ты мог посадить его на самолет?

На том конце провода Мэтт озабоченно посмотрел на свой еженедельник.

— Я могу отвезти его в Бостон в субботу, если тебе это подходит. Или ты хочешь раньше?

Она улыбнулась:

— Конечно, хочу, но ничего. Я просто не могу его дождаться.

— Я понимаю.

Мэтт прекрасно понимал, как ей одиноко. Он судил об этом по частоте ее звонков, и его всегда изумляло, что женщина с ее внешностью, ее умом и успехами одинока. В ее двери должны были бы ломиться толпы людей, особенно мужчин, но он также знал, что она этого не хотела.

— А как вообще жизнь, Дафф?

— Что значит вообще? С момента приезда сюда я только работала. Теперь я вдруг закончила, и все, чем занимаюсь, это сплю. Сегодня я впервые вышла на люди, поехала в «Комсток», и это было как экспедиция на другую планету.

— Добро пожаловать на Землю, мисс Филдс. А что ты и Эндрю собираетесь делать, пока он будет у тебя?

— Для начала поедем в Диснейленд.

— Везет парню. — Мэтью улыбнулся, зная, что Эндрю будет гордиться этим в школе, но без зазнайства, это было не в его характере.

— А потом будет видно. Может, мы будем просто проводить время здесь, у бассейна, хотя, честно говоря, меня это удручает. У меня такое чувство, что я должна работать каждую минуту, чтобы быстрее отсюда уехать.

— И ты никогда не делаешь перерывов, чтобы просто порадоваться жизни?

— Нет, если нет необходимости. Я же сюда приехала не развлекаться. Я здесь работаю.

Иногда она говорила словно по подсказке демонов, но он знал причину этого. Она все подчиняла тому, чтобы увидеться с Эндрю.

— Мэтт... — Ее голос прозвучал озабоченно и задумчиво. — Ты на самом деле думаешь, что он хорошо перенесет полет? Я могла бы обратно полететь с ним, если будет нужно.

Она чувствовала, что ужасно устала за два месяца непрерывной работы. Но, как бы то ни было, она трудилась ради Эндрю.

— Все будет нормально. Не беспокойся, Дафна. Дай ему испытать собственные крылья. Для него это важный шаг.

— А если что-то случится?

— Верь в него. И поверь мне. Все будет хорошо.

Он сам был так спокоен, что Дафна верила ему.

На следующий день Мэтт позвонил ей, чтобы сообщить, когда прилетает Эндрю. Он должен был на следующий день лететь прямым рейсом из Бостона в Лос-Анджелес и прибыть в три часа дня. Дафна подумала, как перетерпеть еще двадцать четыре часа. Ей так захотелось его снова обнять, что каждое мгновение казалось вечностью. Мэтью улыбнулся:

— Ты, кажется, как и он, сгораешь от нетерпения.

— Так оно и есть. — Ее лицо опять посерьезнело. — А он не боится лететь один?

— Ни капельки. Он считает, что это очень здорово.

Дафна вздохнула:

— Мне кажется, я не готова к этому, даже если он готов.

Многие годы его так берегли, а теперь, по выражению Мэтью, он опробует собственные крылья, пусть даже в таком простом деле, как полет самолетом в Калифорнию; это ее пугало.

— Чего ты боишься, Дафф? Того, что он станет самостоятельным? — Его голос был добрым, но он применил запрещенный удар, и внезапно в васильково-голубых глазах появилась злость:

— Да как ты можешь такое говорить?! Ты же знаешь, что именно таким я хочу его видеть!

— Тогда не препятствуй в этом. Не вынуждай его всю жизнь чувствовать себя другим. Он может таким не быть, если ты не будешь на этом настаивать.

— О'кей, о'кей, я уже слышала это. Я все поняла. — В результате их долгих бесед по телефону между ними установились особые дружеские отношения, которые позволяли ей сердиться. Она сердилась и раньше, но это всегда было очень кратковременно. И чаще всего Мэтью был прав.

— Дафна, он будет горд собой, а ты тоже будешь гордиться. — Она знала, что это правда. — Но я понимаю, что сейчас перед полетом тебе нелегко. Завтра в это время вы оба будете сиять. Не забудь мне позвонить, когда он прилетит. — На этот раз Мэтью говорил тоном заботливой мамаши.

— Я не забуду. Мы позвоним тебе из аэропорта.

— Я завтра тоже позвоню из Бостона.

И после его звонка для Дафны началось шестичасовое бдение: она поминутно смотрела на часы, садилась у телефона, боясь, что что-нибудь будет не так, что сломается самолет, или, еще хуже, что во время полета Эндрю не сможет объясниться с окружающими, или что какой-нибудь ребенок обидит его, как это было много лет назад на игровой площадке. Это казалось ужасно неправильным, что ему теперь предстояло снова столкнуться с миром совершенно одному, и все же, вероятно, так было надо. Видимо, Мэтью действительно был прав, и это была битва Эндрю, которую он должен был выиграть в одиночку, у него было право торжествовать победу самому и ни с кем ею не делиться.

— Ты о'кей? — Барбара просунула голову в дверь кабинета Дафны и увидела напряжение на ее лице. — Какие новости?

— Только та, что он в самолете. Больше ничего.

Барбара кивнула:

— Пообедаешь?

Но Дафна покачала головой. Она не могла есть. Все, о чем она могла думать, это был Эндрю, летящий к ней из Бостона. Она собиралась ехать встречать его в аэропорт одна, а Барбара должна была их ждать дома. Они организовали для него небольшое торжество, с бумажными шляпами, пирогом, шариками и транспарантом: «Мы любим тебя, Эндрю. Добро пожаловать в Калифорнию».

Когда подошло время ехать в аэропорт, Дафна приняла душ, надела бежевые льняные слаксы и белую шелковую блузку, сандалии и белый шелковый блайзер, который Барбара купила ей на Родео-драйв. Размер был как раз ее, и сидел он прекрасно. Дафна взяла сумочку и вышла на улицу, а Барбара смотрела ей вслед. Дафна еще раз обернулась, их взгляды встретились и словно обнялись, и, улыбнувшись, Дафна ушла, а Барбара восхищалась увиденным. В глазах этой женщины была любовь, которой Барбара завидовала, любовь к ребенку, который был частью ее души. Какие бы у него ни были проблемы со слухом, он был маленьким мальчиком, и Дафна любила его всем сердцем, готова была всем пожертвовать ради него.

В аэропорту Дафна посмотрела на большое табло прибытия и облегченно вздохнула. Самолет не опаздывал, и она поспешила к месту выхода пассажиров. Ей оставалось ждать еще полчаса, она приехала раньше «просто на всякий случай» и стояла, наблюдая в окно, как садились и взлетали самолеты, и воспринимала каждую минуту как вечность. И наконец за десять минут до прилета она пошла в телефонную будку и позвонила Мэтью.

— Долетел благополучно? — В его голосе была улыбка, но Дафна все еще говорила нервозно.

— Самолет прилетит через десять минут. Но я не могу выдержать. Я должна была позвонить тебе.

— Последнее усилие, да? Все будет хорошо, Дафна. Я обещаю.

— Я знаю. Но я вдруг поняла, что не видела его два с половиной месяца. А что, если он изменился? Что, если он меня ненавидит за то, что я здесь? — Она боялась встречи с собственным сыном, но Мэтью знал, что это нормально.

— Он не ненавидит тебя, Дафф. Он тебя любит. Он не мог дождаться встречи с тобой. Последние два дня он только об этом и говорил.

— Ты уверен? — Она чувствовала, что нервы у нее сдают.

— Абсолютно. Ну, малышка, потерпи еще чуть-чуть. Он почти на месте. — Мэтт посмотрел на часы, а она увидела, что люди собираются у выхода. — Еще пять минут.

И вдруг она улыбнулась, почувствовав себя глупо:

— Извини, что я тебе позвонила, я просто так нервничаю...

— Послушай, я бы на твоем месте испытывал то же. Просто расслабься. Знаешь что, можешь не звонить мне, пока не приедете домой. Если не будет звонка, я пойму, что он прибыл благополучно. И не порть себе первые минуты встречи с ним телефонными звонками.

— О'кей.

И вдруг она увидела самолет, медленно выруливающий с полосы. Ее глаза наполнились слезами, и она не могла больше говорить:

— О Мэтт... я вижу самолет... он уже здесь... до свидания.

Она повесила трубку и улыбнулась, чувствуя, что и его переполняют эмоции.

Дафна не отрываясь смотрела, как самолет приблизился к зоне высадки, и схватилась рукой за перила, когда он остановился. И через минуту из него стали выходить люди: усталого вида бизнесмены с кейсами, пожилые женщины с палочками, фотомодели с папками своих снимков, и ни следа Эндрю. Дафна молча стояла, прочесывая глазами толпу, и вдруг увидела его. Он улыбался и смеялся, держась за руку стюардессы, и вдруг показал на Дафну и сказал почти отчетливо:

— Вот моя мама!

Обливаясь слезами, Дафна кинулась к нему, подхватила его и, зажмурившись, обнимала, а потом отстранила, чтобы он мог прочесть по ее губам.

— Я тебя так сильно люблю!

Он засмеялся от радости и снова обнял ее, а когда отстранился, шевельнул губами и сказал:

— Я тоже тебя люблю, мама.

Эндрю привел в восторг ожидавший их лимузин, и транспарант, и бассейн, и пирог. Он рассказал Барбаре все о полете, старательно двигая губами и произнося слова хоть и не совсем четко, но все же вполне понятно для нее. После ужина они все отправились плавать, и наконец он лег спать. Дафна его укрывала, гладила его светлые волосы и нежно поцеловала в лоб, когда он засыпал, и в этот вечер она долго смотрела на него, снова спящего поблизости. Эндрю был дома. Только об этом были все ее мысли, и она долго не выходила из комнаты, а когда вышла, Барбара убирала на кухне остатки пирога.

— У тебя классный малыш, Дафф.

— Я знаю.

Ей трудно было говорить, она улыбнулась Барбаре, но от пережитого волнения к ее глазам снова подступили слезы. А потом она пошла в кабинет позвонить Мэтту, и когда он ответил, стала говорить дрожащим голосом:

— Он одолел это, Мэтт... он одолел это!

Дафна пыталась рассказать ему о перелете, но в середине расплакалась и громко, с облегчением всхлипывала, а он, понимая ее, терпеливо ждал.

— Все хорошо, Дафф... Все о'кей... все о'кей. — Его голос был добрым и успокаивал на расстоянии в три тысячи миль, и словно от его объятий ее рыдания утихли. — Теперь он и дальше будет одерживать свои маленькие победы. Будут, конечно, в его жизни и неудачи, но похоже, что все будет хорошо. Ты дала ему то, что ему было нужно, и это самое лучшее, что ты могла ему дать.

Но она знала, что Мэтью и другие тоже многое ему дали, дали то, чего она никогда не могла бы дать. А она только лишь проявила мудрость, доверив им малыша.

— Спасибо тебе.

Он знал, что она подразумевает, и впервые за многие годы и у него на глаза навернулись слезы, и ему стоило большого усилия, чтобы сдержаться и не сказать, что любит ее.

Глава 25

Поездка в Диснейленд была очень успешной, и Барбаре и Дафне она понравилась не менее, чем Эндрю. Они осмотрели и другие достопримечательности, побывали и на студии «Комсток» а во второй половине дня всегда плавали в бассейне. Две недели его пребывания пролетели быстро, и не успели они оглянуться, как наступил последний день. Мать и сын сидели рядом у бассейна и вели неторопливую беседу. В глазах Эндрю была грусть, когда он рассказывал Дафне о своих впечатлениях и говорил, что ему нравится Барбара. Дафна улыбалась, говорила, что он Барбаре тоже очень понравился, а потом Эндрю озадачил ее вопросом:

— Мама, а ты когда-нибудь будешь такая, как она?

— Что ты имеешь в виду? — Она даже не сразу нашлась, что ответить. Ей как-то не приходило в голову быть «как Барбара».

— Ну, у тебя будет кто-то, кто бы тебя любил?

Он познакомился с Томом и тоже полюбил его, «почти как Мэтью» — что было у Эндрю высшей оценкой. Но вопрос он задал очень трудный. Дафна подумала, что еще недавно они не могли бы говорить об этом. Теперь при помощи жестов он мог гораздо лучше выражать свои мысли и мог прочесть по губам почти любую беседу. Теперь между ней и ее ребенком больше не было закрытых дверей — все они были открыты в Говарде людьми, которые его любили. Но, пока она на минутку задумалсь о них, Эндрю повторил вопрос.

— Я не знаю, Эндрю. Найти такого человека непросто. Это редкость.

— Но прежде ведь ты находила.

— Да, — глаза Дафны были задумчивы. — Твоего папу.

— И Джона.

Эндрю все еще был верен памяти своего друга, и Дафна кивнула:

— Да.

— Я хотел бы иметь такого папу, как Мэтью.

— Правда?

Дафна ласково улыбнулась, ей было и грустно, и смешно. Какие бы она усилия ни прилагала, всегда было что-то, чего она ему не давала, что-то, чего она не могла выполнить. Теперь ему нужен был папа.

— А ты не думаешь, что мог бы быть счастлив только со мной? — Это был серьезный вопрос, и она внимательно наблюдала за его глазами и руками, когда он отвечал.

— Да. Но посмотри, как счастлива Барбара с Томом.

Дафна рассмеялась, он не отставал, но ведь у него было свое мнение, причем твердое.

— Это непростое дело, Эндрю. Люди не влюбляются каждый день. Иногда это бывает только раз в жизни.

— Ты слишком много работаешь. — Он явно был раздосадован. — Никогда никуда не выходишь.

Как он, такой маленький, мог столько знать?

— Это потому, что я хочу закончить мою работу, чтобы поскорее вернуться к тебе. — Этот аргумент его вроде бы успокоил, но, когда они пошли в дом обедать, Дафна все еще не переставала удивляться тому, что он сказал. Он начинал видеть ее такой, какой она на самом деле была, с ее опасениями, недостатками и достоинствами. Эндрю подрастал и мог не только самостоятельно летать на самолете. Он самостоятельно мыслил. И это наполняло ее, пожалуй, еще большей гордостью за него.

— А может, мне не нужен мужчина, какой есть у Барбары? — После обеда Дафна снова вернулась к теме, как бы пытаясь его убедить.

— Почему?

— У меня есть ты. — Она улыбнулась ему над десертом.

— Это глупо. Я же просто твой ребенок. — Он посмотрел на нее так, будто она и вправду ничего не понимала, и Дафна рассмеялась:

— Ты что такой упрямый?

Его явно смутили эти слова, и она сказала:

— Ничего. Давай-ка лучше собираться, а то опоздаем на самолет.

На этот раз прощание было нелегким. Они не знали, когда увидятся снова. Эндрю прижался к ней, слезы текли по его лицу, а Дафна пыталась успокоиться.

— Я обещаю, ты скоро опять прилетишь, мой золотой. А если я смогу, то сама прилечу на несколько дней к тебе.

— Но ты будешь очень занята на съемках. — Эта фраза прозвучала как стон.

— Я все-таки постараюсь, я правда постараюсь. И ты тоже постарайся... не грустить и хорошо проводи время со своими школьными друзьями. Подумай, сколько интересного ты им можешь рассказать.

Но ни Дафна, ни Эндрю не думали об этом, когда стюардесса вела его к самолету. Он вдруг снова стал мальчиком семи с половиной лет, которому плохо без мамы, а она чувствовала, что самую важную часть ее сущности опять отрывают у нее от сердца. Как часто она испытывала эту боль, и все же каждый раз переживала ее словно впервые.

Дафна глядела невидящими глазами на самолет и плакала, и Барбара молча крепко обняла ее за плечи. Они неистово махали, когда самолет стал выруливать на полосу, но не знали, видел ли их Эндрю. На обратном пути обе были молчаливы и печальны. Когда они приехали домой, Дафна ушла к себе в комнату, и на этот раз не она звонила Мэтью, а он позвонил ей. По ее голосу он моментально понял, в каком она настроении, он это предвидел, и поэтому позвонил.

— Дафф, у тебя сейчас наверняка отвратительное настроение, а?

Она улыбнулась сквозь слезы и кивнула:

— Да, в этот раз было тяжелее, чем когда-либо. Совсем иначе, чем когда я прощалась с ним в школе.

— А ты не забывай, что ведь и школа не навсегда. Наступит день, когда он вернется к тебе насовсем.

Она вытерла нос и глубоко вздохнула:

— Трудно себе представить, что этот день когда-нибудь наступит.

— Наверняка наступит. И довольно скоро. А в ближайшие месяцы ты будешь страшно занята на съемках.

— Уж лучше бы я не подписывала этот чертов контракт. Я была бы в Нью-Йорке, ближе к Эндрю.

Но они оба знали, что ее слова не вполне серьезны. Это отчасти была реакция на его отъезд.

— Тогда поторопись, черт подери, чтобы поскорее закончить и вернуться домой. Я бы тоже против этого не возражал. Знаешь, ты единственный родитель, которому я могу пожаловаться.

Она засмеялась в трубку и легла на спину на кровать.

— Ей-богу, Мэтт, иногда жизнь кажется такой тяжелой.

— Ты видала и похуже.

— Спасибо, что напомнил. — Но она по-прежнему улыбалась.

— Не за что. Всегда рад. — Они привычно шутили друг с другом. Дафна делилась с ним всеми своими проблемами, которые концентрировались на работе и на сыне, больше ей не о чем было ему рассказывать. — Когда ты приступаешь к съемкам?

— Послезавтра. У актеров в прошедшие две недели была примерка костюмов. Но в ближайшие два дня они еще не начнут. А до тех пор мне не надо появляться на площадке. Мне, возможно, придется переписывать часть сцен и вообще следить, как все получается. Теперь я в принципе просто консультант. Все дело теперь за режиссерами и актерами.

— А ты уже познакомилась с актерами?

— Да, со всеми, кроме Джастина Уэйкфилда. Он был на натуре в Латинской Америке и, думаю, вернулся всего пару дней назад.

— Смотри же расскажи мне, что он собой представляет. — В голосе Мэтта прозвучали какие-то новые нотки, но она этого не заметила.

— Наверно, прохвост — я так думаю. Любой такой красавчик непременно должен быть избалован.

— Не обязательно. Он может оказаться отличным парнем.

— Меня по-настоящему волнует только то, чтобы он не халтурил на съемках.

Это была история о современном мужчине, в жилах которого течет индейская кровь, о том, как он решил пренебречь этим обстоятельством, но в конце концов именно в этом обрел себя. Это был рассказ о мужестве, о самоутверждении — сильная антирасистская вещь, и всех удивляло, что автором была женщина.

Если бы Джастин Уэйкфилд хорошо сыграл эту роль, он мог бы получить «Оскара», и Дафна полагала, что он понимал это. Он был эффектным белокурым киногероем, которого боготворили чуть ли не все женщины в стране, и, конечно, мог бы способствовать тому, чтобы «Апач» стал настоящим событием.

— По крайней мере мы знаем, что он может играть.

— Если у тебя найдется минутка, позвони мне и расскажи, как идут съемки.

— Обязательно, а мне хочется знать, как дела у Эндрю, независимо от моей занятости. У меня на студии будет телефон, по которому ты сможешь меня найти. Я позвоню тебе сразу, как только разберусь, что это такое.

Возможно, придется поехать на натурные съемки в Вайоминг, но ненадолго. Сначала будут сниматься сцены в павильоне.

— Я тебе еще попозже позвоню, когда Эндрю прилетит.

— Спасибо, Мэтт.

Как обычно, разговор с ним принес ей утешение, и она уже не чувствовала такого отчаяния от прощания с сыном.

— Мэтт?

— Да?

— А кто тебе доставляет это благо?

— Какое? — Он не понял.

— Утешает тебя. Ты всегда утешаешь меня, а это не совсем справедливо.

Он был единственным за многие годы человеком, в котором Дафна находила поддержку, и иногда она чувствовала себя виноватой.

— Дафф, все, что делается ради близких людей, делается бескорыстно. Не мне тебе это объяснять.

Она молча кивнула. Он был прав. И она тоже.

— Я позвоню тебе позже.

— Спасибо.

Они положили трубки, и Дафна задала себе вопрос, что бы она делала, если бы там не было Мэтью.

Глава 26

Съемки фильма «Апач» начались в павильоне «А» студии «Комсток» в пять часов пятнадцать минут утра во вторник. Они должны были начаться в понедельник, но не начались, потому что исполнительница главной женской роли, Морин Адамс, заболела гриппом. По подсчетам продюсера, задержка стоила студии нескольких тысяч долларов, но это было учтено в бюджете, а Джастину Уэйкфилду дало дополнительный день на знакомство со сценарием и обсуждение роли с режиссером Говардом Стерном, старым голливудским профессионалом. Стерн был предан сигарам и ковбойским сапогам, любил орать на своих актеров, но в то же время, бесспорно, был наделен талантом и прославился блестящими фильмами. Дафна была очень рада, что режиссуру доверили ему.

В то утро Дафна встала в три тридцать утра, приняла душ, оделась, приготовила яичницу себе и Барбаре и без четверти пять была готова к выходу. Лимузин ждал, и они прибыли к павильону точно в назначенное время, а там уже собралась большая часть группы, и режиссер уже курил сигары и ел с оператором пончики. Морин Адамс уже была в гриме. Джастина Уэйкфилда нигде не было видно. Дафна поздоровалась с персоналом, и ей представили режиссера, который сунул пончик в карман рубашки и мгновение пронзительно смотрел на нее, прежде чем с широкой улыбкой протянул ей руку.

— Какая вы маленькая, а? Но хорошенькая, чертовски хорошенькая.

Потом он наклонился и шепнул ей на ухо:

— Вы обязаны сняться в картине.

— Нет, только не это! — Она со смехом замахала рукой.

Это был мужчина с удивительной внешностью: ему было далеко за шестьдесят, лицо, испещреное морщинами — следами трудных побед, все же вызывало симпатию. Он не был красавцем не только теперь, но даже и в молодости, но Дафне он сразу понравился. Она почувствовала, что тоже ему нравится.

— Волнуетесь за свой первый фильм, мисс Филдс?

Он указал на два кресла, и они сели: его огромное тело заполняло все кресло, и Дафна выглядела ребенком рядом с ним. Она посмотрела на него и снова улыбнулась:

— Да, очень волнуюсь, мистер Стерн.

— И я тоже. Мне понравилась ваша книга. Правда, она мне очень понравилась. Может получиться чертовски хорошая картина. И сценарий ваш мне понравился.

И потом с уклончивым видом:

— Джастину Уэйкфилду тоже. Вы с ним раньше были знакомы? — Он глядел на Дафну, думая о чем-то своем.

— Нет, я с ним раньше не встречалась.

Он медленно кивнул:

— Интересный мужчина. И умный для актера. Но не забывайте, не более того, — он окинул ее оценивающим взглядом, — они все одинаковы. Я убедился в этом за годы работы с ними. Им всем чего-то не хватает, но в то же время что-то в них есть, нечто детское, непосредственное и замечательное. Перед ними трудно устоять. Но они избалованы и эгоистичны. Им до других нет дела, большинству из них; они думают только о себе. Когда впервые с ними знакомишься, это шокирует, но, если внимательно приглядеться, видишь сходство характеров. И вскоре все становится ясно. Конечно, есть исключения, — он назвал несколько фамилий, знакомых ей по экрану, — но это редкость. Остальные же... — Он запнулся и улыбнулся, словно знал секрет, которого она не знала, но скоро узнает. — В общем, они актеры. Помните об этом, мисс Филдс, это поможет вам сохранить здравый ум в течение ближайших месяцев. Они будут вас сводить с ума и меня тоже. Но в конце концов у нас получится отличная картина, и все это будет того стоить, мы все будем, прощаясь, жать друг другу руки, плакать и целоваться. И будут забыты ссоры, обиды, вражда. Мы будем вспоминать шутки, смех, необычные моменты. Это своего рода магия...

Он махнул рукой, словно подчинял своим магическим жестом весь павильон. А потом встал, поклонился, весело взглянул ей в глаза и отошел поговорить с оператором. Дафна довольно сильно робела перед ним и всей обстановкой и сидела, молча наблюдая, как монтировщики, статисты, костюмеры, звукооператоры, осветители ходили взал и вперед, выполняя какие-то таинственные задания, пока наконец в семь тридцать не наступила внезапная суматоха, высшая степень напряжения, и она правильно поняла, что они сейчас начнут.

Почти в тот самый момент, когда суматоха была наибольшей, она заметила мужчину, выходящего из костюмерной в футболке и «аляске», в теннисках на босу ногу. Жесткие светлые волосы по-мальчишески падали ему на лоб. Он медленно шел к ней с неуверенным и застенчивым видом, а в конце концов сел в кресло, на котором до того сидел Говард Стерн. Он взглянул на Дафну, на съемочную площадку и опять на Дафну, с напряженным и нервным видом, а она ему улыбнулась, понимая его состояние и задаваясь вопросом, кто он такой.

— Волнующий момент, да? — Это было единственное, что ей пришло в голову сказать, а ему, похоже, стало веселее. Дафна смотрела в его зелено-голубые глаза; в его внешности было что-то знакомое, но она не могла сообразить что.

— Да, конечно. У меня всегда вначале сосет под ложечкой. Наверное, это профессиональная болезнь. — Он пожал плечами и достал из кармана конфету, сунул ее в рот, а потом, смутившись своей невоспитанности, опять порылся в кармане и протянул вторую для нее.

— Спасибо. — Их глаза снова встретились, и Дафна почувствовала, как ее щеки заливает румянец под его оценивающим взглядом.

— Вы статистка?

— Нет. — Дафна покачала головой, не зная что сказать. Она не хотела говорить, что она сценарист, это звучало бы слишком напыщенно, к тому же он и не проявлял особого любопытства. Он, казалось, был слишком поглощен наблюдением за подготовкой площадки, а потом нервозно встал и отошел.

Когда он снова появился, то взглянул на нее сверху вниз с юношеской улыбкой:

— Может, принести вам что-нибудь попить? — Дафна была тронута. Барбара исчезла двадцать минут назад в поисках двух чашек кофе и до сих пор не вернулась.

— Конечно. Спасибо. Я отдам полцарства за чашку кофе.

В павильоне было прохладно, сквозило, и Дафна устала.

— Я вам принесу. Сливки, сахар?

Дафна кивнула, и через мгновение он снова появился с двумя дымящимися кружками. Это была просто мечта. Она взяла свою и медленно отхлебнула, задаваясь вопросом, скоро ли они начнут, и когда взглянула на своего доброжелателя, тот снова смотрел на нее своими удивительными зелеными глазами.

— Вы красивы, вам это известно?

Дафна снова покраснела, и он улыбнулся:

— И застенчивы. Мне нравятся такие женщины.

Потом он закатил глаза и засмеялся сам над собой:

— Глупо так говорить, можно подумать, что каждый день я имею дело с сотней женщин.

— А разве это не так?

На этот раз они оба рассмеялись, и казалось, что Дафна его заинтересовала. По ее взгляду он мог определить, что она была умной и сообразительной, не такой, каких можно дурачить. Дафна ему нравилась, и он опять задался вопросом, кто она.

— Нет, не все здесь так поступают. В этом городе все еще есть порядочные люди. И даже в этом бизнесе... может быть. — Он улыбнулся, отхлебнул кофе и поставил чашку. — Можно задать вам вопрос, мисс? Что вы делаете в этом павильоне?

Пора было сказать ему правду.

— Я автор сценария, но это моя первая такая работа. Поэтому здесь все для меня ново.

Это его еще больше заинтересовало.

— Стало быть, вы Дафна Филдс? — На него это, судя по всему, произвело впечатление. — Я прочел все ваши книги, и эта мне нравится больше всех.

— Спасибо. — Дафна казалась обрадованной. — А теперь я задам тот же вопрос: а что вы здесь делаете?

Тут он закинул голову и рассмеялся удивительно звонко, а потом опять на нее посмотрел и рукой сгреб свою светлую шевелюру с лица назад, и вдруг она узнала и была ошеломлена. Он был точно так же красив, как и во всех своих фильмах, но здесь он выглядел совершенно по-другому, так не к месту, так непритязательно в своей старой «аляске» и потертых джинсах.

— Ах Боже мой...

— Ну, что вы, зовите меня проще.

Они оба рассмеялись. Он понял, что Дафна его узнала. Это был Джастин Уэйкфилд. Он протянул ей руку, и когда их руки встретились, встретились и их глаза —

в этом мужчине была какая-то магия, детская веселость, чарующий магнетизм.

— Я играю в вашем фильме, сударыня. И очень надеюсь, что вам понравится моя игра.

— Не сомневаюсь. — Дафна улыбнулась ему. — Я так обрадовалась, когда узнала о вашем участии.

— Я тоже, — честно признался он. — Это лучшая из ролей, предложенных мне за последние годы. — Дафна сияла. — Вы пишете как демон.

— По-моему, и вам есть чем гордиться.

Ее взгляд был озорным, а тихий голосок внутри нее шептал, что она заигрывает с американским киноидолом. Необычно было ощущать, что сидишь здесь рядом с ним. И по какой-то непонятной причине впервые за долгое время Дафна почувствовала себя женщиной, а не рабочей лошадью или просто писательницей или даже матерью Эндрю. Женщиной. Она привлекла его внимание, она поняла это по тому, как он с ней говорил. Но Дафна так давно не общалась с мужчинами, кроме разговоров о сыне с Мэтью, что не знала, что сказать. Чувствуя нервозность, Дафна снова вернулась к теме своей работы. Тут она «была на коне». С этим же мужчиной Дафна не чувствовала себя вполне безопасно. Он слишком пристально смотрел на нее. И она боялась, что скажет слишком много. Как бы он не заметил ее одиночества, которое она всегда так тщательно скрывала, или болезненную пустоту, оставшуюся в ее душе после смерти Джона.

— Что вы думаете о сценарии?

— Он мне очень нравится, правда. Мы с Говардом вчера его обсуждали. Там есть только одна, по-моему, не совсем удачная сцена.

— Какая же? — Дафна сразу стала озабоченной, но его глаза были добрыми. Он протянул руку и взял копию сценария, оставленную Барбарой.

— Не беспокойтесь. Это маленькая сцена.

Он перелистал страницы, явно с хорошим знанием сценария, и указал на часть, которая ему не нравилась. Дафна взглянула на нее, кивнула и, нахмурившись, снова посмотрела на него.

— Вы, наверно, правы. Я сама не была до конца в этом уверена.

— Знаете, давайте подождем и посмотрим, что скажет Говард. Мы будем еще по ходу многое менять. Вы когда-нибудь видели, как он работает?

Дафна покачала головой, и он засмеялся:

— Вы получите удовольствие. И не позволяйте, чтобы этот старый хрыч вас пугал. У него золотое сердце, — он ей ехидно улыбнулся, — а на языке сплошные колючки. Вы к этому скоро привыкнете. Как и мы все. Но оно того стоит, этот тип абсолютно гениален. Вы у него многому научитесь. Я с ним до этого дважды работал, и каждый раз он потчевал меня чем-то другим. Вам повезло, что он ставит «Апача». Всем нам повезло. — А потом, словно лаская глазами ее лицо, он прошептал ей: — Но, пожалуй, еще больше нам повезло с вами. — И с пленительной, как поцелуй, улыбкой он удалился, чтобы переодеться, и в эту минуту снова появилась Барбара.

— Я не могу найти ни чашки этого чертова кофе.

— Ничего. Мне уже принесли.

Но у Дафны все еще был отсутствующий вид. Джастин Уэйкфилд был самым необыкновенным мужчиной, и она не могла понять, понравился он ей или нет. Он, несомненно, был остроумным, веселым, чертовски красивым, иногда занимательным, но она не в состоянии была определить, играл он или нет? Разве такой красивый мужчина может вести себя естественно?

— У тебя такой вид, как будто тебя только что посетило видение.

— По-моему, так и случилось. Я говорила с Джастином Уэйкфилдом.

— А какой он? — Барбара села в свободное кресло, пытаясь не показывать, что ее это впечатлило. Ей ужасно хотелось его увидеть, но в павильоне она его пока не заметила. — Он такой же прелестный, как на экране?

Дафна засмеялась:

— Не знаю. Он очень хорош собой, но я его даже не узнала, когда он сел рядом.

— Как это?

— Он выглядел как какой-то сопляк. Просто я ожидала чего-то другого. — Дафна улыбнулась своей секретарше и подруге.

— Ты хочешь сказать, что я буду разочарована? — Барбара была расстроена.

— Нет, я бы этого не сказала.

Особенно удивительны были его глаза. И пока Дафна была погружена в свои размышления о нем, она увидела его, выходящего из гардеробной в коричневых облегающих замшевых брюках, как полагалось по первым сценам фильма, и в белом свитере с высоким воротом. Он был похож на молодого, светловолосого Марлона Брандо. Дафна услышала, как Барбара затаила дыхание.

— О Господи, он просто чудо! — прошептала Барбара, а Дафна, глядя на него, улыбнулась. В этом костюме он действительно был неподражаем. От взгляда на него захватывало дух. Играя мускулатурой, он шел к ним. Теперь его волосы были зачесаны назад, как в других фильмах, которые Дафна видела, и он стал похож на Джастина Уэйкфилда, актера, а не озорного мальчишку, предложившего ей чашку кофе.

Он шел прямо к Дафне и с ласковой улыбкой остановился рядом с ней.

— Здравствуй, Дафна. — Его губы словно бы ласкали ее имя.

— Здравствуй. — Дафна улыбнулась, стараясь выглядеть спокойнее, чем была на самом деле. — Я хотела бы познакомить тебя с моей помощницей, Барбарой Джарвис. Барбара, это Джастин Уэйкфилд.

Он пожал Барбаре руку, а потом повернулся и помахал Дафне, перед тем как отойти к Говарду Стерну и приступить к съемкам. Барбара сидела, глазея на него, и Дафна с улыбкой к ней наклонилась:

— Закрой рот, Барб, у тебя слюнки текут.

— Господи Иисусе. Это что-то невероятное.

Она не могла оторвать от него глаз, и Дафна сперва посмотрела на него, а потом на реакцию Барбары. Он и в самом деле неотразимо действовал на женщин. В этом она не сомневалась и должна была признать, что сама это ощутила. Да и трудно было не ощутить.

— Да. Но, кроме красивой внешности, должно быть еще кое-что.

Она говорила как мудрая старушка, и Барбара рассмеялась:

— Ну да, конечно. О ком это ты?

— О Томе Харрингтоне, или мне нужно тебе напоминать?

Барбара покраснела от улыбки Дафны.

— Ну ладно, ладно.

— Как у вас с ним, кстати?

Барбара вздохнула и на мгновение стала мечтательной.

— Он самый необыкновенный мужчина, Дафф. Я люблю его и люблю его детей.

Но казалось, что она чего-то недоговаривает.

— Ну так? Какие проблемы?

— Их нет, — улыбнулась ей Барбара. — Я никогда в жизни не была такой счастливой, и омрачает только мысль, что наступит день, когда мы вернемся в Нью-Йорк.

— Это будет не так скоро, поэтому радуйся имеющейся возможности. Ей-богу, не порть себе настроение мыслями о том, что будет через шесть месяцев!

Дафна ласково улыбнулась ей. С Барбарой этого раньше никогда не случалось. В свои сорок лет она по-настоящему полюбила достойного человека, впервые в своей жизни.

— Том с самого начала говорит то же самое: такое случается только раз в жизни, так давай пользоваться тем, что сейчас имеем.

Дафна на миг стала отсутствующей и печальной.

— Джефф однажды это мне сказал, прямо как только мы познакомились...

Ее мысли были далеко, когда она думала о муже, а потом она снова посмотрела на Барбару.

— Он был прав. В жизни много всякого, и каждый момент, каждый опыт не похож на другой. Каждый случается только раз. И, если упустишь момент, он уже никогда не вернется.

Дафна чуть было не упустила свой шанс с Джоном и всегда радовалась, что все-таки воспользовалась им. Затем она снова переключилась с прошлого на настоящее:

— Даже это, Барб. Даже этот дурацкий фильм, который мы снимаем. Для меня больше никогда не повторится первый фильм, для тебя больше не будет первой встречи с Калифорнией... надо это ценить, потому что все это уникально. И никогда не знаешь, что или кто поджидает тебя за поворотом.

Почему-то, говоря это, она смотрела на Джастина Уэйкфилда, и он обернулся, как бы почувствовав на себе ее взгляд. Он оторвался от того, чем был занят, и посмотрел прямо на Дафну, а у той по спине пробежали мурашки. Она ощутила себя во власти его завораживающего взгляда.

Съемки фильма начались в девять пятнадцать, и к полудню первая сцена была отснята дважды. Говард Стерн орал на техников, обзывал Джастина отъявленным ослом, Морин Адамс расплакалась и говорила, что она еще нездорова, куда-то запропастились ассистенты Дафна и Барбара наблюдали за всем этим в полном изумлении. Парикмахер заверил их, что все идет нормально, и, когда был объявлен обеденный перерыв, казалось, что все снова стали друзьями. Говард Стерн положил руку на плечо Джастину, сказал ему, что доволен, и ущипнул Морин Адамс пониже спины, когда она проходила мимо. Она влепила Говарду поцелуй и дала Джастину сигарету с марихуаной, а потом пошла в свою гримерную прилечь. Дафна осталась одна. Барбара пошла звонить Тому.

— Ну, что ты думаешь о своем первом утре? — Джастин стоял прямо перед ней во всей своей экстравагантной красе. Дафна старалась не поддаваться влечению, которое испытывала к нему.

— Я начинаю серьезно подозревать, что все вы здесь сумасшедшие. — Она улыбнулась ему, стараясь сохранять маску равнодушия, но это ей не удалось. В нем была какая-то дьявольская привлекательность.

— Я мог бы тебе это сказать и раньше. Как тебе понравилась сцена?

— Первый дубль мне показался хорошим.

Дафна говорила это откровенно. Ей в самом деле показалось, что все в порядке.

— Нет. Говард был прав. Мне надо было разозлиться, а я не смог. Мы переснимем это в конце дня, а после обеда начнем со сцены с Морин в ее квартире.

Это была откровенная постельная сцена, и Дафна сконфузилась, хотя сама же написала ее. По сценарию она шла гораздо позже, и казалось, что трудно будет ее снимать сразу после первой, совершенно непоследовательно.

— Не бойся, детка. Ты же сама это написала.

Ее реакция его рассмешила.

— Я знаю. Но как это может быть вне контекста?

— Все снимается вне контекста. Мы просто снимаем сцену за сценой, по какому-то гениальному и непостижимому плану, составленному в голове у Говарда, а потом они режут все это, как спагетти, и соединяют заново, и что-то получается. Это трудно понять.

Но казалось, что его это особенно не волнует, что его больше интересует Дафна, чем работа.

— Знаешь, Дафф, ты здорово поработала.

Его глаза снова ласкали ее.

— Спасибо.

— Можно пригласить тебя на отвратительный столовский обед?

Она хотела сказать ему, что собиралась обедать со своей ассистенткой, а потом поняла, что Барбара бы, наверное, умерла от счастья весь обед просидеть рядом с Джастином Уэйкфилдом.

— Да, если я могу взять мою ассистентку.

— Конечно. Я пойду переоденусь. Через минуту вернусь.

Он исчез в своей гримерной, все еще держа в руке сигарету, которую Морин ему дала. Дафна задавалась вопросом, будет ли он курить ее сейчас или потом, а тем временем, позвонив Тому, вернулась Барбара.

— Я только что договорилась насчет обеда.

У Дафны был такой вид, словно она замышляла озорство.

— С кем?

— С Джастином. Ты не против?

Барбара открыла рот, и Дафна громко расхохоталась.

— Ты шутишь?

— Нисколько.

И едва она это произнесла, Джастин появился из своей гримерной, одетый в джинсы и тенниски. Он все еще был в гриме и с зачесанными назад волосами. На этот раз Дафна узнала бы его, не то что при первой встрече утром, и выглядел он почти так же привлекательно, как и в белом свитере и замшевых брюках.

— Дамы готовы?

Дафна кивнула, а Барбара просто глядела как завороженная. Они пошли в огромное здание столовой, где оказались в окружении ковбоев и индейцев, двух красоток южанок и целой армии немецких солдат, а также двух карликов и толпы мальчиков.

Барбара посмотрела вокруг и засмеялась:

— Знаешь что? Это похоже на цирк!

И Джастин с Дафной тоже рассмеялись.

Они ели гамбургеры, черствые как камень, с кетчупом, напоминавшим красную краску, а потом Джастин принес им яблочный пирог и кофе. Затем они вернулись в павильон, и Джастин исчез в гримерной.

Барбара подвинула кресло поближе к Дафне, и пока они ждали начала съемок, стала раздумывать о Джастине. Легко было заметить, что он проявлял к Дафне интерес, но Барбара решила, что, кроме глаз, он ей не особенно понравился. В нем было что-то инфантильное и эгоистичное, и она заметила, что каждый раз, когда они проходили мимо зеркала, он приглаживал волосы или смотрелся. Это ее раздражало, но вместе с тем она безошибочно определила, что Дафне он нравился.

Прежде чем она успела что-либо сказать Дафне, Джастин появился из своей гримерной в длинном белом халате с капюшоном и в сабо. В нем было что-то красивое и таинственное, и почти монашеское. Он снял капюшон, тряхнув копной светлых волос, и улыбнулся. А через мгновение и совсем сбросил халат, и шагнул на площадку во всей красе своего стройного, мускулистого тела. Чуть позже на площадке появилась Морин Адамс, в розовом атласном халате, сняла его и прохаживалась обнаженная, в одной руке держа сценарий, а другой поправляя волосы. Но не Морин привлекала всеобщее внимание, а Джастин. Помимо его несомненной физической красоты, в нем была невероятная притягательная, волнующая сила. Дафна старалась сохранять внешнее спокойствие, но она так давно не видела обнаженного мужчину, что была очарована его атлетической красотой.

— Я вынуждена признать, — сказала наконец Барбара, — что он выглядит в самом деле совершенно изумительно.

Барбара взглянула на свою работодательницу, но та не слышала ее. Она так уставилась на Джастина, что Барбара забеспокоилась. Но кто бы стал упрекать Дафну? Он просто был таким, каким был. Джастином Уэйкфилдом, королем экрана.

Сцена, в которой он играл, была захватывающая, и через некоторое время Барбара и Дафна забыли, что он обнажен. Дафна сидела как вкопанная, наблюдая, как оживала написанная ею сцена. Он демонстрировал ее во всем блеске, как дорогую парчовую ткань, прикрывая свою наготу своим гением, и несколько раз у Дафны на глазах выступали слезы. Сцена очаровала всех, кто ее наблюдал. Актер был не только красив, он был мастером своего дела. А потом, так же ловко, как сбросил, он накинул свой белый купальный халат, покрыв голову

капюшоном, и медленно повернулся к Дафне. Он выглядел старше, чем за обедом, и очень усталым, и очень
искренним. Его большие зеленые глаза нашли ее, словно его интересовало прежде всего ее мнение об этом.

— Мне очень понравилось. Это было именно
то, что я имела в виду, когда писала, а может, даже
больше. Словно ты постиг то, о чем я думала, но
пошел глубже и дальше.

Казалось, он очень обрадовался ее высокой оценке.

— Так я и должен играть, Дафна.

Он говорил добрым и мудрым тоном, и ей нравилось
выражение его глаз в тот момент.

— В этом и состоит актерское искусство.

Дафна кивнула, все еще будучи под впечатлением от
его игры. Он в самом деле перенес ее книгу в жизнь.

— Спасибо тебе. — Картина намечалась сногсши-
бательная. И он был сногсшибательным мужчиной. И,
всего лишь глядя на него, уже чувствовала какой-то глубокий внутренний трепет.

Глава 27

В течение следующей недели Дафна с полным восторгом наблюдала за Джастином Уэйкфилдом, который плел вокруг нее свою магическую паутину. Они с Барбарой каждый день обедали с ним в столовой, и раз или два к ним присоединялся еще кто-то, но было совершенно очевидно, что Джастин Уэйкфилд желает общения именно с Дафной. Они говорили о ее книгах и его фильмах, о ее замыслах по отдельным персонажам, ее осмыслении сюжета. Много говорили об «Апаче», и Джастин подчеркивал, что ее советы ежедневно помогали ему на съемках, что это именно она внесла нечто новое, открыла в нем то, чего он сам раньше у себя не подозревал.

— Это в самом деле твоя заслуга, Дафф.

Они сидели на площадке и пили из одной банки клубничную газировку, жуткую гадость, как оказалось, но в автомате осталось только это, а оба умирали от жажды. День был жаркий, и они уже много часов находились на площадке.

— Я не справился бы без тебя. Это моя лучшая работа. Спроси Говарда, он подтвердит. Я раньше не мог так работать над ролью, углублять ее день ото дня, как сейчас.

И он посмотрел на нее своими огромными зелеными глазами.

— Серьезно. Ты со мной творишь чудеса, Дафна.

Она не знала, что ему ответить.

— А ты творишь чудеса с моей книгой.

— Только и всего?

Он казался разочарованным, словно ждал, что она скажет больше. Но он не знал Дафну, того, какая она была осторожная, какими высокими стенами она себя огородила. И тут он ее огорошил:

— Расскажи мне что-нибудь о своем малыше.

Словно чувствовал, что, может, она, говоря о сыне, несколько ослабит свою охрану. И он не ошибся. Дафна улыбнулась и подумала об Эндрю, который был так ужасно далеко.

— Он удивительный, смышленый и очень своеобразный. Он примерно вот такого роста, — она вытянула вперед руку, чтобы показать рост сына, и Джастин улыбнулся, — и я возила его в Диснейленд несколько недель назад, когда он был здесь.

— А где он сейчас? С папой?

Ему показалось необычным для такой женщины, как Дафна, оставлять сына без присмотра, и в его голосе прозвучало удивление.

— Нет. Его папа умер до того, как он родился, — теперь об этом уже легче было говорить. — Он в Нью-Гемпшире, в интернате.

Джастин с пониманием кивнул, а потом снова посмотрел Дафне в глаза:

— Ты была одна, когда он родился?

— Да.

При этом внутри у нее что-то заныло — воспоминание, от которого она много лет старалась убежать.

— Тяжело тебе, наверное, было?

— Да, и... — Ей не хотелось говорить ему о том, как она обнаружила глухоту Эндрю, и о тех ужасных одиноких годах. — Это было довольно трудное время.

— А ты тогда писала?

Джастин впервые стал расспрашивать ее о себе. До сих пор всю неделю они говорили об «Апаче» и других ее книгах и его фильмах.

— Нет, писать я начала позже. Только когда отдала Эндрю в интернат.

— Да. Наверное, тяжело заниматься творчеством, когда рядом носятся дети. Ты очень правильно сделала, что отдала его в интернат.

Его слова задели ее за живое. Он, конечно, не мог знать ее чувств к ребенку или что это было такое — отрывать от себя Эндрю. И его комментарий нес печать эгоизма, который она ненавидела.

— Я отдала его в интернат, потому что иначе было нельзя.

— Потому что ты была одна?

— Нет, по другой причине.

Что-то подсказывало ей не делиться с ним причинами. У нее все еще была сильная потребность защищать Эндрю. И она вдруг почувствовала, что Джастин не понял бы. Может, он бы даже и не пытался понять, и она не захотела открываться перед ним.

— У меня не было выбора. — Она вдруг почувствовала себя очень старой и усталой. Что он знает о таком горе? — Джастин, а у тебя нет детей?

— Нет. Я никогда не испытывал необходимости в такого рода продолжении себя. Я думаю, что у большинства людей это эгоистический поступок.

— Дети? — Она была ошарашена.

— Да. Не смотри так возмущенно. Большинство людей хотят себя воспроизводить и продолжать. У меня для этого есть фильмы. Мне не надо делать детей.

«Это извращенный взгляд на проблему, — подумала Дафна, — но для него, может, и подходящий». Она постаралась понять его точку зрения. Все же Джастин не был бесчувственным человеком. Иначе он не смог бы вдохнуть жизнь в «Апача» на минувшей неделе. А если у него были иные взгляды, чем у нее, почему бы их не выслушать. В конце концов это был ее долг.

— А ты когда-нибудь был женат?

Теперь уже Дафна задавала ему вопросы. Каким он был? Как научился толкованию чьих-то чужих чувств, например, ее чувств, изложенных в книге?

Джастин покачал головой:

— Нет, ни разу, по крайней мере официально. Я жил с двумя женщинами. С одной семь лет, с другой пять. В общем-то это было то же самое, что быть женатым. Просто мы не расписывались. В конце концов это не такая уж большая разница. Когда кто-то хочет уйти, он и так уходит, расписаны вы или нет, а я еще и содержал их после того, как они уходили.

Дафна кивнула. В конце концов так она сама жила с Джоном. Но она полагала, что со временем они поженятся. Они могли бы даже иметь детей, хотя Джон их также не особенно хотел. Ему было достаточно только ее и, конечно, Эндрю.

— А сейчас ты с кем-нибудь живешь?

Она чувствовала, что ее допрос несколько грубоват, но они уже так много знали друг о друге. Они даже сжились друг с другом, проводя на площадке всю неделю по пятнадцать часов на протяжении минувшей недели. Это начинало восприниматься как пребывание на необитаемом острове или на корабле, где люди обречены на близкие отношения.

Но Джастин опять покачал головой:

— Сейчас я ни с кем не живу. В прошлом году у меня был роман с одной особой, но она не понимает жестких требований этой профессии, и неизвестно, поймет ли. Она актриса, но это двадцати-двухлетнее дитя из Огайо просто не понимает, где я нахожусь.

— Ну и где же? Или я надоедаю?

Голос Дафны был осторожным, но он улыбнулся. Джастин не возражал против ее вопросов, они ему нравились. Она сама ему нравилась, и он хотел, чтобы она знала, что он собой представляет.

— Ты не надоедаешь, Дафф. К концу съемок мы будем знать друг друга как облупленные.

Он мгновение колебался, думая над ее вопросом.

— Не знаю, как тебе это объяснить, но я просто не хочу больше связывать себя с кем-то, кто не понимает этой работы. Это утомляет, когда все время приходится оправдываться. Она болезненно ревнива, а я не могу отчитываться за каждый день и каждую ночь. Мне нужна свобода. Мне нужно время, чтобы обдумать то, что я делаю, куда иду, что собой представляю — продумать и прочувствовать. Я себя лучше чувствую один, чем с кем-то, кто это подавляет.

С его словами нельзя было не согласиться, и Дафна кивнула, а он засмеялся и покачал головой:

— В народе об этом, кажется, говорят так: «Она меня не понимает». Ты уже такое раньше слышала?

— Ага. — Она отхлебнула из их общей банки с газировкой и засмеялась. — Слышала. Я думаю, что, может быть, поэтому я тоже живу одна. Чертовски трудно было бы кому-то объяснить, почему я работаю по восемнадцать часов в сутки, и в шесть утра еле дополэаю до постели, словно меня били. Это мой хлеб, и вряд ли на него согласился бы еще кто-то. Меня это устраивает. Но нормальному человеку это бы не подошло.

— Скорее всего. — Джастин улыбнулся, ощущая с ней определенное родство. — Разве что тому, у кого такие же привычки. Иногда я читаю всю ночь, до восхода солнца. Великолепное чувство.

— Да. — Дафна тоже улыбнулась. — Я это обожаю. Знаешь, наверное, в жизни есть этап, когда лучше быть одному. Раньше я так не думала, но теперь твердо это знаю. У меня, по-моему, как раз такой случай.

Она отдала ему банку, он ее допил и поставил.

— Я с этим не согласен. Я не хочу всю жизнь быть один, но в то же время не хочу связывать свою жизнь с той, которая мне не подходит. Наверное, сейчас я достиг этапа, когда предпочитаю быть один, чем с неподходящей женщиной. Но я все еще верю, не могу не верить, что где-то есть именно та, которая мне нужна и которая сделает меня счастливым. Я просто ее еще не нашел.

Дафна подняла пустую банку:

— Желаю удачи!

— Ты думаешь, такую найти невозможно?

Он был удивлен. Ее книги убеждали в чем-то противоположном. Казалось, что она верит в любовь и счастливые союзы, хотя хорошо понимает, что такое несчастье и утраты.

— Я не считаю, что это невозможно, Джастин. Я находила дважды.

— Ну? И что?

— Они оба погибли.

— Вот гадство. — Он сочувствовал.

— Да. И я не думаю, что такой шанс возможен еще раз.

— То есть ты сдалась?

Они настроились на честный разговор, и Дафна была откровенна.

— Почти. У меня было все, чего я желала, теперь у меня есть моя работа и мой сын. Этого достаточно.

— В самом деле?

— Для меня да. Сейчас. Так продолжается уже долгое время, и у меня нет желания это менять.

Дафна слегка кривила душой. Были моменты, когда ей очень хотелось, чтобы кто-нибудь ее обнял, но она слишком боялась возможной новой потери.

— Я не верю. — Джастин изучал ее глаза, но не находил в них желаемых ответов.

— Чему не веришь?

— Что ты счастлива.

— Я счастлива. Большую часть времени. Никто не может быть счастлив всегда, даже если он безумно влюблен.

— Нельзя быть всегда счастливой, если ты одинока, Дафф. Это ненормально. Теряется контакт с жизнью.

— А разве я его потеряла? Из моих книг это видно?

— В твоих книгах много печали, грусти, одиночества. Ты проявляешь себя в этом.

Она тихо засмеялась:

— Ты, Джастин, рассуждаешь как мужчина, который не в состоянии поверить, что женщина может выжить в одиночку. Ты говорил мне, что счастлив один, почему же я не могу быть счастлива?

— Для меня это временно. — Он был честен.

— А для меня нет.

— Ты сумасшедшая.

Его раздражала сама эта идея. Дафна была красивой, трепетной, умной женщиной. Какого черта она вздумала быть одна всю оставшуюся жизнь?

— Все это сумасбродство.

Но в то же время это было вызовом. Он не мог перестать думать о том, во что она превратила свою жизнь.

— Не расстраивайся из-за этого. Я совершенно счастлива.

— Меня просто зло берет, как подумаю, что ты губишь свою жизнь. Дафна, ты же, черт подери, красивая, добрая, сердечная и очень умная женщина. К чему же эта изоляция?

— Теперь я жалею, что сказала тебе.

Но видно было, что она не особенно огорчена. Дафна выбрала себе такую жизнь и была относительно счастлива.

В этот момент Говард Стерн опять позвал их всех на площадку на следующие шесть часов работы, а когда они расходились, Джастину надо было встретиться с другом, Дафна же уходила с Барбарой и больше с ним не виделась. Они вернулись домой, Дафна приняла душ и пошла поплавать в бассейне, наслаждаясь ароматным вечерним воздухом.

Барбара пришла сказать ей, что она идет повидаться с Томом.

— Я могу вернуться поздно, а может, останусь у него.

— Счастливо. — Дафна улыбнулась ей из бассейна. — Передай Тому от меня привет.

— Непременно. И не забудь поужинать, у тебя усталый вид.

— Я в самом деле устала. Но я чего-нибудь поем перед сном.

И еще она хотела в этот вечер позвонить Мэтью, пока не стало слишком поздно. Из-за их странного графика работы на съемках и разницы во времени между

Калифорнией и Нью-Гемпширом звонить становилось все труднее и труднее.

— До свидания, Барб!

— Пока! — бросила, уходя, Барбара, а Дафна еще немного поплавала, завернулась в полотенце и пошла на кухню, чтобы достать что-нибудь из холодильника, а потом уже звонить. Она кинула полотенце на табурет и осталась в красном миниатюрном бикини, капая водой на кухонный пол. И в тот момент, когда Дафна сняла трубку, раздался звонок в дверь, и она застыла в недоумении, кто бы это мог быть? Она подумала, что, может, это Барбара за чем-то вернулась и забыла ключи.

Дафна вышла в прихожую и через боковое окно попыталась разглядеть, кто пожаловал. Но гость стоял спиной и слишком близко к двери, чтобы она могла его видеть. Она смогла разглядеть только часть плеча, поэтому подошла к двери и спросила, кто там.

— Это я, Джастин. Можно войти?

Дафна, удивленная, открыла дверь и окинула его взглядом. На нем были белые джинсы «левис», белая рубашка и сандалии, и его золотистый загар казался ночью темнее. Джастина можно было принять за юношу. Он стоял и улыбался.

— Привет. Как ты нашел меня?

— Мне на студии дали твой адрес, это ничего?

— Что случилось?

После работы он ей никогда даже не звонил, поэтому Дафна была немало удивлена. К тому же она была усталой, мокрой и голодной, и это было время ее отдыха, когда ей хотелось немного побыть одной.

— Можно войти?

— Конечно. Выпьешь чего-нибудь? Подожди секундочку, я пойду что-нибудь надену. — Дафна вдруг сообразила, что стоит перед ним в одном красном бикини, и ей стало неудобно.

— Это не обязательно. Ты меня видела вообще без ничего.

Джастин улыбнулся ей по-мальчишески, и она засмеялась.

— То было другое. Там была работа. А тут нет.

— Да, у нас такая работа, на которую идешь голым.

— Зато другим это нравится.

Ему нравилось ее чувство юмора.

— Ты что, намекаешь, что актерская игра — это разновидность проституции?

— Иногда, — она сказала это через плечо, исчезая в спальне, а он подавил в себе сильное желание последовать за ней.

— Наверное, ты права.

Когда Дафна вернулась, на ней был светло-голубой халат под цвет ее глаз, еще она успела расчесать волосы и надеть сандалии. Джастин посмотрел на нее одобрительно и кивнул.

— Ты выглядишь прелестно, Дафф.

— Спасибо. А теперь говори, что тебе нужно. Я едва держусь на ногах. Я собиралась ужинать и ложиться спать.

— Это ужасно, я это подозревал. Я ехал на вечеринку и подумал, что, может быть, ты захочешь составить мне компанию. К Тони Три. Тебе должно понравиться.

Тони Три завоевал за пять последних лет пять наград «Грэмми» и считался одним из лучших певцов в стране. В любое другое время она, вероятно, захотела бы познакомиться с ним, но не в этот вечер.

— Заманчивое предложение, но я, честно, не могу.

— Почему?

— Потому что валюсь с ног. Господи, ты же вкалывал сегодня весь день. Неужели не устал?

— Нет. Я люблю свою работу и поэтому не устаю.

— Я тоже люблю свою работу, но она меня все время нокаутирует. — Она улыбнулась, не желая его обидеть. — Я бы там стоя уснула.

— Это ничего. Они бы просто подумали, что ты окаменела. А статуя бы хорошая получилась.

Она рассмеялась его находчивости и поборола в себе желание взъерошить ему идеально причесанные светлые волосы.

— Не надо настаивать. Я очень устала. Хочешь сандвич перед уходом? Клубничной газировки у меня нет, но пиво, может, найдется.

— Не возражаю. А где Барбара?

— Ушла в гости.

Дафна подала ему пиво из холодильника и принялась готовить сандвич. Джастин взобрался на табурет в кухне и наблюдал за ней. Сквозь халат проступал ее обнаженный силуэт, и ему нравилось то, что он видел. Бикини ему понравилось больше, но и это было неплохо.

— То есть Барбары сейчас нет?

— Да. Можешь этому верить или нет, но она ведь тоже человек.

Эти двое несколько дней назад решили, что друг другу не нравятся: Барбара считала, что под внешним шармом в нем скрывается бессердечный негодяй, а Джастин решил, что секретарша Дафны — закоренелая старая дева.

— Ты прямо как старая школьная учительница, — сказал он наконец Барбаре после того, как однажды она слишком часто встревала в его с Дафной беседы. Она

чувствовала, как податлива Дафна на его чары, хотя та
и отрицала это. Барбара в нем замечала что-то неприятное, чего не видела Дафна.

— У Барбары что, друг есть? — Джастин изобра-
зил удивление, говоря в том же шутливом тоне, в котором последнее время всегда говорил с Дафной.

— Да, замечательный человек. — Дафна уселась на
табурет по другую сторону стойки. Может, и неплохо в
конце концов, что он зашел? Приятно было есть сандвич в
компании, хотя это и означало, что после его ухода будет
уже слишком поздно звонить Мэтью. — Ее друг адвокат.

— Это солидно. По налоговым делам?

— По кинематографу, по-моему.

— Господи Исусе. Он, наверно, ходит в деловом
костюме с золотой цепочкой?

— Перестань, Джастин. Не язви.

— Почему? По-моему, она закомплексованная стерва.
Она мне не нравится.

— Она замечательная женщина, ты ее просто
не знаешь.

— И не хочу знать.

— Это у вас взаимно, тут нет секрета. Мне кажется,
вы оба ведете себя как дети.

— Она меня ненавидит.

Он сказал это жалостливым тоном, и Дафна улыбнулась.

— Она тебя не ненавидит. Она тебя не одобряет и
по-настоящему тебя не знает. Много лет назад у нее
была серьезная душевная травма, из-за которой она стала недоверчивой с мужчинами.

— Можешь повторять это сколько хочешь. — Он
чувствовал, что Дафна в нем сомневается, и это его
раздражало. — Я не могу предложить ей чашку кофе,
чтобы она меня не вывела из себя.

Дафна все знала об этом и уже говорила Барбаре, что не надо обострять отношений. На съемочной площадке вражда была ни к чему.

— Во всяком случае, я рад, что ты одна. Когда я поблизости, она стережет тебя, как ватиканская гвардия.

— Она просто заботлива, вот и все. Мы вместе многое пережили.

— Она ведет себя так, как будто она твоя мать.

Дафна улыбнулась:

— Иногда мать бы мне не помешала.

Она так долго и так много в одиночку несла на своих плечах, и Барбара была единственным человеком, который хоть как-то облегчил ее бремя.

Пока Дафна говорила, Джастин слез с табурета и обошел стойку. Он встал рядом с ней и взял в свои ладони ее лицо.

— Дафна, ты красивая, привлекательная женщина, и я хочу тебя.

Она вздохнула от возмущения и в то же время почувствовала давно забытую истому.

— Джастин, не надо глупостей. — Ее голос был тихим и испуганным.

— Это не глупости. — Он, казалось, обиделся. — Я со страшной силой влюбился в тебя, а ты играешь в эту дурацкую игру, прячась за свои стены. Почему? Почему ты не позволяешь мне тебя любить, Дафф?

Его глаза затуманились, а ее страшно расширились.

— Джастин, пожалуйста... нам надо вместе работать... это было бы ужасной ошибкой...

— Что? Полюбить? Ты этого боишься? Почему? Мы оба сильны, умны, талантливы. Я не могу представить себе лучшего сочетания, я никогда не встречал никого подобного тебе, и ты, думаю, первый раз встретила такого, как я. Почему ты это отвергаешь? Кого волнует то, насколько ты сурова к себе? В конце концов ты однажды проснешься старухой, и все будет кончено, и ты сможешь только сказать себе, что была верна памяти двух погибших мужчин. Почему, Дафна... почему?

И зачем он наклонился к ней и поцеловал ее в губы, своим языком заставив ее разжать их, и проник им внутрь, и, когда он обнял ее, Дафна почувствовала, как у нее учащается дыхание. Но тут она из последних сил отстранила его и встала. Рядом с ним она казалась миниатюрной и смотрела на него с мольбой в глазах.

— Джастин, пожалуйста... не надо...

— Я хочу тебя, Дафф. И я не собираюсь позволять тебе улизнуть. Я не могу поверить, что ты безразлична ко мне. Мы слишком хорошо друг друга понимаем. Мне понятно каждое слово, когда-либо написанное тобой, и по тому, как ты наблюдаешь за моей работой, я вижу, что ты тоже хорошо ее понимаешь.

— Ну и что из того? — Дафна все еще была полурассержена, полуиспугана. Джастин заявился к ней, поцеловал и теперь пытался поставить ее жизнь с ног на голову. Она не хотела этого ему позволить. Это было опасно. Они вместе снимали кино, вот и все. Дафна не хотела покидать своего панциря. — Чего ты от меня хочешь, ей-богу? Отдаться тебе? Роман завести на шесть месяцев? Джастин, в этом городе десять миллионов актерок. Спи с любой. — Ее глаза наполнились слезами, и она отвернулась. — А меня оставь в покое.

— Это то, чего ты желаешь?

Она кивнула, все еще стоя к нему спиной.

— Хорошо, но подумай над тем, что я сказал. Мне не нужно просто поскорее «переспать». Я могу это иметь когда захочу и где захочу. Но я не смогу найти такую женщину, как ты. Такой, как ты, больше нет. Я знаю. Я уже искал.

Тогда она повернулась к нему.

— Ну и продолжай искать. Наверняка найдешь.

— Нет, не найду.

Его глаза омрачились. Джастин наконец нашел то, что хотел, но Дафна не хотела его. Это было несправедливо, и он хотел овладеть ею прямо здесь, на кухне, но принуждать ее он бы не стал. Он знал, что тогда потерял бы ее навсегда. Может, если подождать, шанс бы появился?

— Я тебя прошу, Дафна, подумай над тем, что я тебе сейчас сказал. Мы еще поговорим об этом.

— Нет, мы не будем говорить. — Дафна решительно подошла к входной двери и открыла ее ему: — Спокойно ночи, Джастин. Увидимся завтра на съемках, но я не желаю это обсуждать. Никогда. Ясно?

— Не надо диктовать условия. Тем более мне.

Он сверкнул на нее глазами, но в его взгляде сквозило мальчишеское озорство.

Дафна была непоколебима:

— У меня свои правила. И ты либо изволь уважать их, либо ступай прочь. Потому что я вообще не буду иметь с тобой дела, если ты не будешь уважать моих чувств.

— Все твои чувства неправильные.

— Не тебе об этом судить. Я сделала свой жизненный выбор и живу в соответствии с ним. Я приняла решение давно.

— И ошиблась.

Джастин снова коснулся ее губ своими и ушел, Дафна захлопнула за ним дверь и прислонилась к ней, дрожа всем телом. Самое ужасное во всем этом было то, что она верила во все, что говорила ему, верила на протяжении многих лет, и тем не менее ее тело жаждало Джастина при каждом его поцелуе. Но она не хотела снова страдать, снова любить и снова терять. Она бы не стала это делать, что бы он ей ни говорил. Однако, вернувшись на кухню, она посмотрела туда, где они сидели, и почувствовала, что при воспоминании о его поцелуе все ее тело снова стало дрожать, и со страдальческим стоном Дафна схватила его пустую пивную бутылку и швырнула ее в стену.

Глава 28

— Ну, как было на вчерашней вечеринке?

Дафна старалась казаться невозмутимой, когда они сидели за пустым столиком в столовой. Все уже поели раньше и вернулись в павильон, и Дафна с Джастином внезапно остались одни. Но глаза Джастина, когда он взглянул на нее, были озабоченными.

— Я туда не поехал.

— А-а. Это плохо.

Она попыталась поменять тему:

— По-моему, сцена сегодня удалась?

— По-моему, нет.

Он оттолкнул от себя тарелку и посмотрел на Дафну.

— Я ничего не соображаю. Вчера вечером ты лишила меня рассудка.

Она не сказала ему, что тоже полночи не могла уснуть, борясь со своими чувствами и ожидая, что он позвонит. Ее чувства к нему совершенно перемешались, и больше всего Дафну удручала их сила. Она не хотела испытывать тех чувств, которые испытывала. Она давно решила, что больше никогда не намерена их испытывать.

— Как тебе удается вытворять с нами такое?

Он был похож на мальчика, лишенного рождественского праздника, но Дафна отложила свой сандвич и сердито посмотрела на него.

— Я ничего не вытворяю с «нами» Джастин. Никаких «нас» ведь нет. Не выдумывай чего-то, что в конце концов только осложнит жизнь нам обоим.

— О чем, черт побери, ты говоришь? Что тут сложного? Ты здесь. Я ищу. Так в чем проблема, сударыня? И я тебе скажу, в чем.

Он говорил с Дафной хрипловатым шепотом, и она надеялась, что никто их не подслушивает, кругом ходило много народу, но, к ее радости, никто не обращал на них внимания.

— Твоя проблема в том, что ты чертовски боишься снова дать свободу своим чувствам. У тебя больше нет смелости. Она у тебя, вероятно, когда-то была, это видно по твоим книгам. Но теперь вдруг у тебя не стало отваги, чтобы выйти из-за твоих стен и быть женщиной. И знаешь, что? Раньше или позже это проявится в твоих книгах. Нельзя вести такую жизнь, какую ведешь ты, и оставаться человеком. Это невозможно. Может, ты уже перестала им быть. Может, я полюбил иллюзию... фикцию... мечту...

— Ты же даже меня не знаешь. Как ты можешь меня любить?

— Ты думаешь, я тебя не вижу? Ты думаешь, я не слышу тебя в твоих книгах? Ты думаешь, я не понимаю «Апача»? Ты думаешь, чем я тут занимаюсь изо дня в день? Я оживляю шепоты твоей души. Детка, я знаю тебя. Да, да, знаю. Это ты себя не знаешь. И не хочешь знать. Ты не хочешь напоминать себе, кто ты, какая ты, что ты женщина, замечательная женщина, с реальными потребностями, с сердцем и душой, и даже с телом, которое так же жаждет моего, как мое твоего. Но я по крайней мере честен. Я знаю, чего хочу и кто я, и, слава Богу, не боюсь следовать своему внутреннему голосу.

И, сказав это, он пошел к выходу, хлопнул дверью столовой и направился обратно в павильон. Дафна же, выйдя из столовой вскоре после него, улыбалась про себя. Немногие женщины в стране решились бы отказать Джастину Уэйкфилду. Все было и смешно, и в то же время грустно.

Дафна наблюдала, как Джастин снова и снова мучился над одной и той же сценой всю вторую половину дня и весь вечер допоздна. Говард Стерн на всех кричал; он даже заставил Дафну поменять кое-что в сцене, чтобы посмотреть, что получится. Но дело было не в ее сценарии, а в настроении Джастина. Она видела, что он ужасно несчастен, и, казалось, что он хочет продемонстрировать это всему миру.

Наконец в десять вечера, после семнадцати часов работы, Говард Стерн в сердцах бросил на пол свою шляпу.

— Я не знаю, ребята, что с вами сегодня случилось, но весь день прошел насмарку, коту под хвост. Уэйкфилд, брось хныкать и дуться. Я хочу, чтобы завтра все были здесь в пять утра, а если у вас есть проблемы, лучше «вытрахайте» их за ночь.

Больше он ничего на прощание им не сказал, и Джастин скрылся в своей гримерной, даже не удостоив Дафну взглядом. Однако он прошел совсем рядом с Дафной, чтобы она видела, какое отвратительное у него настроение.

Она молча села с Барбарой в лимузин и с усталым вздохом откинулась на спинку сиденья.

— Хорошенький денек, а? — улыбнулась Барбара по дороге домой, но Дафна не была настроена разговаривать. Она думала о Джастине и о том, поступила ли она правильно.

Следующий день был немного лучше, но только на этот раз они с Джастином вообще не разговаривали. В этот вечер Говард отпустил их в семь тридцать. Он сказал, что они все ему так надоели, что на год бы хватило.

Но на следующий день словно произошло чудо. Когда Джастин появился на площадке, в его глазах горели эмоции, страсть и злость, и он ошеломил всех своей игрой. После четырехчасовых съемок, почти без дублей, Говард подбежал к нему и поцеловал в обе щеки, а вся группа радостно закричала. Как бы то ни было, Джастин ожил, и Дафна, направляясь в столовую обедать, уже не чувствовала себя такой виноватой. Она удивилась, когда Джастин сел за ее столик, и посмотрела на него с застенчивой улыбкой.

— Ты сегодня чудесно работал, Джастин.

Она не спросила, из-за чего переменилось его настроение, но, что бы там ни было, она была рада, что это произошло.

— Пришлось. Я чувствовал, что виноват перед Говардом. Я заставил всех расплачиваться за свои эмоции.

Дафна кивнула, взглянув сперва в свою тарелку, а потом на него.

— Извини, что я тебя расстроила.

— Ты тоже извини. Но иногда я думаю, что ты это заслужила.

Ей хотелось плакать от его слов. Она надеялась, что он сдался.

— Но раз тебе так хочется, Дафф, мне, видимо, придется с этим смириться. Можно мне быть твоим другом?

Он сказал это с такой покорностью и нежностью, что слезы наполнили ее глаза, она взяла его руку и подержала в своей.

— Ты уже мой друг, Джастин. Я знаю, что понять меня нелегко, но в моей жизни произошло так много несчастий. Я ничего не могу с этим по-

делать. Просто принимай меня такой, как есть. Так
будет легче нам обоим.

— Мне это будет нелегко, но я постараюсь.

— Спасибо тебе.

— И все же я не могу приказать своим чувствам исчезнуть.

Дафна все еще чувствовала, что Джастин ее не знает, и ее приводила в отчаяние его привязчивость, но,
может быть, таким он просто был, и если им на самом
деле предстояло быть друзьями, значит, и ей надо было
тоже принять его.

— Я постараюсь это уважать.

— А я буду уважать тебя.

И затем он усмехнулся и шепнул ей:

— Но я все же считаю тебя сумасшедшей.

Дафна засмеялась выражению его лица и не могла
удержаться, чтобы не рассказать ему, что она подумала на днях.

— Ты понимаешь, что я, наверное, единственная в
Америке женщина, которая способна не пустить тебя к
себе в постель?

— Ты хочешь президентскую награду за это? —
пошутил он, и Дафна рассмеялась.

— А ты готов вручить?

— Почему бы нет, черт подери, если ты от этого
будешь счастлива.

И потом они вернулись в павильон, разговаривая о
фильме, а вечером Джастин появился на пороге ее дома
с почетным знаком, который изготовили ребята-бутафо-
ры. Это была бронзовая пластинка, очень красивая, с
тонкой гравировкой. Текст гласил, что президентская
награда вручается госпоже Дафне Филдс за сверхсме-
лость и сверхдоблесть, проявленные при недопущении
Джастина Уэйкфилда в свою постель. Она расхохота-

лась, когда это увидела, поцеловала его в щеку и пригласила выпить.

— Ты хотела награду, вот я и поймал тебя на слове. Она установила награду на стойке в кухне и вручила ему стакан пива.

— Ты ел?

— Я съел гамбургер после работы. Может, поплаваем в твоем бассейне?

Было уже восемь часов, но вечер был чудесный, и Дафна поддалась искушению.

— А я могу быть уверена?

— В чем? Что я не напишу в твой бассейн? — Для его возраста в нем было больше мальчишества, чем взрослости, но это ей в нем нравилось. Порой это ее смешило, а порой сводило с ума.

— Ты знаешь, что я имею в виду, Уэйкфилд. Она строго посмотрела на него.

— Да, знаю, Филдс. — Он ответил ей взглядом и состроил гримасу. А потом рассмеялся. — Да, ты можешь мне верить. Господи, Дафф, какая ты смешная. Ты столько сил тратишь на сдерживание своих чувств. Неужто стоит так беспокоиться?

— Да, — она улыбнулась ему. — Я так считаю.

— Ну, я думаю, никто не скажет, что ты легкая добыча. По крайней мере я не могу этого сказать.

И потом с печальным одиноким выражением лица:

— Или просто причина во мне?

— Ох, Джастин. — Она не хотела, чтобы он так думал. — Конечно, нет, глупыш. Просто я долгое время вела такой образ жизни и была вполне счастлива этим. Я не хочу его менять.

— Благодарю за разъяснение.

— Благодарю за награду.

Она ласково ему улыбнулась и махнула в направлении спальни:

— Пойду надену купальник.

Дафна надела скромный темно-синий бикини, и когда вышла, Джастин был уже в бассейне.

— Вода классная.

Он отплыл дальше, и она только заметила, что на нем были белые плавки. Она осторожно спустилась в воду и встретилась с ним на середине бассейна. Тогда только она поняла, что белые плавки — это был небольшой участок незагорелой кожи на его ягодицах, и, когда они вынырнули, она посмотрела на него неодобрительно.

— Джастин, а твои плавки...

— Я их не люблю надевать. Ты против?

— Разве у меня есть выбор?

— Нет.

Он радостно улыбнулся и снова нырнул, попутно пощекотав Дафну за ноги, а потом вынырнул и, как дельфин, схватил ее в охапку и увлек за собой. Она сопротивлялась, отталкивая его. Он шутя отпрянул назад. Минут десять они развлекались, пока Джастин наконец не сбавил темп.

— У тебя что, всегда столько энергии после работы?

— Только когда я счастлив.

— Знаешь, ты ведешь себя как маленький ребенок.

— Спасибо.

Никто бы не подумал, что ему за тридцать, но Дафне приходилось признать, что в его обществе она тоже чувствовала себя моложе.

— Знаешь, Дафф, бикини тебе очень идет. Но без него ты была бы еще лучше.

— Не приставай.

Дафна проплыла еще несколько раз туда и обратно, а потом медленно поднялась по лестнице и вышла из бассейна. И, заворачиваясь в полотенце, повернулась спиной, видя, что и Джастин выходит из воды.

— Полотенце на стуле.

— Спасибо.

Но когда она обернулась, то увидела, что полотенцем он не воспользовался. Напротив, он стоял перед ней во всей красе своего обнаженного мокрого тела. Над ними была луна и небо, полное звезд. Они долго стояли молча, а потом он сделал шаг вперед и обнял ее. Он целовал Дафну со всей нежностью своей мальчишеской души, обнимал ее, и она чувствовала, что он дрожит, как и она, но не знала, происходит ли это от страсти или от ночной прохлады. И по непонятным для себя причинам она позволяла ему обнимать себя и чувствовала, что ее губы отзываются на его поцелуи. Казалось, что это длилось целую вечность. А потом он отвернулся от нее и плотно завернулся в приготовленное ею полотенце, надеясь успокоить кипевшую в нем страсть.

— Извини, Дафф.

Он сказал это голосом маленького мальчика, стоя спиной к ней. Дафна не знала, что сказать. Был момент, когда она невероятно захотела его; она ласково коснулась рукой его спины.

— Джастин... все хорошо... я...

Тогда он повернул к ней лицо, и их глаза встретились.

— Я хочу тебя, Дафна. Я знаю, что ты не хочешь об этом слышать. Но я люблю тебя.

— Ты сошел с ума. Ты дикий, сумасшедший мальчишка в облике мужчины.

И еще раз она вспомнила предупреждение Говарда... помни, что актеры — это дети. И Джастин был ребенком. Или, может, нет? Он уже им не казался, когда шагнул к Дафне и взял в ладони ее лицо.

— Я люблю тебя. Как ты можешь в это не верить?

— Я не хочу в это верить.

— Почему?

— Потому что, если я в это поверю, — она запнулась, все ее тело трепетало на теплом ветру, — и позволю и себе любить тебя... нам когда-нибудь придется испытать боль, а я этого не хочу.

— Я не причиню тебе боли. Никогда. Клянусь тебе.

Она вздохнула и прильнула головой к его обнаженной груди, а он обнял ее.

— Этого никто не может обещать.

— Я не собираюсь погибать как другие, Дафф. Нельзя же этого бояться всю жизнь.

— Я не этого боюсь. Я просто боюсь потерять любовь... причинить боль и самой испытать боль...

Тогда он отстранил Дафну и взглянул ей в глаза так, чтобы она могла увидеть его, точно так же, как она поступала с Эндрю, когда хотела, чтобы он читал по ее губам.

— Тебе не будет причинена боль, Дафф. Поверь мне.

Дафна хотела спросить его, почему должна этому верить, но она больше не в силах была — слова потеряли свое значение. Даже для нее. Она позволила Джастину целовать себя и обнимать, а потом он унес ее в спальню, они легли в ее постель и предавались любви до самого рассвета. Утром они вместе встали, он приготовил ей кофе и тост, потом они стояли под душем, целовались и смеялись, и Дафна уже больше не помнила, почему она так долго и упорно отстаивала свое одиночество.

А когда в пять утра Барбара вернулась от Тома, чтобы ехать с Дафной на студию, она была потрясена, видя Джастина на кухне, в белых джинсах и босого.

— Хорошо ли провела ночь, Барб?

Их глаза встретились. У Барбары тут же возник инстинкт защитить от него Дафну, но она знала, что теперь уже было поздно.

— Да, очень, спасибо.

Но ее глаза сказали все, что она о нем думает, и он ее понял.

В пять пятнадцать они все втроем уселись в лимузин Дафны и поехали на студию. Джастин играл великолепно, а потом, когда все пошли обедать, они с Дафной закрылись в его гримерной и занимались любовью до двух часов дня, пока все не вернулись на площадку продолжать работу над фильмом.

Глава 29

Работа на съемочной площадке — это все равно что застрять в лифте на все лето — ни от кого нет секретов. Через неделю вся группа знала, что Дафна и Джастин любовники, но один Говард осмелился однажды утром за кофе с пончиками прокомментировать это.

— Не говори, что я тебя не предупреждал. Все они дети. Избалованные дети.

Но Дафна уже была околдована Джастином.

Он слал ей в павильон цветы, пек ей печенье в полночь у нее на кухне, покупал бесчисленные и милые подарки и занимался с ней любовью когда только и где только это было возможно. Ночью они лежали рядом с ее бассейном, и он читал Дафне стихи, которые выучил в детстве, и рассказывал забавные истории о съемках других фильмов, которые ее смешили до слез.

Их же фильм продвигался очень хорошо, с большим опережением графика, к большому удовольствию Говарда, и проблем на площадке было мало. Дафна за последние три недели узнала о киносъемках больше, чем рассчитывала узнать за весь год.

— И когда мы закончим этот фильм, любовь моя, мы снимем еще один, и еще... и еще... Мы непобедимая команда, детка.

И Дафна была склонна согласиться. Единственной проблемой в их романе было то, что она знала, что Барбаре он не нравится, и это вызывало постоянную напряженность между ними. Барбара старалась ничего об этом не говорить, но и по ее молчанию все было ясно. Вечером у Тома она говорила с ним об этом, и он пытался ее успокоить, но бесполезно.

— Она взрослая женщина. И способна отвечать за свои поступки. Ты же сама это говорила. Будь просто в стороне от этого. У нас своя жизнь, пусть у нее будет своя.

— Ее оценка в данном случае никуда не годится. Том, этот парень ее просто использует, я это знаю.

— Нет, ты ошибаешься, это твои подозрения. У тебя нет никаких доказательств.

— Оставь ты свой адвокатский тон.

— А ты оставь свой материнский тон.

Том пытался поцелуями заставить Барбару молчать, но не мог подавить ее опасений. Она боялась, что Джастин использует Дафну. Почему-то она не верила ему, но не могла до конца понять, в чем тут дело. Он только лишь не переселился к Дафне, а так постоянно был с ней: на съемках, дома, на вечеринках, в ресторанах. Для Дафны это была новая жизнь, и казалось, что она ей нравится, но в ее глазах все еще не было полного счастья. Прежние годы оставили свой след. Дафне не хватало общения с Эндрю. Она по-прежнему каждый день ему писала, но в графике съемок не было перерывов, когда Дафна могла бы слетать к нему или он к ней. Ее звонки Мэтью в школу тоже были нечастыми. В последнее время ей совершенно некогда было звонить. Казалось, что каждый раз, когда она говорила Джастину, что идет звонить, он отвлекал ее то поцелуем, то лаской, то какой-то проблемой.

Наконец однажды вечером Мэтью застал ее дома.

— Ваше сердце покорил Голливуд, мисс Филдс, или вы просто слишком заняты, чтобы звонить?

Она почувствовала себя виноватой, и на мгновение ее охватил страх, что с ее сыном что-то случилось.

— Эндрю здоров?

Ее сердце стучало, но Мэтью быстро ее успокоил:

— Все в порядке. Но я должен признать, что соскучился. Как продвигается фильм?

— Отлично, точнее, великолепно.

Мэтью услышал в ее голосе еще что-то, но не был
уверен, что именно. Между ними появилась какая-то
отчужденность, которой раньше не было, и он хотел
узнать ее причину. Может, просто из-за фильма, но это
было мало вероятно. А когда Мэтью позвонил еще раз,
к телефону подошел Джастин.

— Какая школа? — Джастин не сразу понял. Он
читал текст для следующего съемочного дня, а Дафна
была в ванной.

— Го — что?

— Говард. Она знает.

Мэтью уже пожалел, что позвонил ей.

— А-а. — Джастин вспомнил. — Ее сын. Она не
может сейчас подойти. Она в ванной.

Мэтью внутренне съежился. Так вот в чем была
причина ее молчания. В ее жизни был мужчина.
Это его огорчило, но Мэтью надеялся, что это по
крайней мере достойный человек. Она заслужила
кого-то необыкновенного, потому что сама была
необыкновенной.

— Ей что-нибудь передать?

— Пожалуйста, скажите ей, что у ее сына все
в порядке.

— Непременно.

Джастин повесил трубку и посмотрел на часы.
В Нью-Гемпшире было одиннадцать тридцать. Очень
странно, что они звонили в это время. Он зашел в
ванную и сказал Дафне, что кто-то ей звонил из
школы ее ребенка.

— Он просил сказать тебе, что у твоего сына все
благополучно.

И вдруг Джастин на нее странно посмотрел:

— Что-то поздновато он тебе позвонил. Кто это?

— Мэтью Дэйн. Директор.

Дафна виновато посмотрела, как будто сожалела, что Джастин ответил на звонок. Но он рассмеялся и сел на край ванны.

— Неужто у моей маленькой старой девы был роман с руководителем школы ее сына?

Идея его развеселила, Дафна же была раздосадована.

— Нет, Джастин, это неправда. Мы просто друзья.

— Какие такие друзья?

— Друзья-собеседники. Какими могли бы быть мы с тобой, если бы ты хоть что-то соображал. — Ее голос смягчился: — Он прекрасный человек и очень помог Эндрю.

— О Господи, все эти парни из школ-интернатов гомики, Дафф. Ты что, не знала этого? Он скорее всего влюблен в попку твоего малыша.

В глазах Дафны, когда она взглянула на Джастина, внезапно сверкнуло бешенство:

— Ты говоришь мерзости, сам ничего об этом не зная. Это специальная школа, и те, кто там работает, настоящие подвижники.

— Ну, может быть. — Она его не убедила, и Джастин посмотрел на нее вопросительно: — Что ты имеешь в виду под «специальной» школой? У него что, какие-то проблемы? — Он вдруг вспомнил слова Дафны о том, что ей пришлось оставить там Эндрю, что у нее не было выбора. Он содрогнулся от мысли, что ее сын может быть умственно отсталым, а Дафна вглядывалась в его глаза, словно оценивая, насколько она может ему довериться. Наступила длительная пауза, и затем Дафна кивнула:

— Да. Эндрю от рождения глухой. Он находится в школе для глухих в Нью-Гемпшире.

— Господи Исусе. Ты мне никогда об этом не говорила.

— Я обычно об этом не говорю, — произнесла Дафна печально.

— Почему, Дафф?

— Потому что это касается только меня и больше никого, — она взглянула на него почти дерзко.

— Это, должно быть, паршиво, иметь глухого ребенка.

— Нет.

Глядя Джастину в глаза, Дафна видела, что он не понимает, но, если он ее любил, он должен был это знать.

— Он замечательный ребенок, и осваивает все, что нужно знать для жизни в нормальном обществе.

— Это здорово.

Но видно было, что Джастин не хотел знать об этом больше. Он наклонился, чтобы поцеловать ее, и потом вернулся в спальню дальше читать свою роль.

Дафна вышла из ванны, вытерлась и пошла позвонить Мэтью из кабинета. Он ответил и стал извиняться, что позвонил.

— Не говори глупостей, Мэтт. Я бы сама позвонила, но была ужасно занята.

Она не стала говорить о Джастине, да и не знала, что сказать, но была смущена от того, что Мэтт обнаружил его в ее доме. Джастин сказал ей, что сообщил, что она была в ванной; Дафна не считала это подобающим ответом на телефонные звонки к ней. А если бы это звонили журналисты? Но Джастина это, по-видимому, не особенно волновало. Он был гораздо более привычен к их настырности, чем

Дафна, и несколько меньше заботился о своей репутации. Он уже раньше ее запятнал.

— Как Эндрю?

— Хорошо.

Мэтью сообщил Дафне все последние новости, но между ними была какая-то странная неловкость, и разговор ни ему, ни ей не принес прежнего удовлетворения. Дафна пыталась уяснить, говорила ли она с ним так помногу потому, что была одинока, и внезапно почувствовала себя виноватой за то, что использовала его, чтобы заполнить свои пустые вечера здесь, на Западном побережье. А теперь был Джастин, и все было по-другому, но, вешая трубку, она ощутила потерю.

— Ты звонила своему другу? — съязвил Джастин, когда Дафна вернулась в спальню.

— Да. У Эндрю все в порядке.

Ее глаза просили Джастина не развивать дальше эту тему, и он благоразумно не стал этого делать. Вместо этого Джастин мягким движением отодвинул полотенце, которым Дафна себя обернула, и медленно провел рукой снизу вверх по внутренней стороне ее бедра. Потом ласково притянул Дафну к себе, медленно усадил на свою голодную плоть, и они слились в порыве страсти, забыв о ее телефонном разговоре. Но после любовного акта, когда Джастин уснул и тихо сопел рядом, Дафна лежала и думала о Мэтью.

Глава 30

Съемки «Апача» непрестанно продолжались еще два месяца, без всяких видов на передышку, и наконец Говард дал им всем четыре дня отдыха.

— Слава Богу, детка! — Джастин был в восторге. — Давай съездим в Мексику на несколько дней.

Но у Дафны были другие планы.

— Я не могу. Мне надо увидеться с Эндрю. Я не видела его почти три месяца.

— Эндрю? О Господи. Малыш может подождать. Разве нет?

Дафна возмутилась.

— Нет, не может. Я хочу, чтобы он сюда приехал. — В ее голосе звучали и обида и твердость. Ничто не могло встать между ней и Эндрю. Даже Джастин. Она думала, что он все-таки проявит интерес к ее сыну, но этого не произошло. Были вещи, которые его вообще не интересовали, к ним относились и дети. Его не интересовали вообще ничьи дети, даже ее. И все же их роман был бурным, и временами они могли говорить до самого утра, и она была уверена, что он ее любит. Но иногда ей казалось, что он любит только часть ее, некоторых же ее сторон он не знает вообще. И прежде всего Эндрю, который был главной частью в ее жизни. — Джастин, как ты думаешь? Ты хотел бы с ним познакомиться? — Может, если привлечь его к своим планам, он бы и отозвался.

— Может быть. Но, честно говоря, киска, мне нужно отдохнуть, а насколько я знаю, дети не особенно способствуют отдыху.

Судя по всему, он не извинялся, не был в особом восторге. А Дафна не знала, будет ли разумно вызывать к себе Эндрю. Слишком уж дальний путь ради четырех дней. В конце концов она позвонила Мэтту и спросила, что он думает.

— Вообще-то, честно говоря, Дафф, мне кажется, что для Эндрю это будет слишком утомительно. Да и для любого ребенка его возраста.

Дафна думала то же самое. Она просто хотела, чтобы Эндрю познакомился с Джастином, но, видимо, для этого еще не пришло время, и ни он, ни Джастин не были к этому готовы. Вероятно, лучше всего было бы предоставить Джастина самому себе на эти четыре дня. Они прожили бы друг без друга эти четыре дня, зато она сполна нарадовалась бы встречей с сыном. Такая перспектива Дафне вполне подходила, но она все же досадовала на Джастина.

— Ты, наверное, прав, Мэтт. Я прилечу в Нью-Йорк, а оттуда доберусь на машине.

— Это глупо.

Дафна была ошарашена. Она не виделась с сыном почти три месяца. Но Мэтт моментально понял причину ее замешательства и рассмеялся.

— Я имел в виду не полет на Восток вообще, а идею лететь в Нью-Йорк, а потом ехать на машине. Лети в Бостон, и я тебя здесь встречу.

— Мне неудобно. У тебя там и так много забот, чтобы еще раскатывать за мной.

— А ты почти беспрерывно работала на протяжении последних пяти месяцев. Неужели я не могу сделать любезность другу?

Надо было признать, что для Дафны это было бы, конечно, удобнее, но она испытывала неловкость. Мэтью всегда о ней заботился.

— Я серьезно. Для меня это не сложно.

Дафна знала, что это не так, и предложение Мэтта ее тронуло.

— Раз так, я согласна.

Она взглянула на расписание, которое раньше взяла в авиакассе, сказала, каким самолетом прилетит на следующий день, и пошла в спальню собирать вещи. Дафну внезапно взволновало, что она увидит их обоих; ей ужасно не терпелось снова обнять Эндрю. Она вошла в спальню, сияя от радости, и Джастин посмотрел на нее со своей неотразимой мальчишеской усмешкой.

— Ты, наверно, балдеешь от своего малыша, а, Дафф?

— Ну, конечно.

Она села на кровать рядом с ним, нежно коснулась губами его руки и сказала:

— Я хотела бы, чтобы и ты с ним познакомился.

— Да, как-нибудь. — И потом, после паузы: — А он умеет говорить?

Дафна кивнула.

— Да. Хотя и не всегда отчетливо.

В глазах Джастина появилось выражение, которое ее обеспокоило, и она спросила:

— Ты этого боишься? Я имею в виду, общения с глухим ребенком?

— Не боюсь. Просто меня не очень интересуют дети, нормальные или ненормальные, все равно.

— Он не ненормальный. Он глухой.

— Это одно и то же.

Дафне очень захотелось наброситься на него с кулаками, но она сдержалась.

— Я хочу, чтобы он приехал сюда осенью, когда мы закончим фильм. Тогда ты с ним познакомишься.

— Прекрасная идея.

Почему он так сказал? Потому что это будет только через три месяца? Ей не нравилось его отношение к ее ребенку, но в Джастине было так много того, что ей нравилось... И она надеялась, что после знакомства с Эндрю его отношение изменится. Эндрю нельзя было не любить, хоть и глухого.

— А что ты собираешься делать, пока меня не будет?

Всем им надо было отдохнуть, особенно Джастину, и она посмотрела на него с ласковой улыбкой.

— Не знаю. Я хотел съездить с тобой в Мексику, — он коснулся ее бедра. — Тебя никак нельзя переубедить?

Дафна улыбнулась. Джастин в самом деле не понимал, и она покачала головой.

— Нет. И не пытайся.

— Он, наверное, классный малыш?

— Да.

— Ладно, скажи ему, что я балдею от его мамули.

— Скажу.

Но она знала, что еще не будет говорить ему о Джастине. Эндрю бы этого не понял. Да и в глазах Эндрю она принадлежала только ему, всегда принадлежала и будет принадлежать.

— Ты намерен остаться здесь, милый?

— Не знаю. Может, смотаюсь на пару дней в Сан-Франциско повидаться с друзьями.

— Тогда сообщи, где ты, чтобы я могла позвонить.

В течение последних трех месяцев они не расставались ни на день, ни на час, и вдруг мысль, что она будет так далеко от Джастина, опечалила ее.

— Я буду по вам скучать, сэр.

— Я тоже по тебе буду скучать, Дафф.

А потом он обнял ее, и они занимались любовью почти до рассвета. Перед отъездом в аэропорт ей удалось поспать всего несколько часов.

Дафна поехала в аэропорт одна. Барбара была у Тома, и ей не имело смысла ехать, а Джастин сказал, что у него дела. И актеры, и персонал съемочной группы старались использовать каждый драгоценный час этих четырех дней. Она вылетела в десять и рассчитывала быть в Бостоне в семь часов вечера по местному времени.

Самолет сел по расписанию, и Дафна вышла одной из первых, высматривая Мэтью. Сперва она его не заметила, но потом увидела, как он стоял в двадцати футах поодаль и прочесывал своими темными глазами толпу. Их взгляды встретились, и Дафна ощутила, что сердце у нее почему-то слегка сжалось. За шесть коротких месяцев они подружились, преимущественно благодаря телефонным разговорам, но радость от встречи с Мэттом явилась для нее неожиданностью. Его глаза светились теплой улыбкой, он медленно подошел к ней.

— Привет, Дафф. Как летелось?

— Слишком долго.

И, сама не зная почему, она вдруг обняла его.

— Спасибо, что приехал, Мэтт.

На мгновение оба смутились.

— Ты классно выглядишь.

Еще он заметил, что Дафна сильно похудела. Она тяжело работала, и это было видно, но в то же время она выглядела очень счастливой. В ее глазах была улыбка и еще что-то, что его обеспокоило. Дафна как-то изменилась, она стала, пожалуй, еще более женственной, более сексапильной. И мысли Мэтта моментально вернулись к мужскому голосу, ответившему, когда он звонил. Идя за ее багажом, он пытался выбросить это из головы, но не мог.

— А что ты там делала, помимо работы?

Она похорошела, и ему почему-то очень хотелось знать причину этого. Глядя на Мэтта, Дафна улыбалась, понимая, как уединен он в своем Нью-Гемпшире и как всецело погружен в работу. О ней и Джастине было несколько заметок в газетах, но он, вероятно, не видел ни одной. Насколько она знала Мэтью, он не читал светских сплетен.

Дафна снова улыбнулась, когда Мэтт появился с ее сумкой.

— Ты что такой серьезный, Мэтт? — шутливо спросила она. Она не хотела говорить ему о Джастине.

— Я просто рад тебя видеть, Дафф... Даже не знаю, что сказать...

Взгляд Дафны мягко коснулся его лица, и она кивнула.

— Расскажи мне об Эндрю.

В его взгляде она почувствовала вопросы, но не хотела на них отвечать. Ее жизнь в Калифорнии и жизнь здесь, целиком подчиненная сыну, отличалась в корне. Мир Джастина Уэйкфилда, казалось, был за десять тысяч миль отсюда, и до известной степени этот приезд воспринимался как возвращение домой. Она приехала домой одна, и была рада этому.

Когда они сели в машину и направились из аэропорта на север, Мэтью стал рассказывать ей о переменах в школе, двух новых сотрудниках, экскурсиях на природу и палаточном походе, который намечалось провести в июле. Дафна ужасно сожалела, что не сможет в нем участвовать.

Сидя рядом с ним в машине, она вздохнула:

— Знаешь, Мэтт, у меня такое ощущение, что я не была здесь целую вечность.

Он хотел ей сказать, что воспринимает ее отсутствие так же, но посчитал это не совсем уместным.

— Как ты думаешь, сколько еще продлится работа над фильмом?

— Я бы сама хотела знать. Может, еще три месяца, а может, шесть. Пока все шло достаточно гладко. Но все мне говорят, что надо быть готовой к затяжкам. Говарду не нравится, когда они происходят, да и никому не нравится, но ничего не поделаешь, и мне кажется, что раньше или позже какие-то проблемы должны появиться. Во всяком случае, к Рождеству я наверняка вернусь.

Мэтью кивнул, а в его глазах было разочарование.

— Я к тому времени уже буду сидеть на чемоданах. Новый директор из Лондона должен заступить с первого января.

— А ты не думаешь остаться, Мэтт? — спросила она грустно.

— Нет. Говардская школа — это замечательное место, но я хочу вернуться в Нью-Йорк. — Он улыбнулся ей. — Думаю, я не создан для сельской жизни. Иногда мне кажется, что я здесь глупею.

Дафна рассмеялась и посмотрела на лицо Мэтта. Это было такое сильное, красивое лицо, совсем не похожее на классическую красоту Джастина. У Мэтта была своя красота, в нем чувствовалось солидное, добротное качество — черта настоящего мужчины, а не идола.

— Я тебя понимаю. Когда я жила здесь на протяжении года, мне даже не хватало нью-йоркской грязи и шума.

Она подумала о Джоне, и ее взгляд затуманился.

— Ладно, я скажу тебе честно. Мне недостает того, что можно предложить детям в Нью-Йорке. Музеев, балета...

Он понизил голос:

— Моей сумасшедшей сестры.

— Как она?

— Марта? Прекрасно. Близняшкам на прошлой неделе исполнилось пятнадцать, и они обе получили в подарок по стереомагнитоле. Марта говорит, что теперь наконец по-настоящему благодарит судьбу, что глуха. Она только чувствует, как от музыки дрожит мебель, а Джек, ее муж, говорит, что дуреет.

Дафна улыбнулась, сожалея, что с Эндрю у нее никогда не будет таких проблем.

— Я все еще хочу тебя с ней познакомить, когда у тебя будет время.

Они оба молча размышляли, когда такое знакомство могло бы произойти, и обоим в тот момент это показалось нереальным.

Потом он рассказал Дафне, что миссис Куртис иногда навещает школу, на здоровье не жалуется и всегда спрашивает о Дафне.

— Я хотела бы с ней в этот раз повидаться, но у меня только четыре дня времени.

Мэтт почувствовал, что его сердце снова упало.

За разговором дорога показалась не такой длинной, и в начале девятого они приехали в школу. Дафна знала, что Эндрю уже спит, но ей хотелось увидеть его, просто чтобы взглянуть на его лицо, поцеловать в щеку, потрогать волосы. Она бросилась внутрь и вбежала по лестнице. Эндрю посапывал в своей кровати, и Дафна долго стояла в его комнате и глядела на него. Только спустя некоторое время она заметила, что в дверях стоит Мэтт. Она улыбнулась и наклонилась, чтобы поцеловать Эндрю в щеку. Эндрю пошевелился, но не проснулся. Дафна стала спускаться на первый этаж, а Мэтт шел сзади.

— Он замечательно выглядит. Мне кажется, он вырос.

— Так оно и есть. И ты должна посмотреть, как он катается на велосипеде, который ты ему прислала.

Она улыбнулась и взглянула на Мэтта.

— Я чувствую, что так много упускаю.

— Это же ненадолго, Дафф...

Их глаза встретились. Вдруг Джастин Уэйкфилд перестал быть реальностью. Он казался частью далекой мечты. Реальным был Мэтью, стоявший перед ней.

Он пристально на нее посмотрел и, несмотря на все обещания, которые он себе давал, спросил:

— Дафна, у тебя там кто-то есть, не так ли?

Пока она думала, как ответить, он чувствовал, как бьется у него сердце. Дафна медленно кивнула.

— Да. Есть.

Ребенок в душе Мэтта хотел расплакаться, но его глаза ничего не выдали, кроме беспокойства за нее.

— Я рад за тебя. Тебе это было нужно.

— Да, наверное.

Но ей хотелось сказать ему о своих опасениях насчет Джастина и Эндрю. Что, если Джастин не сможет принять глухого ребенка? Однако Дафна побоялась спрашивать. Ей это показалось неуместным. Затем она снова посмотрела в глаза Мэтью:

— Это ни на чем здесь не отразится, Мэтт.

Он размышлял, что бы это значило, но только кивнул и открыл дверь в маленькую гостиную, которую унаследовал от миссис Куртис.

— У тебя есть время выпить чашку кофе, или ты хочешь, чтобы я сейчас отвез тебя в гостиницу?

— Нет. Мне не хочется спать. — Она с улыбкой взглянула на часы. — Для меня еще только семь.

В Нью-Гемпшире было, правда, уже десять вечера, школа погрузилась в тишину и сон.

— Я с удовольствием выпью с тобой кофе. Это здорово, что можно с тобой поговорить не по телефону.

Мэтью улыбнулся Дафне, наливая кофе из постоянно кипевшей кофеварки и задаваясь вопросом, насколько серьезен ее калифорнийский роман и хороший ли ей попался человек. Во всяком случае, он на это очень надеялся. Он подал Дафне чашку кофе, и они сели. Мэтью продолжал искать в ее лице ответы на свои невысказанные вопросы.

Дафна рассказала ему о съемках, об уже отснятых сценах и фрагментах, которые еще предстояло снять.

— Я думаю, в следующем месяце мы поедем в Вайоминг.

Для натурных съемок они выбрали Джексон-Хоул, место, которое Мэтью всегда мечтал увидеть.

— Я тебе завидую, — произнес он с легкой улыбкой, протянув к огню свои длинные ноги. — Я слышал, что это очень красивое место.

— Да, мне тоже говорили. — Но во время этого разговора она думала не о фильме и даже не о Джастине. Дафна подумала, что это, наверное, результат пребывания здесь, рядом с Эндрю. Она чувствовала большое облегчение от мысли, что находится не за три тысячи миль, а прямо тут, под его спальней. А может, причина была вовсе не в Эндрю. Было странно и непонятно, как Мэтью занял место Джастина в ее помыслах, но от общения с этим человеком к ней приходило чувство безопасности, благополучия, спокойствия и еще какая-то убаюкивающая теплота. Когда они так сидели у камина, Дафна забывала о напряжении, об усталости, она просто чувствовала себя спокойной и счастливой.

— А как насчет тебя, Мэтт? Ты куда-нибудь вырвешься отсюда этим летом?

— Может, с Мартой, Джеком и девочками съезжу на пару дней на озеро Джордж. Но я сомневаюсь, что смогу отсюда вырваться. — Он грустно улыбнулся ей, поправляя прядь черных волос. — Я даже не уверен, что мне этого хочется. Я всегда беспокоюсь, когда оставляю детей. Миссис Куртис говорит, что подменила бы меня на несколько дней, если я захочу уехать, но я не хочу ее обременять.

— Но это же необходимо. Тебе тоже надо отдохнуть.

Только теперь Дафна заметила, что глаза Мэтта были более усталыми, чем когда она уезжала, и появились свежие морщины, которых раньше не было. Он выглядел молодо, но в то же время производил впечатление ответственного и зрелого человека. Именно это ей в нем нравилось. Он не обладал безукоризненной, совершенной красотой Джастина, но иногда постоянное созерцание того утонченного лица становилось утомительным. Потрясало, как Джастину удавалось изо дня в день все время быть таким великолепным. Его внешность была словно пейзаж без дождя или снега, с непрерывно сияющим солнцем.

— Трудно поверить, что ты здесь уже шесть месяцев, Мэтт.

Но еще труднее было поверить во все то, что произошло в ее жизни за этот срок.

Мэтью ласково улыбнулся:

— Иногда мне кажется, что прошло целых шесть лет.

Дафна тоже засмеялась:

— У меня такое же чувство после четырнадцати часов съемок.

— Как дела у Барбары?

Они не были знакомы, но благодаря рассказам Дафны ему казалось, что знакомство состоялось. И Дафна рассказала ему о романе Барбары с Томом.

— Она намерена выйти замуж и остаться там? Для тебя это было бы плохо.

Он знал, как сильно Дафна зависела от Барбары в течение многих лет.

— Я еще не знаю, насколько это серьезно.

Но такую вероятность она тоже учитывала.

И вдруг Мэтью спросил:

— А как ты?

Дафна не сразу поняла вопрос, а потом поняла, но не знала, что ответить. Она задумчиво посмотрела на него:

— Не знаю, Мэтт.

Сердце у него затрепетало, когда она это произнесла.

— Я... это сложно объяснить. — Дафна не была до конца уверена в своих чувствах к Джастину. Конечно, она его любила, но все еще довольно плохо его знала. Даже при том, что они не расставались ни на час, она чувствовала, что он не раскрыл перед ней все свои двери, и, кроме того, существовал вопрос об его отношении к Эндрю. Дафна решилась рассказать Мэтту, надеясь, что он поможет разобраться в этой проблеме.

— Я не уверена в нем, Мэтт. Он не особенно стремится к знакомству с Эндрю.

— Дай ему время. Он знает, что Эндрю глухой?

Дафна кивнула, все еще с задумчивым видом.

— Как он к этому относится?

— Плохо, но я думаю, что глухота Эндрю его пугает, и в итоге он просто делает вид, что Эндрю не существует, он забывает, как его зовут, где он живет... — Она замолчала, и Мэтью покачал головой.

— Так не годится, Дафф. Эндрю слишком важен для тебя, чтобы мужчина твоей жизни мог не проявлять о нем заботы.

Он хотел быть с ней честным и дать ей самый лучший совет.

— Ты из-за этого решила, чтобы на сей раз Эндрю не прилетал, и прилетела сама?

— Отчасти, еще я подумала, что для Эндрю это слишком дальнее путешествие ради трех или четырех дней. — Мэтт то же самое говорил ей по телефону. — Но, конечно, это и из-за Джастина.

Мэтью опешил. Не может быть. Но, конечно, все так и есть. Он почувствовал, что сердце у него упало, и переспросил ее:

— Джастин?

Дафна покраснела, неловко было признаться, что у нее роман с актером, исполняющим главную роль в ее фильме. Это звучало так по-голливудски, так банально и вместе с тем так нереально. Но тут все было иначе, она это знала. Просто так случилось, что они встретились именно там и смогли ближе познакомиться благодаря фильму, а роман уже развился как результат...

— Джастин Уэйкфилд.

Ее голос был тихим, а в глазах отражалось пламя камина.

— Понятно. Так вот в чем дело, Дафф.

Мэтью протяжно, медленно, глубоко вздохнул. Ему это даже не приходило в голову. Он полагал, что речь идет о каком-то простом смертном, а не о кумире всех женщин.

— Какой он?

Дафна посмотрела на огонь и представила себе лицо Джастина, словно он был с ними в комнате.

— Красивый, конечно. Очень красивый, умный, веселый и иногда очень добрый.

Она снова посмотрела на Мэтью, надо было говорить ему правду.

— Еще он ужасно самолюбив, часто бывает эгоистичен и не думает о тех, кто его окружает. Ему сорок два года, но иногда он ведет себя как пятнадцатилетний. Не знаю, Мэтт, он прелестный человек, и временами я себя чувствую с ним очень счастливой... а порой это напоминает разговор с кем-то, кто тебя не слышит. Например, когда я заговариваю с ним об Эндрю, он просто отсутствует.

Дафна время от времени искала утешения в разговорах о сыне. Это было то, о чем она часто думала, это была часть ее жизни, к которой Джастин просто не проявлял интереса.

— Он очень интересуется моей работой, которая для меня важна, беспокоится за нее, но в других случаях, — она покачала головой, — он просто отсутствует. Иногда я задаю себе вопрос, может ли из этого быть толк. — Она тихо вздохнула. — И должна признаться, порой у меня такой уверенности нет. Интересно, что он и Барбара на дух не переносят друг друга. Она в нем видит черты, которых я просто не вижу: холодность, пустоту, расчет, но, по-моему, она его не понимает. Она его не знает так хорошо, как я. Он не расчетлив, просто временами он бездумен. Но человека за это нельзя ненавидеть.

— Нет, но жить с таким может быть очень тяжело.

— Да, это верно.

Дафна была с этим согласна. Потом она мечтательно улыбнулась, глядя в огонь:

— Но иногда я с ним счастлива. Он избавляет меня от всех этих ужасных воспоминаний, от боли и одиночества, с которыми я так долго жила.

— Ну тогда, может, игра стоит свеч?

— На данный момент, мне кажется, да.

Он кивнул и снова вздохнул:

— Я так и подумал, что у тебя кто-то есть, когда он снял трубку.

Это случилось всего раз, но у Мэтью было предчувствие, да и она не была женщиной, которая искала бы приключения на одну ночь. Раз он взял трубку, значит, он там жил, и она не боялась, что об этом все узнают.

— Я просто не думал, что это он.

— Джастин?

Мэтью кивнул, и Дафна улыбнулась:

— К счастью, журналисты не стали тратить на нас много времени, поскольку это рядовой случай, не более. Но мы никуда и не ходим, потому что много работаем, однако когда-нибудь они заметят, что мы живем вместе, и это будет во всех газетах.

Видно было, что такая перспектива ее не радовала.

— И что ты думаешь об этом?

— Я не особенно рада, и мои читатели будут шокированы, но я думаю, что мне раньше или позже придется это испытать.

Они оба подумали о «Шоу Конроя», в котором Дафна принимала участие несколько месяцев назад, и их взгляды встретились.

— Мне вообще-то не хочется об этом говорить, пока
я не уверена.

Не уверена в чем? Мэтью боялся ответа на этот
вопрос. Может, она выйдет за Джастина и решит
остаться в Калифорнии. Но он был обязан сказать
ей, что об этом думает — ради Эндрю в конце
концов, такова была его роль в ее жизни, несмотря на дружбу, которая установилась между ними
за прошедшие шесть месяцев.

— Если ты решишь там остаться, в Лос-Анджелесе
есть для Эндрю замечательная школа.

Мэтью стал рассказывать ей об этом, и она слушала,
но скоро ее стало клонить в сон. Она встала.

— Об этом пока речь не идет, но если зайдет, ты
мне расскажешь о школе.

Он подумал, что все-таки огорчил ее. Дафна не была
готова думать о замужестве с Джастином, да и он тоже
не обмолвился об этом, но раньше или позже вопрос бы
встал. В конце концов ей бы пришлось решить, возвращаться ли в Нью-Йорк или остаться в Лос-Анджелесе.

— Сейчас мне надо закончить фильм. Потом я буду
думать о своей личной жизни.

— Поступай так, как будет лучше для тебя, Дафф.
И для Эндрю.

У Мэтью был грустный и очень добрый голос,
и Дафна вдруг задумалась. Раз или два она звонила и не застала его. Она гадала, не появилась ли в
его жизни женщина, но спрашивать об этом ей показалось неуместным. Мэтью отвез ее на машине в
гостиницу, где ей были оставлены ключи с привет-
ственной запиской.

— Я рад, что ты прилетела повидаться с Эндрю, —
сказал он на прощание с задумчивой улыбкой в глазах.

— Я тоже, Мэтт.

Они пожелали друг другу спокойной ночи и расстались, и, поднимаясь по лестнице в свою комнату, Дафна думала об их разговоре и задавалась вопросом, почему вдруг ее мысли о Джастине стали такими безрадостными. Почему бы ему не стать похожим на Мэтта? Почему бы не говорить с ней об Эндрю? Но, может, со временем он изменится. В конце концов для Мэтта это была работа — заботиться о таких детях, как Эндрю. Но Дафна, конечно, знала, что для него это было больше, чем только работа. Гораздо, гораздо больше.

Глава 31

Время свидания с Эндрю пролетело слишком быстро, он был вне себя от восторга, что она приехала, демонстрировал ей, как катается на велосипеде, показывал свой огород, познакомил со своими новыми друзьями и хвастался перед ними ее фильмом. Стояли чудесные июньские дни, и Дафна чувствовала, что жила только потому, что была рядом с сыном. Это было так, словно за прошедшие три месяца то, что раньше наполняло ее душу, куда-то исчезло, и она этого не заметила. В Калифорнии она была так увлечена Джастином и работой над фильмом. Но теперь она еще раз убедилась, как необходим был ей сын и как важна она была для него. Эндрю снова и снова спрашивал ее, когда сможет приехать в Калифорнию, когда она вернется домой, когда они смогут быть вместе.

Он только что пошел умыться перед сном, а Дафна наблюдала закат солнца со старомодного, удобного кресла-качалки. Мэтью подошел к ней.

— Может побыть с тобой, Дафф?

Она выглядела такой спокойной и задумчивой, что ему не хотелось мешать ее размышлениям. Но, увидев ее, Мэтью не смог удержаться чтобы не подойти.

— Конечно, Мэтт, — она с улыбкой указала на место рядом с собой. — Эндрю только что ушел мыться.

— Я знаю. Я встретил его на лестнице, и он мне сказал, что ты здесь.

Они обменялись улыбками. Солнце, объятое пламенем, садилось за гору.

— Для Эндрю очень хорошо было тебя повидать. Он в тебе опять очень нуждается. Он начинает уделять все больше внимания внешнему миру, а ты для него — важная часть этого мира.

— Мне пребывание здесь тоже пошло на пользу.

Теперь она это сознавала. Из ее глаз исчезло беспокойство, а лицо было спокойным и счастливым. В кресле-качалке Дафна выглядела как девочка — в джинсах и старой спортивной блузе; ее длинные светлые волосы веером спадали на спину и были схвачены на голове светло-голубой лентой под цвет глаз. Но все же Мэтью разглядел в ее глазах и беспокойство, беспокойство за Эндрю.

— Мне кажется, что я должна быть здесь, с ним, Мэтт.

— Сейчас ты не можешь. Он это понимает.

— Разве? Я не уверена, что сама все понимаю.

Она замолчала, Мэтт наблюдал за ней.

— Ты сегодня выглядишь совсем по-детски, — ласково сказал он. — Никому и в голову бы не пришло, что ты популярная писательница.

Или возлюбленная киногероя — объекта воздыханий всех женщин.

Она радостно посмотрела на Мэтью.

— Здесь я могу быть только сама собой. И мамой Эндрю.

Это была важная грань ее жизни, и они оба это знали.

— Я постараюсь скоро снова прилететь.

— Когда?

— Либо непосредственно до, или сразу после Вайоминга, смотря что скажет Говард.

— Надеюсь, что это будет до.

И тут ему пришлось быть с ней откровенным, каким он, впрочем, почти всегда и был:

— Не столько из-за Эндрю, сколько из-за себя самого.

Дафна посмотрела ему в глаза и почувствовала, как глубоко в ней что-то шевельнулось. Она никогда не была вполне уверена в своих чувствах к Мэтту да по-настоящему и не думала над этим. Так было очень удобно. Но странно было, как важен он стал для нее, как необходимо ей было знать, что он здесь, что она может с ним поговорить, если нужно. Она теперь не могла представить себе жизни без него, особенно имея в виду Эндрю. Но и себя тоже.

— Ты для меня много значишь, Дафна. — Его голос был хрипловат. Дафна кивнула, глядя в его добрые карие глаза.

— Ты для меня тоже много значишь.

— Это довольно нелепо, не так ли? Мы на самом деле были друг с другом очень мало. Несколько разговоров у камина здесь, и в школе, и много часов по телефону... — Его голос стих.

— Может, этого достаточно... Мне кажется, что я тебя знаю лучше, чем кто-либо.

Это и было удивительно. Она в самом деле знала его. И он сознавал, что так же знает и ее, такой, какой она была на самом деле, с ее опасениями и страхами, а также с ее победами и силой характера. Она открылась перед ним больше, чем перед кем-либо другим, даже Джастином. Джастин видел ее веселую, броскую сторону, надежную, сильную часть ее бытия, но он не знал того, что было известно Мэтью, и она не была уверена, стоит ли его в это посвящать. Но она знала, что Мэтью она может доверить все свои секреты и всю свою душу. И тем не менее она жила именно с Джастином, именно с Джастином делила гигантское ложе в Бель-Эр.

— Может, когда-нибудь, Дафф. — Мэтью хотел что-то сказать, и Дафна посмотрела на него с крайним удивлением, почти с испугом. Тогда он передумал, решил, что еще не пора. — Мы сможем больше времени проводить вместе. — Это звучало нейтрально, хотя в тот момент все имело свой смысл. Они оба ступили на зыбкую почву, и Дафна это почувствовала. Она смотрела на него, а он наклонился и поцеловал ее в щеку. — Думай о себе в Калифорнии, Дафна. Будь счастлива. Надеюсь, что у тебя с твоим другом все будет хорошо. А если я тебе понадоблюсь, я всегда здесь.

— Ты себе не представляешь, как это меня успокаивает, Мэтт. — Она говорила это вполне серьезно. — Я всегда знаю, что если ты мне понадобишься, я могу позвонить. — И затем она улыбнулась: — И если я тебе буду нужна, ты тоже звони.

— А что твой друг об этом думает? — Его глаза были лишь слегка обеспокоены.

— Он один раз съехидничал по этому поводу. — Дафна рассмеялась, теперь это казалось нелепым. — Он обвинил нас в том, что мы любовники, но это его вроде бы не слишком огорчило. Он вел, как бы это сказать... — Дафна подыскивала подходящие слова, ей не хотелось быть злой к Джастину, — свободный образ жизни, пока не познакомился со мной. Я думаю, что прошлое его не особенно беспокоит.

Мэтью почувствовал нечто похожее на досаду.

— Так что звони мне, Мэтт, без стеснения.

— Ладно.

Он улыбнулся, чувствуя что его сердце разрывается. Потом они зашли внутрь, и Дафна поднялась наверх, к Эндрю. И когда она через час снова спустилась, Мэтью увидел у нее на глазах слезы.

— Знаешь, как тяжело снова расставаться. — Она храбро улыбнулась ему, а он положил ей руку на плечи. — Я скоро опять приеду.

— Мы на это надеемся. И знай, что с Эндрю все будет в порядке.

Она кивнула, а чуть позже он отвез ее в гостиницу переодеться и собрать вещи. Она настаивала, что возьмет такси до Бостона, но Мэтью и слышать об этом не хотел. Он отвез ее в аэропорт, где они долго стояли, глядя друг другу в глаза.

— Мэтт, позаботься о моем малыше, пока меня нет.

Дафна прошептала это, стараясь не расплакаться, и тогда он отбросил предосторожности и привлек ее к себе, и долго не выпускал из объятий, как бы стараясь поделиться с ней силой и дружескими чувствами. Она ничего не сказала Мэтту на прощание и, только когда поднялась по трапу, обернулась и жестами сказала ему: «Я тебя люблю». Мэтью широко улыбнулся и ответил ей жестами то же, а потом она зашла в самолет и полетела обратно в Лос-Анджелес, к Джастину. И, возвращаясь к машине, Мэтью сказал себе, что определенно сошел с ума. Ее жизнь слишком отличалась от его жизни, и так будет всегда. Он был просто учителем глухих детей, а она Дафной Филдс. Он подумал о Джастине Уэйкфилде, ненавидя его за то, каким он был, и за то, каким не был, а потом со вздохом сел в машину и поехал обратно, и всю дорогу думал о Дафне.

Глава 32

Самолет совершил посадку в Лос-Анджелесе в час тридцать ночи местного времени, и Дафна, вздрогнув, проснулась. Для нее было уже четыре тридцать. На душе у нее было одиноко, ей снились Мэтт и Эндрю, будто она с ними играла в саду Говардской школы. Теперь же Дафна осознала, как опять далеко она от них. На мгновение она почувствовала ту же невыносимую тоску, памятную по первому расставанию с Эндрю в Говарде. Но затем Дафна заставила свои мысли перенестись на Джастина. Необходимо было вернуться к действительности и подумать о будущем, просто иначе нельзя было. Но воспоминания об Эндрю и Мэтью, казалось, не хотели ее покидать. Они были все еще слишком свежими в голове Дафны, и она не была готова с ними расстаться. Дафна в самом деле возвращалась в Лос-Анджелес без всякого желания. И все же она напомнила себе, что вернулась к Джастину и всем переживаниям, которые она ощущала в его объятиях. Как ни странно, Дафне казалось, что она отсутствовала не три дня, а три месяца. Две ее жизни были настолько диаметрально противоположны, что трудно было себе представить возможность в течение недели вести обе. И вдруг она подумала о Джастине как о чужом.

Она не заказывала лимузин к самолету и сказала Барбаре, чтобы та не беспокоилась, что она доберется домой сама. Она в течение трех дней не могла связаться с Джастином, потому что не знала, у кого он гостил в Сан-Франциско. Но пока Дафна ехала на такси домой, она подумала, что через несколько часов они все снова соберутся вместе. Было два часа ночи, а на студии надо было появиться в пять тридцать. Входя в дверь, она решила, что не имеет смысла даже пытаться уснуть на два часа. Придется довольствоваться тем, что удалось подремать в самолете.

Дом был темным, за исключением дежурного освещения, которое автоматически включалось каждую ночь, чтобы дом казался жилым, даже если в нем никого не было, и Дафна вошла внутрь, думая, как странно все это выглядит. Казалось, что это чей-то чужой дом, не ее, и она опять осознала, как успела отвыкнуть от этого. Она вошла в гостиную и села, глядя на бассейн, поблескивавший в темноте, и прикидывала, когда придет Джастин. А потом она медленно вышла наружу, собираясь поплавать. На краю бассейна она увидела хорошего фасона бело-голубой верх от бикини, два пустых стакана и бутылку от шампанского. Она задавала себе вопрос, кто мог оставить их там, пользовались ли бассейном в ее отсутствие Барбара и Том, но у Тома был свой бассейн, а подняв лифчик, она увидела, что он был бы явно велик Барбаре. Она подержала его в руке, а тем временем сердце у нее стало гулко колотиться. Но Дафна покачала головой. Этого не могло быть. Он не стал бы это делать прямо здесь. Она положила лифчик на стул, стараясь ни о чем не думать, а стаканы и бутылку понесла в кухню и там нашла белую кружевную блузку, брошенную на спинку одного из кухонных стульев. Она иронически улыбнулась про себя, вспомнив сказку о трех медведях: «Кто купался в моем бассейне?.. Кто спал в моей постели?..» Дафна задумчиво вошла в спальню и нашла его там, это золотое божество, развалившееся на их кровати, обнаженное и прекрасное. Ему нельзя было дать и половины его возраста, и она опять с восхищением смотрела на него, а он даже не пошевелился. Может, накануне у него была вечеринка, и он слишком устал, чтобы убирать ее последствия. Дафна внезапно почувствовала себя виноватой за то, что подумала о нем, и задала себе вопрос, не явились ли ее смешанные чувства к Мэтью причиной плохих мыслей о Джастине. Но это было не так. Она любила Джастина, золотого бога. Снимая со вздохом дорожную одежду, она ощутила непреодолимое влечение к нему. Она прилегла на кровать рядом с ним, но не могла уснуть и не хотела его будить. Наконец в четыре она встала и поставила кофе, а еще через полчаса приехала Барбара.

— Добро пожаловать, — она обняла Дафну с сердечной улыбкой. — Как наш малыш?

— Совершенно великолепно. Видела бы ты, как он ездит на велосипеде, опять вырос и шлет тебе привет.

Дафна на мгновение погрустнела, садясь на стул, на котором все еще висела кружевная блузка.

— Так тяжело было с ним расставаться, Барб. Если бы мы не работали так напряженно, он мог бы прилететь сюда погостить. И в то же время я знаю, что, если буду работать как проклятая, я смогу скорее вернуться в Нью-Йорк. Это какой-то заколдованный круг, правда?

Барбара кивнула, она понимала чувства Дафны.

— Может, до или после Вайоминга, Дафф?

— Я то же самое сказала Мэтту.

— Как он?

Барбара всматривалась ей в глаза, но ничего нового там не было: доброта, привязанность, интерес, но ничего более. Она все еще была влюблена в своего античного бога, к большому сожалению Барбары.

— У него все хорошо. Как всегда.

Она больше ничего не сказала, и Барбара налила им обеим кофе, а когда Дафна поднялась, она взглянула на стул.

— Это твоя? — Глаза Барбары вдруг стали зловещими.

— Нет, видно, к Джастину приходили друзья поплавать. — Они молчали, и на кухне воцарилась тишина.

— Вы с Томом заглядывали сюда?

Барбара покачала головой:

— Я заходила каждый день за почтой. Вчера пришли два чека от Айрис, а остальное были счета и всякая ерунда.

— Новый контракт еще не прислали? — Дафна взялась писать для «Харбора» новую книгу.

— Нет. Они сказали, что пришлют не раньше следующей недели.

— Торопиться некуда, я все равно не могу за это приняться, пока мы не закончим фильм.

Барбара снова кивнула и в сотый раз сдержалась. Том велел ей держать язык за зубами, когда Дафна вернется, но всякий раз, когда Барбара думала о Джастине, в ней все переворачивалось, и она сказала Тому, что ничем не обязана этому сукиному сыну.

— А почему ты спросила, бывали ли мы здесь?

Барбара отвела глаза и снова наполнила Дафне чашку.

— Просто из любопытства. Кто-то пользовался бассейном. Я нашла бокалы и пустую бутылку от шампанского.

Она не сказала о лифчике.

— Может, тебе следует спросить об этом Джастина?

Голос Барбары был мягок сверх обыкновенного, и Дафна взглянула на нее. Она была слишком усталой, чтобы отгадывать загадки.

— Скажи, мне следует о чем-то знать?

Ее сердце снова стало гулко биться. Речь шла явно не о Принцессе Златовласке.

Но Барбара вообще ничего не говорила и не сводила глаз с подруги.

— Я не знаю.

— Он был здесь? Я думала, что он уехал.

— Мне кажется, что он оставался.

Но она говорила слишком неопределенно. Уж Барбара-то наверняка знала бы, оставался ли он в Лос-Анджелесе, тем более что она каждый день забирала почту.

— Барб...

Она жестом остановила ее, снова борясь с напором искавшей выход ярости.

— Не спрашивай меня, Дафф.

А потом процедила сквозь зубы:

— Спроси его.

— Но о чем именно я должна спросить?

Барбара больше не могла это выносить. Она подняла блузку.

— Об этом... и про лифчик у бассейна... — значит, Барбара его тоже видела, — и про трусы в прихожей...

Она собиралась продолжать, но Дафна поднялась, чувствуя дрожь в коленях.

— Хватит!

— Разве? Дафна, ну сколько ты собираешься мириться со всеми его гадостями? Я не хотела тебе ничего говорить. Том сказал, что это не мое дело, но я не согласна, — ее глаза наполнились слезами, — потому что я тебя люблю, черт возьми. Ты моя лучшая в жизни подруга.

Она на мгновение отвернулась от Дафны, а когда опять на нее посмотрела, ее глаза были мрачными:

— Дафна, с ним здесь была женщина.

В кухне воцарилась тишина, которая казалась бесконечной, Дафна слушала, как гулко бьется ее сердце, как тикают часы, а потом ее взгляд встретился со взглядом Барбары, в нем было выражение, которого Барбара никогда раньше не видела.

— Я займусь этим, но я хочу, чтобы ясно было одно. Ты хорошо сделала, что сказала мне, Барб. И я понимаю твои чувства. Но это вопрос наших с Джастином отношений. Я разберусь с этим сама. И что бы ни случилось, я не хочу больше это с тобой обсуждать. Ты поняла?

— Да. Извини, Дафф...

Слезы скатились у Барбары по щекам, и Дафна подошла к ней и обняла.

— Ничего, Барб. Почему бы тебе не поехать на студию на своей машине?

Было почти пять часов, а Том разрешил ей пользоваться одной из своих машин.

— Я скоро тоже туда приеду. И если я опоздаю, скажи им, что я только что прилетела с Восточного побережья.

— Мне за тебя не беспокоиться? — Барбара вытерла глаза, напуганная внезапным спокойствием Дафны.

— Не беспокойся.

Она многозначительно посмотрела на Барбару, а затем вышла из кухни и, войдя в спальню, закрыла за собой дверь. Она подошла к Джастину и дрожащей рукой тронула его за плечо. Он шевельнулся, приоткрыл глаза, посмотрел на часы и наконец понял, где находится.

— Привет, киса. Ты приехала?

— Да.

Дафна посмотрела на него, и в ее голосе и лице не было ничего дружелюбного. Она села на стул напротив кровати, потому что больше не могла стоять, и пристально посмотрела на него.

— Что здесь происходило, пока меня не было?

Она задала вопрос без обиняков, и Джастин сел, немного взъерошенный после сна, с невинными и удивленными глазами.

— Что ты имеешь в виду? Как, кстати, твой малыш?

— Прекрасно. Но в данный момент меня больше интересуешь ты. Чем ты тут занимался?

— Ничем. А что?

Он потянулся и зевнул, и завлекательно улыбнулся, нагнувшись и касаясь ее голой ноги.

— Я скучал по тебе, киска.

— Неужели? А как насчет женщины, которая здесь жила, пока меня не было? Могу сказать, только одно: у нее большие титьки. Ее лифчик налез бы мне на голову.

Но хотя слова Дафны и звучали забавно, ей отнюдь не было весело, ее взгляд был тяжелым как камень, и она оттолкнула его руки со своей ноги.

— Ко мне приезжали друзья, вот и все. Что тут такого?

Она вдруг подумала, не ошиблась ли Барбара. Ей было бы ужасно стыдно, если бы оказалось, что он говорит правду и обвинения незаслуженны. В ее глазах на мгновение появилась нерешительность, а потом она увидела под кроватью использованный презерватив. Она наклонилась, взяла его и подняла высоко вверх словно ценный трофей.

— А что это?

— Понятия не имею. Может, кто-нибудь здесь спал?

— Ты хочешь сказать, что это не твой?

Она не отрываясь смотрела ему в глаза.

— О Господи!

Джастин встал во всем своем великолепии и провел рукой по своей золотистой шевелюре.

— Что с тобой? Я был здесь четыре дня один, ко мне только приходили друзья. Что тут такого, Дафф? — Его глаза своенравно сверкнули. — Мне что, без тебя и бассейном пользоваться нельзя?

Другого способа все выяснить не оставалось.

— Барбара сказала мне, что с тобой кто-то жил.

При этих ее словах он вздрогнул, он не знал, что Барбара здесь появлялась.

— Вот сучка! Откуда она все знает? Ее же здесь не было.

— Она ежедневно забирала почту.

— Да? — Он побледнел. — О Господи!

Он снова сел на кровать и закрыл лицо руками. Сначала он молчал, а потом посмотрел Дафне в глаза:

— Ну, ладно, ладно. Я немного побезобразничал. Со мной это иногда бывает после трудной работы. Это для меня не имеет значения, Дафф... ради Бога... ты ведь не знаешь, что это за работа. От нее дуреешь.

Но эти слова были неубедительны, и Джастин это знал. Что он мог ей сказать?

— Да, конечно. Дуреешь так, что спишь с кем-то в моем доме, в моей постели.

На ее глазах выступили слезы.

— И ты считаешь, что это нормально?

Она чувствовала себя обманутой и оскорбленной. Прежде ей приходилось испытывать горечь утрат, но это — никогда... бюстгальтеры рядом с бассейном... пятна на диване... презервативы под кроватью и все за каких-то три несчастных дня.

— Что с тобой, черт подери?

Она встала и зашагала по комнате.

— Ты что, не можешь три дня потерпеть? Я тебе только для этого нужна, что ли? Очень удобно, всегда под рукой, а если меня нет, так можно и с другой переспать?

Она стояла перед ним, ее глаза гневно сверкали.

— Извини, Дафф... Я не хотел...

— Как ты мог? — Она стала всхлипывать. — Как ты мог?..

Дафна не находила слов, она кинулась на кровать, уткнулась лицом в подушку и зарыдала, а он ласково гладил ее по спине и по голове. Она хотела послать его к черту, но на это не хватало сил. Дафна не могла поверить, что он сделал такое, и вдобавок у нее в доме, позволив ей все это обнаружить. Это не было мимолетное приключение где-нибудь в баре, эту девицу он привел прямо к ней в дом, к ней в постель. Такого оскорбления она просто не могла вынести. И очень горько было узнать его с этой стороны.

— Ох, Дафна, кисочка... пожалуйста... Я был пьян, нанюхался кокаина. Я просто забылся. Я же говорил тебе, чтобы ты не уезжала. Я хотел поехать с тобой в Мексику, но ты настаивала, что полетишь на Восток повидать своего ребенка. Мне это было просто непонятно, я...

Он тоже стал плакать и осторожно перевернул ее лицом к себе. Дафна чувствовала себя так, словно все ее тело растворилось в постели. У нее не было сил сопротивляться. Ей казалось, что она почти умерла.

— Я так сильно люблю тебя. Это все не важно.

Джастин вытер со своих глаз слезы.

— Я забылся. Этого больше не случится. Клянусь тебе.

Но ее глаза говорили, что она не верит ни одному его слову, слезы лились по ее лицу, и она молчала.

— Дафна... — Он положил голову на ее стройные бедра. — О Господи, деточка... пожалуйста... Я не хочу потерять тебя...

— Надо было об этом думать, до того как твоя подружка оставила свой лифчик у моего бассейна.

Ее голос был каким-то отрешенным, она медленно села, чувствуя себя тысячелетней старухой, но все же не испытывая к нему ненависти. Дафна была слишком уязвлена, чтобы испытывать злобу. Все, что она испытывала, это была боль.

— Ты так себя всегда ведешь во время съемок? Или он так себя вел и в обычной жизни? Она задавала себе этот, приводивший ее в отчаяние, вопрос.

— Съемки были очень напряженные. Ты не знаешь, Дафф, чего это мне стоило... как безумно я хотел, чтобы тебе понравилось... чтобы твой фильм стал лучшим из лучших... Ах, Дафна...

Его глаза были такими инфантильными и такими грустными, словно умер его лучший друг. Факт, что он собственноручно убил ее, казалось, не доходил до него.

— Деточка, а что если мы начнем все сначала?

— Я не знаю.

Ее взгляд наткнулся на презерватив, который она швырнула на кровать. Джастин взял его и вынес в туалет... Вернувшись, он посмотрел на Дафну.

— Может, ты никогда мне не простишь. Но клянусь, я больше никогда так не поступлю.

— Как мне в это поверить? Я не могу не слезать с тебя до конца твоей жизни.

Она это произнесла таким усталым и печальным голосом, а он улыбнулся впервые с тех пор, как увидел ее в комнате.

— Очень жаль, я бы именно этого хотел.

— Я хочу ездить навещать своего сына. А что тогда будет? Я должна три дня беспокоиться, что, пока меня нет, ты опять что-то вытворяешь?

Внезапно ею овладело неосознанное, невыразимое чувство беспредельного одиночества. Кем в конце концов он был? И что она для него значила? Любил ли он ее вообще? Теперь в это трудно было поверить.

— Если хочешь, я поеду с тобой.

Но она внезапно усомнилась, что хотела бы этого. Она хотела бы познакомить его с Эндрю, но в Нью-Гемпшире был не только он. Там был еще Мэтт. И внезапно ей не захотелось, чтобы Джастин был частью этой жизни, особенно теперь. Она вдруг перестала ему доверять. А без этого нельзя было знакомить с ним Эндрю.

— Не знаю. Я не знаю, чего хочу именно сейчас. Я думаю, что тебе следовало бы покинуть этот дом. — Но она знала, что в этом случае это будет уже необратимо.

— Давай пока не будем. Пожалуйста, Дафна. Предоставь мне шанс.

Он напоминал маленького мальчика, который клянчит, чтобы ему вернули его привилегии, но тут дело было гораздо серьезнее.

— Ты мне нужна.

— Почему?

Странно было слышать это от него, она думала, что это ей нужен он.

— Почему я, а не еще кто-нибудь, вроде твоей подруги с большими титьками?

— Ты знаешь, кто она? Двадцатидвухлетняя официантка из Огайо. Вот и все. Она не ты. Ты единственная.

Но Дафна прищурила глаза. Зазвонил телефон.

— А это не та девушка, с которой ты раньше встречался?

Джастин застыл в нерешительности, а потом кивнул и опять уронил голову на руки.

— Да. Она слышала, что у нас перерыв в съемках, и позвонила.

— Сюда? А откуда она знала, где ты? — Вопрос посеял в его сердце страх, его поймали. Он ей сообщал раньше, где живет, и сам ей звонил.

— Ну, ладно, раз ты такая сообразительная, я ей звонил.

— Когда? После того как я уехала или до того? — Дафна встала с кровати и смотрела на него в упор. — Скажи прямо, что с тобой происходило?

— Да ничего, черт подери! Я последние три месяца был с тобой день и ночь. Ты знаешь, что я ни с кем не виделся. Как бы я мог? Когда?

Это была правда.

— Ты говорил мне, что она актриса.

Это было не самое главное, но теперь все стало важным.

— Ну да. Она сейчас без работы, поэтому и подрабатывает официанткой. Дафна, ей-богу, она ничего собой не представляет, просто ребенок. Ты стоишь пятидесяти тысяч таких, как она, или подобных ей. Я это знаю. Но я же человек. Я иногда делаю глупости. Да, было, признаюсь, я ужасно сожалею, больше такого не повторится. Что мне еще сказать? Как, по-твоему, я еще должен искупить свой грех? Кастрироваться?

— Это идея.

Дафна снова села в кресло и огляделась. Ей вдруг стала ненавистна эта комната, весь этот дом. Он его осквернил, пока ее не было. Она снова перевела взгляд на него:

— Не знаю, смогу ли я тебе после этого вообще верить.

Он сел на кровать, стараясь говорить спокойно:

— Дафна, любая пара проходит это. На том или ином этапе все свихиваются. Может, и с тобой это однажды произойдет. Все мы люди, и есть моменты, когда мы слабеем. Может, лучше пережить это сейчас, когда мы можем зашить раны в нашем сердце и сделать его только крепче. Пережитое пойдет нам только на пользу, если ты это позволишь. Дай мне шанс. Обещаю тебе, больше это не случится.

— Как же мне в это поверить?

— Я докажу тебе. И со временем ты опять будешь доверять мне. Я знаю, что ты чувствуешь. Но это не должно означать конца.

Он протянул руку и ласково коснулся пальцами ее щеки. Она заколебалась всего долю секунды, но он это почувствовал, вскочил и обнял ее.

— Я люблю тебя, Дафф, сильнее, чем ты думаешь. Я хочу на тебе когда-нибудь жениться.

Для него это был последний аргумент, но Дафна по-прежнему была мрачной.

— Начинать сначала — это ужасно долгий путь.

У нее этого никогда не было ни с Джеффом, ни с Джоном. Может, она была права, что пряталась за свои стены. Джастин угадал ее мысли.

— Ты не должна вести какую-то полужизнь. Нельзя всю жизнь просто существовать, Дафф. Ты должна жить со всеми нами, огорчаться, ошибаться, исправлять ошибки и снова их совершать. А так ты только получеловек. Ты недостойна этого. Сожалею. Я сожалею более, чем ты можешь себе представить.

— Я тоже.

Но она уже не проявляла того неистовства, что прежде.

— Ты можешь пока предоставить событиям развиваться самим? Клянусь тебе, ты не пожалеешь.

Дафна не ответила.

— Я тебя люблю. Что я могу еще сказать?

Сказано было не так уж много. За минувшие полтора часа он сказал, что любит ее, что был дураком, что когда-нибудь женится на ней. Об этом она услышала впервые и теперь посмотрела на него все еще с тысячей вопросов в глазах.

— Ты серьезно говорил насчет женитьбы?

— Да. Я никому этого раньше не говорил. Но я не встречал никого, похожего на тебя.

Его глаза были так добры, а ее сердце все еще словно было разорвано.

— Ты не знаком с моим сыном.

Это было вне контекста, но не совсем.

— Познакомлюсь. Может, в следующий раз я полечу с тобой на Восток.

Дафна не ответила, и Джастин смотрел на нее. Ему не хотелось ей напоминать, что они больше чем на час опаздывают на работу. Джастин знал, каким он был полоумным негодяем, и он также знал, что прежде всего надо уладить отношения с ней. Он не хотел больше давать ей время на раздумья.

— У нас еще вся жизнь впереди, моя любимая.

Ее испугала эта мысль.

— Ты предоставишь мне еще один шанс?

Ее глаза изучали его, но она молчала, а он наклонился и нежно поцеловал ее в губы, как раньше.

— Я тебя люблю, Дафф. Всем сердцем.

И тогда у Дафны снова появились слезы, она крепко обнимала его, переживая за то, что он сделал, пока ее не было. Джастин обнимал ее, рыдающую, утешал, успокаивал и гладил по волосам. Когда она наконец перестала плакать, он знал, что сумел отвоевать ее. Дафна не могла выразить своих чувств, но он знал, что через некоторое время она простит его за содеянное, и тихо, облегченно про себя вздохнул, а потом встал и мягко произнес:

— Мне очень жаль, киса, но нам надо на работу.

Дафна издала глухой стон, она совсем об этом забыла. Но знала, что он был прав.

— Который час?

— Шесть пятнадцать.

Дафна поморщилась:

— Говарда кондрашка хватит.

— Ага. — Джастин наконец улыбнулся. — Но поскольку он его уже хватил, пусть хоть повод будет стоящий. — И затем, не говоря больше ни слова, он снова уложил ее на кровать...

Дафна думала протестовать, ей этого не хотелось, после того, что он сделал... не сейчас... не сразу... Джастин, его мастерство были сильнее ее намерений, и через мгновение он погрузился в нее, она издала стон желания и радости и поняла, что снова принадлежит ему. «Возможно, он был прав, — говорила она себе потом, — видимо, всем приходится это испытать. Может, это нас и закалит».

Глава 33

Когда в восемь пятнадцать Джастин и Дафна появились в павильоне, Говард был близок к апоплексическому удару. Он повернулся и уставился на них, не веря своим глазам.

— Не может быть, не может быть! — Его голос поднялся до крещендо, и Дафна съежилась. Джастин же был невозмутим. — Что с вами обоими случилось? Вы что, свои проклятые задницы никак не могли оторвать от постели, чтобы прийти на работу? А все остальные что, не люди? На три часа опоздали в павильон и вышагивают так, как будто они пришли чайку попить! Идите вы ко всем чертям!

Он схватил экземпляр сценария и швырнул его. Между тем Джастин ушел переодеться, а Дафна лихорадочно искала глазами Барбару.

— Ты в порядке?

Барбара села рядом с ней, глядя на ее осунувшееся лицо и опустошенные глаза, но Дафна отвернулась от ее пристального взгляда и кивнула. Даже теперь ей приходилось сдерживать слезы. То ли от бессонной ночи, то ли от переживаний она была измученной и обессилевшей.

— Я в порядке.

Она посмотрела на свою подругу с усталой улыбкой:

— Все в порядке.

Или по крайней мере к тому шло. Барбара поняла, что Джастин выкрутился.

— Хочешь чашку кофе?

— Да, если ты уверена, что Говард не подсыпал в мою чашку мышьяку.

Барбара улыбнулась, все еще глядя на нее. Она ненавидела печаль на лице Дафны и ненавидела Джастина за то, что он был причиной этой печали.

— Не расстраивайся, Дафна. Половина группы сегодня опоздала, поэтому он так бесится. Очевидно, это всегда занимает пару дней, пока все наладится после перерыва.

— Если не больше. — Впервые после своего прилета Дафна улыбнулась. И это было единственным ее намеком на беспорядок, обнаруженный ею в ее доме. Барбара принесла кофе, и Дафна стала постепенно оживать, но из-за ночного перелета, недосыпания и травмы, нанесенной Джастином, она весь день чувствовала себя не в своей тарелке. В тот день они закончили в шесть часов, Джастин отвез ее домой и уложил в постель. Он сразу принес ей чашку чая и ужин на подносе. Это напоминало обслуживание инвалида, и Дафна знала, почему он так делал, но она вынуждена была признать, что возражать ей вовсе не хотелось. Потом он был на кухне и убирал все, когда позвонил Мэтью, и Дафна со вздохом погрузилась в подушки. Так приятно было слышать его голос.

— Привет, Мэтт. — Она говорила тихо и была рада, что дверь спальни закрыта.

— День у тебя, похоже, был не из легких. У тебя усталый голос.

— Я правда устала.

Но он сразу понял, что дело не только в этом.

— У тебя все о'кей?

— Более или менее.

Дафна старалась сдержаться и не говорить ему, что произошло. Она этого не хотела. Это не имело к нему никакого отношения. И все-таки ей нужна была его под-

держка, необходимо знать, что у нее еще есть на кого
положиться. Пусть этот человек далеко, пусть за три
тысячи миль отсюда. Дафна все еще не верила Джастину, как бы он ни каялся. Но она не сомневалась в том,
что Мэтью ее друг.

— Как сегодня вел себя Эндрю?

— Неплохо, с учетом того, что ты уехала только
вчера. Как перелет?

— Нормально. Я спала.

Ей на мгновение вспомнились звонки Джеффа,
когда он ездил в командировки. Эти звонки были
утешением среди повседневных забот. Все это было
в гораздо меньшем масштабе, чем то, что сейчас
происходило с ней, к тому же было в чем найти
облегчение. То, что происходило в Калифорнии,
просто было чересчур. Дафна замолчала, а Мэтью
на своем конце провода нахмурился, он моментально понял, услышав ее голос, что что-то не в порядке.

— Дафф? В чем дело, крошка?

После Джона никто ее так не называл, и она почувствовала на своих глазах слезы.

— Я чем-то могу помочь?

— К сожалению, нет. — Теперь Мэтью мог слышать, как она плачет. — Дело в том, что тут произошло... пока меня не было...

— Твой друг?

Дафна кивнула и всхлипнула. Сейчас глупо плакать,
говорила она себе. Они помирились. Но обида, глубокая
обида все равно не проходила. И она захотела поделиться случившимся с Мэтью, словно объятия его добрых
рук могли сейчас что-то изменить.

— Когда я вернулась, я нашла полный кавардак.

Мэтью ждал, и она продолжала:

— Пока я отсутствовала, у него жила женщина. — Рассказывать ему об этом было неприятно, но говорила она уже спокойно. Просто ей было очень грустно. — Это долгая история, и он теперь об этом сожалеет. Но возвращение мое домой было отвратительным.

Она высморкалась, а в Мэтте все начинало кипеть.

— Ты выкинула этого ублюдка вон?

— Нет, я собиралась, но... я не знаю, Мэтт. Мне кажется, он сожалеет. Мне кажется, он просто немного свихнулся от избытка работы в последние три месяца.

— А как же ты? Ты работала тяжелее, чем он, ты сначала писала сценарий. И считаешь, что, по-твоему, это его оправдывает?

Мэтью был взбешен. И еще больше оттого, что Дафна была спокойна, что она хотела дать парню еще один шанс.

— Нет, его ничто не оправдывает, но что случилось, то случилось. Я хочу подождать и посмотреть, что будет дальше.

Мэтту хотелось вытряхнуть ее из кровати, но он знал, что не имел на это права. Он не хотел причинять ей боль. Дафна была беспомощной. Она любила другого, а он был только ее другом.

— Дафф, ты считаешь, что он этого стоит?

— Не знаю. Сегодня утром я не была в этом уверена.

Мэтью пожалел, что не позвонил раньше, хотя знал, что это бы и так ничего не изменило. Она не была готова бросить Джастина Уэйкфилда, а Уэйкфилд был грозным соперником. Любой здравомыслящий человек сказал бы ему, что глупо даже надеяться, что она его бросит.

— Я просто не знаю... — Она говорила так неуверенно и грустно, что сердце у него разрывалось. — ...Я ...Я так много теряла в прошлом, Мэтт...

Он услышал, что Дафна снова плачет.

— Так не надо обеднять того, что у тебя было, и мириться с этим.

Его реакция ее возмутила.

— Ты не понимаешь. Может, он прав, может, люди совершают ошибки. Может, актеры не похожи на нас.

Она еще сильнее расплакалась.

— Черт возьми, сколько раз, по-твоему, я должна начинать сначала?

— Столько, сколько нужно, на то вам и дана сила воли, сударыня. Не забывайте об этом.

— А если я устала от силы воли? Если она вся кончилась?

— Этого не может быть.

— И, кроме того, у нас обязательства друг перед другом. Он так мне сказал.

— Обязательства? А он думал об этих обязательствах, когда ты была здесь?

— Я знаю, Мэтт, я знаю. Нельзя давать ему поблажку. — Дафна вдруг пожалела, что вообще ему рассказала. Она не хотела защищать Джастина и в то же время чувствовала, что должна это делать.

— Я знаю, что это глупо, но я собираюсь пока с этим смириться.

Она вздохнула и вытерла глаза.

— Конечно, Дафф, я понимаю. Ты должна делать так, как считаешь нужным. Только, пожалуйста, не давай себя в обиду. — Но это уже случилось, и, положив трубку, Дафна снова расплакалась. Джастин нашел ее лежащей в кровати, рыдающей в подушки, не совсем понятно почему. Дафна все еще расстраивалась по поводу той девицы, но причина была не только в этом. Она вдруг почувствовала ужасную тоску но Эндрю и по Мэтту и захотела домой.

— Ну, киска, не надо... все хорошо...

Но это была неправда, и незачем было ее дурачить. Она лежала в его объятиях и рыдала, пока наконец не заснула у него на груди, и тогда он выключил свет. Он лежал, глядя на спящую Дафну, и задавался вопросом, правильно ли поступил. Он любил эту женщину сильнее, чем кого-либо прежде, но не был уверен, сможет ли оправдать ее ожидания. Он был полон добрых намерений, но, заглянув в свое прошлое, чувствовал, как его одолевают опасения. Дафна была такой серьезной, такой искренней и так много пережила. А его жизнь строилась на другом: на страстях, на новых людях, игре и развлечениях. Он также знал, что не способен на ту преданность, которая была характерна для нее.

А в Нью-Гемпшире Мэтью сидел в темноте, глядя на огонь, ругал себя дураком, проклинал Джастина Уэйкфилда и размышлял, есть ли у него вообще хоть какая-то надежда.

Глава 34

В течение следующего месяца работа над «Апачем» шла гладко как по маслу, и они рассчитывали уехать в Вайоминг четырнадцатого июля. Говард решил, что времени на отдых не будет по возвращении в Лос-Анджелес для съемок последних сцен в голливудском павильоне. Для Дафны это означало, что она не сможет слетать повидаться с Эндрю, но Мэтт уверял ее, чтобы она за него не беспокоилась, он готовился к палаточному походу, а по возвращении из Джексон-Хоула она бы выбрала время и прилетела повидать его. Она, впрочем, была слишком занята, чтобы постоянно испытывать угрызения совести по этому поводу. Для съемок сцен в Джексон-Хоуле пришлось переписывать много сцен и, кроме того, что все дни напролет она проводила в павильоне, еще дома до позднего вечера приходилось печатать на машинке. Джастин же оказался просто исключительным помощником; он читал все написанное, говорил Дафне, хорошо это или плохо, а если плохо, то почему. Он научил ее таким тонкостям сценарного ремесла, которые она прежде и не надеялась узнать. Он просиживал с ней каждый вечер, приносил ей сандвичи и кофе, массировал ей шею, а потом они валились в постель и занимались любовью. Они жили почти без сна, но Дафна никогда в жизни не испытывала такого счастья. На почве совместной работы у них сложились такие отношения, о которых она и не мечтала, и она поняла, что была права, простив ему июньскую историю. Даже Барбаре приходилось признать, что Джастин ведет себя как ангел, но она все-таки не доверяла ему и часто говорила это Тому.

— Он тебе не понравился с самого начала, Барб. Но если он к ней хорошо относится, что тут плохого?

— Если он отколол ей такой номер один раз, он это обязательно повторит.

— А может, и нет. Может, это просто были последствия его прежней жизни, это для него послужило уроком. — Том не нашел в Джастине ничего плохого, когда с ним познакомился, Барбара же была так яростно настроена против Джастина, что Том часто подозревал, что она просто ревнует к тому, кто возымел такое влияние на Дафну. Обе женщины в свое время, в период их одинокой жизни, так сблизились, что Барбаре, возможно, было просто тяжело отпускать от себя Дафну, хотя у нее самой теперь был Том. Тому это было не совсем понятно, но он всегда настаивал, чтобы Барбара держала язык за зубами, если дорожит своей работой.

— Если она думает о нем серьезно, Барб, лучше тебе устраниться.

Он, как и голливудская пресса, подозревал, что Джастин и Дафна поженятся.

— Если она вправду так поступит, я... на свадьбе буду обсыпать их не рисом, а камнями, — проворчала Барбара. — Он причинит ей боль. Я это знаю.

— Ну ладно, старушка, не будь такой строгой, я очень надеюсь на то, что он на ней женится, тогда ей придется тут остаться.

Последнее время это была частая тема их разговоров. Он хотел, чтобы Барбара осталась в Лос-Анджелесе и вышла за него замуж, но она отказалась принимать решение, пока не закончатся съемки «Апача».

— Но потом, моя дорогая, чтоб уж никаких отговорок. Я не молодею, да и ты тоже, и если ты думаешь, что я намерен ждать еще двадцать лет, чтобы с тобой повстречаться, ты глубоко ошибаешься. Я хочу жениться на тебе, обрюхатить тебя, и на протяжении последующих пятидесяти лет любоваться, как ты сидишь у моего бассейна и тратишь мои денежки. Как вам нравится такая перспектива, мисс Джарвис?

— Она слишком хороша, чтобы стать реальностью.

Однако с тех пор, как Барбара повстречала его в магазине «Гуччи», все исполнялось. С самого начала ее роман был похож на сказку. Том уже давно подарил ей красивую ящеричную сумочку, какую она разглядывала у него на глазах в тот первый день. А потом были и другие подарки: золотые часы «Пиаже», чудный бежевый замшевый блайзер, два жадеитовых браслета и бесконечное количество других безделушек, которые изумляли ее. Барбара все еще не могла поверить, что ей могло так повезти с Томом, и постоянно удивлялась, обнаруживая, как сильно он ее любил. И она любила его не меньше. Поэтому в Джексон-Хоул Барбара уезжала со слезами на глазах, но Том собирался прилетать каждый уик-энд, пока она будет на натурных съемках.

Дафна и Джастин улетели чартерным рейсом, остальная часть группы поехала на автобусах, арендованных студией, и как только они прибыли на место, съемки приобрели атмосферу летнего романа. В романтической обстановке образовывались пары, люди просиживали ночи напролет на улице, глядя на горы и распевая песни, которые запомнили по детским палаточным лагерям. Даже Говард смягчился. Любовь Джастина и Дафны цвела. В перерывах между съемками они совершали длительные прогулки, собирали полевые цветы и занимались любовью в высокой траве. Все это было как прекрасный сон, и всем стало грустно, когда он кончился и пришлось возвращаться в Лос-Анджелес. Только Дафна сожалела меньше других, потому что знала, что увидится с Эндрю — она через несколько дней опять собиралась в Бостон. Джастин еще не решил, лететь с ней или нет. Лишь накануне отлета он наконец встал в дверях их спальни, потом сел на край кровати. Его лицо было нервозным.

— Я не могу, Дафф.

— Что не можешь?

— Не могу лететь с тобой в Бостон.

У Джастина был несчастный вид, и она моментально стала подозревать неладное.

— Почему? Что, звонила мисс Огайо? — Первый раз за все лето она напомнила Джастину об этом, и он обиделся.

— Зачем ты так. Я же сказал тебе. Это никогда больше не повторится.

— Тогда почему бы тебе не поехать?

Он удрученно вздохнул и выглядел очень несчастным.

— Я не знаю, как тебе это объяснить так, чтобы не казаться свиньей. А может, мне лучше просто смириться с этим, понимаешь... Дафф... вся эта школа для глухих детей... Я... я... все эти физические недостатки, слепота, глухота, уродство... Я просто не выношу этого. У меня это вызывает физическое отвращение.

Когда он это произнес, Дафна почувствовала, что сердце у нее упало. Если это была правда, речь шла о серьезной проблеме. Эндрю был глух. С этим приходилось считаться.

— Джастин, Эндрю не урод.

— Я знаю. И может, с ним одним я бы чувствовал себя нормально... но все они... — Джастин по-настоящему побледнел, и Дафна увидела, что он дрожит. — Я понимаю, что глупо взрослому мужику чувствовать такое, но у меня это всегда. Извини, Дафна.

На глазах у него появились слезы, и он повесил голову. Дафна была в растерянности, но тут ей пришла в голову идея. Их надо познакомить. Это было важно.

Роман с Джастином, похоже, имел тенденцию к продолжению, и его обязательно надо было познакомить с Эндрю.

— Ну хорошо, дорогой, а что если... он прилетит сюда?

— А это возможно?

Бледность стала отступать с его щек, и на лице появилось выражение облегчения. Он на протяжении нескольких дней боялся ей сказать, но только что окончательно понял, что не может лететь с ней.

— Конечно. Я позвоню Мэтью и попрошу посадить его в самолет. Он так уже делал весной, и Эндрю это очень понравилось.

— Великолепно.

Но когда Дафна позвонила Мэтту, он сказал, что на прошлой неделе у Эндрю слегка болели уши и он не сможет прилететь к ней. Таким образом, у нее не оставалось выбора. Надо было лететь на Восток самой и оставить Джастина одного в Калифорнии. Когда она сообщала ему об этом, он, казалось, расстроился, а в ее глазах была легкая тень подозрения. Она внезапно подумала, что Джастин мог выдумать историю со страхами для того, чтобы остаться в Лос-Анджелесе и удариться в загул, как в прошлый раз, и одна лишь мысль об этом злила ее.

— Дафф, не смотри так. На этот раз ничего не случится. — Но она не отвечала. — Клянусь тебе. Я буду тебе звонить пять раз в день.

— Ну и что это докажет? Что мисс Огайо здесь нет? — Дафна была резка, и Джастин, по-видимому, на самом деле обиделся.

— Это нечестно.

— А разве честно было заниматься любовью с ней в моей кровати?

— Послушай, неужели нельзя об этом забыть?

— Не знаю, Джастин. А ты забыл?

— Да, честно говоря, забыл. С тех пор мы провели вместе три чудесных месяца. Не знаю, как вы, сударыня, но я никогда в жизни не испытывал такого счастья. Почему же ты продолжаешь швырять этим дерьмом мне в лицо?

Но они оба знали ответ. Дафна все еще не доверяла ему, и поездка на Восток была болезненным напоминанием о том, что произошло, когда ее не было в июне.

Дафна вздохнула и погрузилась в кресло, печально глядя на него.

— Извини, Джастин. Я на самом деле хочу, чтобы ты полетел со мной.

Это бы решило проблему. Но решило ли бы? Все это означало лишь то, что она могла бы следить за ним, но не означало, что она может доверять ему.

— Я не могу лететь с тобой, Дафф. Я просто не могу.

— То есть, как я понимаю, у меня нет выбора, кроме как только доверять тебе, правильно?

Но теперь все счастье последних трех месяцев вдруг как бы потускнело.

— У тебя не будет поводов огорчаться, Дафф. Вот увидишь.

Но сомнения не покидали ее ни пока она собирала вещи, ни по дороге в аэропорт.

В Нью-Гемпшире листья рано желтели, стояла прохладная погода, и за городом было красиво как никогда. Дафна и Мэтью какое-то время ехали молча, ее мысли вернулись к Джастину, она задавалась вопросом, что он делает и сдержит ли слово. Мэтт заметил, что она была спокойнее, чем обычно, и раз или два взглянула на нее, прежде чем она с улыбкой обернулась. Она выглядела спокойнее, чем раньше, но усталость была по-прежнему заметна. Даже в Вайоминге съемки были изнурительными. Говард Стерн работал напряженнее любого другого голливудского режиссера.

— Как мой любимый фильм?

Мэтью боялся спрашивать ее о Джастине. В последнее время она редко о нем говорила, и он не совсем понимал, что бы это значило. Мэтью знал, что если бы она хотела, то рассказала бы ему. И он ждал. Но он думал еще и о других вещах.

— С фильмом все в порядке. Мы почти закончили. Говард считает, что потребуется еще шесть или восемь недель павильонных съемок, и все.

За минувшие шесть месяцев она усвоила даже кинематографический жаргон. Мэтью пытался убедить себя, что она не изменилась с тех пор, как они впервые познакомились. Но в то же время он чувствовал, что Дафна стала другой. У нее появилась нервозность, напряженность, которой раньше не было, словно она постоянно была начеку, чего-то ожидала, а чего, Мэтью не мог понять. Он задавался вопросом, была ли причиной этого ее жизнь с Джастином, или просто работа над фильмом, или, быть может, постоянное беспокойство за Эндрю, невозможность с ним видеться. Но она, безусловно, переменилась с тех пор, когда ее одинокая жизнь вращалась вокруг писательского труда. Даже здесь ей, видимо, нелегко было переключиться, но Мэтью напомнил себе, что Дафна ведь только что сошла с самолета.

— Я хочу, чтобы Эндрю прилетел ко мне на День Благодарения.

Она это уже запланировала. Она собиралась приготовить традиционный для этого дня ужин и пригласить Барбару и Тома с его детьми. Она такого не устраивала уже десять лет, с тех пор как была замужем за Джеффом. Но теперь она почему-то решила, что пора возобновить традицию. Ее годы одиночества так или иначе закончились, и она хотела создать с Джастином нормальную семейную жизнь. Ему же определенно пора было познакомиться с Эндрю. Дафну огорчало, что в этот раз знакомство не состоялось. Но, взглянув на Мэтью, она поняла, что и у него теперь все обстоит иначе.

— А что будет после Дня Благодарения, Дафф?

Он посмотрел на нее, и Дафна задумалась.

— Точно не знаю.

Она и в самом деле еще не знала, но ожидала, что они с Джастином поженятся, если не случится ничего ужасного. В какой-то степени эта поездка была испытанием.

— Ты там останешься?

Глаза Мэтта изучали ее лицо. Ему необходим был ответ. И ему самому пора было определиться.

— Возможно. Через пару месяцев я смогу сказать точнее.

Дафна ласково посмотрела на него, она обязана была дать ему какое-то объяснение. Самое плохое она ему уже сказала три месяца назад, теперь надо было сказать остальное. Их дружба была странной. Она была платонической, и все же в ней всегда присутствовал легкий намек на нечто большее.

— За лето наши отношения с Джастином значительно наладились. Теперь я думаю, что, может, зря рассказала тебе о том, что случилось в мое отсутствие в тот раз.

Во всяком случае, это казалось ей не совсем честным. Джастин больше так не поступал, но это исказило мнение Мэтью о нем, Дафна это знала.

— Ничего, не беспокойся. — Он улыбнулся, не отрывая взгляда от шоссе. — Я не скажу газетчикам.

Дафна в ответ улыбнулась.

— По-моему, у меня тогда просто помутилось в голове.

Она прикрыла глаза и вздохнула.

— Но, Боже мой, это было так ужасно. Когда я с тобой в тот день говорила, я думала, что умру.

Он вспомнил тот разговор, промолчал, а потом произнес:

— Да... я знаю. Ты подыскала школу для Эндрю?

— Еще нет. Я думаю сделать это, когда мы закончим фильм. У меня в самом деле ни на что не хватало времени. У меня ощущение, что на эти месяцы жизнь остановилась.

— Да, — Мэтью снова улыбнулся. — Мне это знакомо. Я ощущаю то же.

Ему странно было сознавать, что через три месяца он покинет Говард и вернется в нью-йоркскую школу. Трудно было вспомнить времена, когда он был не в Говарде, времена, когда она ему не звонила, когда он не был ее другом.

В этот приезд между ней и Мэтью что-то не ладилось, но причину Дафна точно определить не могла. Она видела, как Мэтью смотрит на нее из окна своего кабинета, а потом быстро отворачивается. И только на обратном пути в аэропорт она наконец спросила его:

— Мэтью, что-нибудь не так?

— Да нет, малышка, ничего. Просто у меня был день рождения. Я подумал, не старею ли.

— Тебе надо вернуться в Нью-Йорк.

Его сестра говорила то же самое, но она была осведомлена лучше Дафны, поскольку знала, что ее брат влюблен.

— Возможно.

Он был странно уклончив.

— Тебе тоскливо в Говарде. С Хелен Куртис было иначе. Она пожилая женщина, ей не претило сидеть одной взаперти.

— Тебе раньше это тоже не претило, хотя ты была вдвое моложе ее.

— Когда я здесь жила, я не все время была одна.

Как всегда, когда она вспоминала Джона, ее голос дрогнул.

— Ну и я не все время один.

Мэтью сказал такое впервые. Дафна удивленно посмотрела на него. Он столько знал о ее жизни, что она без смущения спросила его:

— Ты здесь с кем-то встречаешься, Мэтт?

Почему-то она всегда полагала, что он один. И ее вдруг поразила мысль, что она ничего не знала. Почему он ей ничего не сказал?

— Да так. Время от времени.

— Ничего серьезного?

Она не знала, почему, но ее это обеспокоило, хотя она понимала, что это смешно. Она намеревалась выйти замуж за Джастина. Почему в жизни Мэтта не могло быть женщины? В конце концов он был просто ее другом.

Мэтью задумался:

— Это могло бы быть серьезно, если бы я хотел. Но я этого не хочу.

— Почему?

Голубые глаза Дафны были воплощением невинности, и он повернулся к ней, удивляясь ее слепоте.

— По множеству глупых причин, Дафна. Очень глупых.

— Не надо бояться, Мэтт. Я боялась. И была не права.

— Разве? А теперь ты что, настолько счастлива? — спросил он мрачно.

— Не всегда, но иногда. Может, этого и достаточно? По крайней мере я ожила.

— Как ты можешь знать наверняка, что это лучше? Разве это достаточно — просто жить?

— Совершенства достичь нельзя, Мэтт. После смерти Джона я с этим смирилась, потому что знала, что больше такого человека не найду, но кто может поручиться, что мы всегда были бы так счастливы? Может, и у нас с Джоном со временем появились бы проблемы? Любому мужчине нелегко было бы свыкнуться с моей карьерой. Возьми этот год, например. Как бы я это потянула, если была бы замужем в обычном понимании? — Дафна часто задумывалась над этим вопросом.

— Ты могла бы успешно с этим справиться, если бы сама этого хотела, и муж бы не возражал. Да и сценарий в конце концов тебя писать никто не заставлял, — в его голосе не было упрека, он просто думал вслух.

— И все-таки я довольна, что написала его.

— Почему? Из-за Джастина?

— Отчасти. Но в основном потому, что это меня многому научило. Я не думаю, что взялась бы писать сценарий еще раз. Это слишком отвлекает меня от работы над книгами, но в общем опыт был замечательный, ты был прав, что убедил меня отправиться в Голливуд.

— Разве это я тебя убедил? — Он весьма удивился.

— Ты, — улыбнулась Дафна. — В первый вечер нашего знакомства, ты и миссис Куртис.

Мэтт странно посмотрел на нее:

— Наверно, мы оба сглупили.

— Почему ты так говоришь? — Она не поняла его высказывания. Может, потому, что не хотела понять.

— Да просто так. Марта говорит, что я начинаю плохо соображать. Она, наверное, права.

Они обменялись улыбками.

— Тогда расскажи мне о своей новой знакомой. Кто она?

Пусть бы и он рассказал. Ничего зазорного в этом не было.

— Учительница из городка. Она из Техаса, очень симпатичная и молодая.

Мэтью застенчиво улыбнулся Дафне. Странная у них получилась дружба.

— Ей двадцать пять лет, и, честно говоря, я себя чувствую похотливым стариком.

— Чушь. Тебе это только на пользу. Господи, тут же больше нечего делать, кроме как читать. Неудивительно, что все здесь обожают мои книги.

— Она тоже. Она их все читала.

Дафне, видно, стало интересно.

— А как ее зовут?

— Гарриет. Гарриет Бато.

— Звучит экзотически.

— Особой экзотики в ней я не вижу, но она замечательная девушка, с хорошим характером и массой достоинств.

Дафна посмотрела на него с любопытством:

— Ты намерен на ней жениться, Мэтт?

Трудно было представить, что их телефонные беседы могут прекратиться, но ведь ничто не вечно. Прежде их связывало родство душ и то, что оба были одиноки. Первое не денется никуда, что же касается второго — ее жизнь уже изменилась, а его начала меняться. Телефонные звонки не могут продолжаться без конца. Они оба это знали. И теперь этот вопрос встал перед ними.

Но Мэтт покачал головой. Он не был готов думать о браке.

— Я об этом еще даже и не думал. Мы просто несколько раз гуляли вместе.

Дело обстояло серьезнее, но он не хотел себе в этом признаваться, хотя и знал, как влюблена в него Гарриет. Он не хотел делать из ее сердца игрушку и подозревал, что она догадывается о причине его сдержанности. Иногда он задавал себе вопрос: может ли кто-нибудь, кроме Дафны, знать эту причину.

Дафна улыбнулась ему:

— Ну, тогда сообщи мне.

— Хорошо. И ты тоже.

— Насчет Джастина?

Он кивнул.

— Обязательно.

Перед самой посадкой в самолет он стоял, глядя на нее:

— Береги себя, малышка.

На этот раз сильнее, чем прежде, в его словах прозвучали прощальные нотки. Дафна обняла его, и он ответил ей объятием, стараясь сильно не прижиматься к ней и про себя желая ей удачи.

— Я отправлю к тебе Эндрю на День Благодарения.

— Мы не раз еще созвонимся.

Но он в этом не был так уверен, и, когда махал ей в последний раз, ему пришлось отвернуться, чтобы Дафна не видела слез у него на глазах.

Глава 35

Когда Дафна вышла из самолета в Лос-Анджелесе, Джастин ждал ее у выхода и заключил в объятия с истосковавшимся и радостным видом. Четыре человека узнали его, пока они дошли до лимузина, но, как обычно, он не признавался, кто он, и Дафна, смеясь, села с ним на заднее сиденье. Казалось, он был в восторге, что снова видел ее, и, приехав домой, она нашла все чистым и прибранным, а Джастин был очень горд собой.

— Смотри! Я же сказал тебе, что стал другим.

— Извини меня за все мои дурные мысли.

Дафна сияла. Может, он наконец не играл? Она почувствовала облегчение, словно ее омыла волна прохладной, свежей воды. Теперь она могла бы снова уехать, доверяя ему. Она обожала его, и все было в порядке, но Джастин посмотрел на нее серьезным взглядом.

— Нет, Дафна, это я прошу у тебя прощения за мое нехорошее прошлое.

— Ну что ты, милый... не стоит.

Она нежно поцеловала его в губы, он взял ее на руки, отнес на кровать, и они до утра занимались любовью, забыв даже взять из машины ее багаж и погасить свет в гостиной, который, как и их страсть, горел до самого рассвета.

На другой день съемки пошли в обычном ритме, и следующие девять недель пролетели незаметно. У Дафны едва хватало времени звонить Мэтью, да ей и не хотелось последнее время это делать. Откровенные разговоры с Мэттом стали ей казаться изменой Джастину. Он никогда не возражал и вроде никогда не замечал, что она звонит, но все же теперь это было не совсем хорошо, и, кроме того, несколько раз, позвонив, она не заставала Мэтта. Она полагала, и правильно, что Мэтт с Гарриет Бато.

Они отсняли последнюю сцену «Апача» в первых числах ноября, и, когда Джастин в последний раз покинул съемочную площадку, у всех на глазах были слезы. Были поцелуи объятия, и Говард сгреб ее в охапку и обнимал. Шампанское лилось рекой, и все они с сожалением покидали друг друга, словно теряли родных. Они не могли представить себе жизни без съемок «Апача» На него ушло семь месяцев, за которые они стали братьями, сестрами и любовниками. И теперь съемки кончились, и ощущение потери охватило всех. Говарду и техническому персоналу предстояло еще множество длительной работы: редактирование, монтаж, озвучивание. Но для Дафны и актеров все закончилось, сон прошел, временами он, правда, больше был похож на кошмар, но теперь все обиды были забыты. Как при рождении ребенка, все теперь ушло, кроме приятного возбуждения в конце съемок, и на состоявшейся на следующий день прощальной вечеринке все были ужасно пьяны и совершенно неуправляемы. Не надо было больше беспокоиться о том, чтобы на следующее утро явиться в пять часов на работу, а не то Говард будет кричать. Все закончилось. Наступил КОНЕЦ. Дафна стояла с бокалом шампанского в руке и не сводила сияющих глаз с Джастина, а когда Говард произносил прощальную речь, почувствовала, что и сама растрогалась до слез.

— Это прекрасный фильм, Дафф. Он тебе очень понравится.

Дафна регулярно просматривала отснятый материал, но не могла не признать, что просмотр готового фильма будет событием в ее жизни, теперь же она была просто счастлива с Джастином.

— Ты замечательно поработала.

Везде, в каждом углу, люди поздравляли друг друга и целовались. По домам стали расходиться только в три часа ночи.

А на следующее утро Дафна сидела в своем кабинете с Барбарой, чувствуя какую-то растерянность и легкую грусть. Она улыбнулась:

— Господи, я поняла, мне так же плохо, как Джастину. Я не знаю, чем теперь заняться.

— Что-нибудь придумаешь — Барбара улыбнулась. — Не говоря уже о новой книге.

У Дафны оставалось на это три месяца, и после Дня Благодарения надо было браться за работу.

— Когда прилетит Эндрю?

— Вечером накануне Дня Благодарения. Да, кстати, — она вручила Барбаре список приглашенных, — ты с Томом и дети не забыли, что я вас жду?

Она внезапно встревожилась. Она знала, что Барбара так еще и не помирилась с Джастином, и боялась, что в последнюю минуту они откажутся.

— Мы обязательно придем.

— Отлично.

Они с Джастином следующую неделю занимались тем, чем занимаются киношники, когда не работают. Раз или два сыграли в теннис, сходили на пару вечеринок, поужинали в нескольких ресторанах. Газеты пару раз о них написали, их роман уже перестал быть секретом, и Дафна чувствовала себя счастливой и раскованной. Джастин с каждым часом молодел, за четыре дня до того, как должен был прилететь Эндрю, он, читая утреннюю газету, улыбнулся Дафне:

— Ты знаешь? В Сьерре выпал снег.

— Я должна этому радоваться?

Ей это показалось забавным. Временами он все еще напоминал ей мальчишку.

— Ну конечно, киса. Это же первый снег в этом году. Может, поедем на этой неделе покататься на лыжах?

— Джастин, — иногда она говорила так, словно была его ужасно терпеливой мамой. — Дорогой мой, мне очень жаль напоминать тебе, но в следующий четверг будет День Благодарения и к нам на праздничный обед придут Барбара и Том с детьми, и будет Эндрю.

— Скажи им, что мы не можем его организовать.

— Я этого не могу.

— Почему?

— Потому что, во-первых, в среду прилетает Эндрю, и это будет специально в его честь. Ну пожалуйста, милый, для меня это важно. Я десять лет не праздновала дома День Благодарения.

— Отпразднуешь в следующем году.

Он был явно раздражен.

— Джастин, пожалуйста...

В ее глазах была мольба, и он швырнул газету на пол и встал.

— Черт подери. Какое нам дело до этого Дня Благодарения? Это праздник для священников и их жен. Такого снега в Тахо не было тридцать лет, а ты хочешь сидеть здесь с кучей детей и лопать индейку. О Господи!

— Это что, действительно так ужасно?

Его слова ее обидели.

Джастин посмотрел на нее с высоты своего внушительного роста:

— Это жуткое мещанство.

Дафна рассмеялась над тем, как он это сказал, и взяла его руку в свои ладони.

— Извини, что я такая зануда. Но для нас всех это в самом деле важно. Особенно для Эндрю и для меня.

— Ну ладно, ладно. Я сдаюсь, вы тут в явном большинстве, такая правильная публика.

Он поцеловал ее и больше об этом не вспоминал. Дафна пообещала ему, что, как только Эндрю вернется в школу, они поедут в горы, даже если ей придется отложить работу над книгой. Джастин не планировал съемок в ближайшие месяцы, поэтому времени для катания на лыжах было полно. А Эндрю должен был прилететь всего на неделю.

Но во вторник вечером, когда они лежали в постели, Дафна заметила, что Джастин ворочается, покашливает, бормочет что-то про себя. Было очевидно, что он хотел что-то ей сказать.

— В чем дело, дорогой?

Дафна подозревала, что он хочет спросить ее про Эндрю. Она знала, что Джастина все еще беспокоит его глухота. И она пыталась убедить его, что с Эндрю теперь легко общаться, да и она всегда поможет.

— О чем ты раздумываешь?

Он сел в кровати и посмотрел на нее с сонной улыбкой.

— Ты меня слишком хорошо знаешь, Дафф.

— Я только пытаюсь. — Но она его еще хорошо не знала. Ей готовился большой сюрприз.

— Так что?

— Я утром уезжаю в Тахо. Я не могу устоять, Дафф. И, честно говоря, мне правда лучше куда-нибудь уехать.

— Теперь?

Дафна лежа глядела на него, а потом села. Он не шутил. Она не могла этому поверить.

— Ты серьезно?

— Да. Я решил, что ты поймешь.

— Почему ты так решил?

— Ну, послушай... Скажу тебе честно. Семейные обеды с индейками — это не мой стиль. Я в них не участвовал с тех пор, как закончил школу, а теперь уже поздно начинать снова.

— А как же Эндрю? Я просто не могу поверить, что ты можешь так поступить.

Она встала с кровати и стала ходить по спальне, испытывая то сомнение, то бешенство.

— Ну и что такого? Познакомлюсь с ним на Рождество.

— Вот как? А может, ты опять поедешь кататься на лыжах?

— Смотря какой будет снег.

Она уставилась на него в полном изумлении. Мужчина, который на протяжении последних восьми месяцев говорил, что любит ее, и наконец ее убедил, несмотря на один загул, теперь собирался кататься на лыжах вместо того, чтобы остаться дома в День Благодарения и познакомиться с ее сыном. Что у него в конце концов была за голова и что за сердце. Она опять вернулась к тому же вопросу: что он за человек?

— Ты знаешь, как это для меня важно?

— Я думаю, что это глупо.

У Джастина не было заметно даже сожаления. Он совершенно спокойно относился к своим намерениям, и ей опять вспомнилось предупреждение Говарда о том, что все актеры — это эгоистичные дети. Он был прав во всем, даже относительно слез в конце фильма. Может, и в этом вопросе он тоже был прав.

— Это не глупо, черт побери. Ты намерен на мне жениться, но не можешь заставить себя даже познакомиться с моим единственным сыном. Ты не пожелал лететь со мной на Восток в сентябре, и теперь такое.

Дафна смотрела на него с яростным изумлением, но за яростью скрывалась безмерная обида. Он не хотел того, чего хотела в жизни она, но что было гораздо важнее — он не хотел Эндрю. Теперь она в этом не сомневалась, и это все меняло в их отношениях.

— Мне надо подумать, Дафф.

Он стал вдруг очень тихим.

— О чем? — Дафна удивилась. Такое она слышала от него впервые.

— О нас с тобой.

— Может, что-то не так?

— Да нет. Но это громадная ответственность. Я никогда не был женат, и, прежде чем связать себя навсегда, мне нужно побыть одному.

Это звучало почти убедительно, но не до конца, и на нее не подействовало.

— Знаешь, это не отговорка. Ты что, не можешь подождать до следующей недели?

— Думаю, что нет.

— Почему?

— Потому что я сомневаюсь в том, что готов познакомиться с твоим сыном.

Это было больно, но честно.

— Я не знаю, что сказать глухому ребенку.

— Для начала скажи «привет».

Взгляд Дафны был холодным, оскорбленным и пустым. Ей надоели его неврастенические выходки по поводу Эндрю. А может, Эндрю был только предлогом? Может, на самом деле она ему была не нужна? Может, ему никто не был нужен, кроме официанток и начинающих актрис? Может, только им он и годился? В ее глазах он вдруг стал уменьшаться до пугающих размеров, как шарик, в котором проделали дырку.

— Я просто не знаю, как с тобой говорить, киса. Я видел таких людей, они меня раздражали.

— Он читает по губам и умеет говорить.

— Но не как нормальный человек.

Она вдруг возненавидела его за то, что он говорил, повернулась к нему спиной и стала смотреть в окно. Теперь она могла думать только об Эндрю. Этот же человек ее совершенно не интересовал. Ей нужен был только ее сын и больше никто. Она повернулась к Джастину.

— Ладно, не беспокойся, поезжай.

— Я знал, что ты поймешь.

Он очень обрадовался, и Дафна удивленно покачала головой. Он вообще не понял ее чувств. Ни разочарования, ни ненависти, ни обиды, которые сам только что в ней вызвал.

И вдруг ей пришел в голову один вопрос:

— А когда у тебя возник этот план?

Он наконец несколько смутился, но не очень сильно.

— Пару дней назад.

Она смерила его долгим пристальным взглядом:

— И ты мне не сказал?

Он покачал головой.

— Ты мерзавец. — Дафна хлопнула дверью спальни и ту ночь провела в комнате Барбары, которой та больше не пользовалась. Барбара переехала к Тому и каждый день приходила, как бывало в Нью-Йорке.

На следующее утро Дафна встала, когда услышала, что Джастин готовит завтрак, пришла на кухню и нашла его уже одетым. Она села и пристально посмотрела на него, в то время как он наливал ей и себе кофе. Он выглядел непринужденным и радостным, и Дафна смотрела на него и не верила своим глазам.

— Знаешь, я просто не могу поверить, что ты так поступишь.

— Не надо делать из этого целую историю, Дафф. Не так уж это важно.

— Для меня важно.

И она знала, что для других это тоже покажется важным. Как она должна была объяснять его исчезновение? День Благодарения — это для него скучно, и он поехал кататься на лыжах? Дафна вдруг подумала, что правильно поступила, не сказав ничего Эндрю. Она собиралась побеседовать с ним по пути домой из аэропорта. Но теперь этого не надо будет делать. Их знакомство откладывалось до Рождества, если Джастин опять куда-нибудь не исчезнет. Дафна начинала сомневаться насчет него, и, когда она глядела, как он ест яичницу с тостом, ей пришли в голову нехорошие мысли.

— Ты едешь один?

— Странный вопрос. — Он продолжал смотреть в тарелку.

— Как раз подходящий, Джастин. Ты ведь странный человек.

Он посмотрел на Дафну и увидел в ее глазах что-то нехорошее. Она не просто сердилась на него, она была злой. И искала, в чем бы его еще обвинить. Его это очень удивило. Он не понимал, как глубоко он ее обидел. Отвергая Эндрю, он отверг ее. Это было хуже, но он этого не понимал.

— Да, я еду один. Я же сказал тебе, мне требуется время, чтобы в горах все обдумать.

— Мне тоже требуется время, чтобы подумать.

— О чем? — Он был в самом деле удивлен.

— О тебе. — Дафна вздохнула. — Если ты не намерен сделать усилие, чтобы познакомиться с Эндрю, толку из этого не получится.

Не говоря уже о том, что если он будет убегать и делать то, что ему нравится всегда, когда ему этого захочется — ей это тоже совершенно не подходило. Во время съемок они были слишком заняты работой, но теперь стали выступать наружу новые черты его характера. Черты, с которыми она вряд ли могла бы смириться. Временами он подолгу где-то пропадал, но там, куда он говорил, что идет, его никогда не оказывалось, и проявлял небрежность и бесшабашность во всем, а Дафне говорил, что только этим он может уравновесить дисциплинированность и напряжение, которые требовались во время работы. Она придумывала для него оправдания, но теперь ей это надоело.

Он пытался поцеловать ее на прощание, но Дафна отвернулась и пошла в дом. И когда приехала Барбара, то нашла Дафну в кабинете, погруженную в раздумья. Казалось, что Дафна мыслями далеко-далеко, и Барбаре пришлось к ней обращаться дважды, прежде чем та ее услышала.

— Я только что купила индейку. Ты такую огромную и не видела.

Она улыбнулась. Но ответа поначалу не последовало, и лишь потом Дафна, казалось, заставила себя вернуться к действительности.

— Привет, Барб.

— Ты где-то витаешь. Уже обдумываешь новую книгу?

— Что-то в этом роде.

Но Барбара давно не видела ее такой отсутствующей и отрешенной.

— А где Джастин?

— Его нет.

Дафна не решилась ей сказать сразу, но перед отъездом в аэропорт за Эндрю подумала, что сделать это необходимо. Невозможно было это вечно скрывать, да и зачем? Она не обязана была заботиться о его хорошей репутации.

— Барб, Джастина не будет на праздничном обеде, — сказала Дафна с мрачным видом.

— Не будет? — Барбара словно бы не поняла. — Вы что, поссорились?

— Вроде бы. После того как он сказал мне, что едет на неделю кататься на лыжах вместо того, чтобы праздновать дома День Благодарения.

— Ты шутишь?

— Нет. И не хочу это обсуждать.

И, посмотрев на ее лицо, Барбара поняла, что Дафна говорит серьезно. А потом Дафна закрылась в своем кабинете и не выходила из него до самого отъезда в аэропорт.

Дафна ехала в аэропорт одна, с угрюмым выражением лица. Она поставила машину на стоянку и направилась к выходу для прилетающих пассажиров, а мысли ее все время вертелись вокруг поведения Джастина. Он просто и бесхитростно отправился заниматься своими делами, тем, что ему хотелось, нисколько не беспокоясь о том, что было важно для нее. И уже объявили о посадке самолета, на котором летел Эндрю, и самолет подруливал к месту высадки пассажиров, а Дафна снова и снова проигрывала в памяти разговор с Джастином. Но затем все мысли о Джастине исчезли, словно он больше не был важен, и вся эта история отодвинулась на задний план. Теперь важен был только Эндрю.

Дафна почувствовала, что сердце ее учащенно забилось, когда пассажиры стали выходить из самолета, и наконец в центре толпы она увидела его. Эндрю держался за руку стюардессы, его глаза озабоченно искали маму, и какое-то мгновение Дафна от волнения не могла ступить шага. И этого ребенка Джастин отверг! На этом ребенке строилась вся ее жизнь. Она бросилась к нему, и никакие препятствия не могли бы остановить ее.

Эндрю увидел, что она приближается, вырвался у стюардессы и кинулся ей в объятия с негромким возгласом, который всегда издавал, когда испытывал наибольшее удовольствие, и, казалось, вся ее жизнь хлынула у нее из глаз. Он был тем единственным, что у нее осталось в жизни, состоявшей из одних потерь, единственным человеческим существом, по-настоящему любившим ее. Дафна приникла к сыну, словно к спасательному кругу в людской толпе, и когда он посмотрел на ее лицо, оно было мокрым от слез, хотя она ему и улыбалась.

— Как хорошо, что ты прилетел.

Она произнесла это, тщательно двигая губами, и он улыбнулся в ответ:

— Будет еще лучше, если ты вернешься домой.

— Конечно, — согласилась Дафна. Теперь она подозревала, что это произойдет быстрее, чем первоначально планировалось. Они пошли забрать его багаж, держась за руки, Дафна не хотела отпускать его даже на секунду.

По дороге домой он рассказал ей множество новостей, даже невзначай упомянул о новой знакомой Мэтью, что почему-то задело Дафну за живое. Она не хотела теперь слышать об этом.

— Она приезжает в школу повидаться с ним каждое воскресенье. Она красивая и много смеется. У нее рыжие волосы, и всем нам она раздает конфеты.

Дафна хотела бы радоваться за Мэтью, но почему-то не была рада. Она ничего не ответила, и разговор перешел на другие темы. По приезде домой их ждало множество дел: они плавали, разговаривали, играли в карты, и Дафна стала чувствовать, что приходит в себя. Во дворе они поджарили на вертеле цыпленка, и наконец Дафна уложила Эндрю спать. Он зевал, и глаза у него слипались, но перед тем как Дафна погасила свет, он вопросительно посмотрел на нее.

— Мама, а здесь еще кто-нибудь живет?

— Нет. А что? Тетя Барбара раньше жила.

— Я имею в виду мужчину.

— А почему ты об этом спрашиваешь?

Сердце у нее екнуло.

— Я нашел у тебя в кладовке мужские вещи.

— Они принадлежат хозяевам дома.

Эндрю кивнул, по-видимому, удовлетворенный ответом, а потом вдруг спросил:

— Ты влюблена в Мэтта?

— Конечно, нет, — удивилась Дафна. — Почему ты вообще так решил?

Он пытливо вглядывался в ее лицо. Эндрю был очень чутким ребенком. Ему было уже восемь лет, он не был несмышленышем.

— Когда я рассказывал о его подружке, то подумал, что ты в него влюблена.

— Не выдумывай. Он замечательный человек, ему нужна хорошая жена.

— Мне кажется, ты ему нравишься.

— Мы очень дружны.

Но Дафне вдруг ужасно захотелось спросить его, почему он так думает.

Словно прочитав ее мысли, Эндрю, полусонный, сообщил ей:

— Он много о тебе говорит и всегда радуется, когда ты звонишь. Сильнее, чем когда по воскресеньям к нему приезжает Гарриет.

— Ерунда какая. — Дафна улыбнулась, отмахнувшись от его слов, но в глубине сердца ей было приятно. — Ну а теперь засыпай, мой сладкий. Завтра предстоит интересный день.

Эндрю кивнул и уснул еще прежде, чем она успела выключить свет. Дафна пошла к себе в комнату, думая о Мэтью. Она вдруг вспомнила, что надо позвонить ему и сказать, что с Эндрю все в порядке. Как обычно, он сразу снял трубку.

— Как наш друг? Жив-здоров?

— Вполне. И ужасный озорник.

— Ничего удивительного, — Мэтью улыбнулся. — Весь в мамочку. А как у тебя дела?

— О'кей. Готовлюсь к Дню Благодарения. — В разговорах они теперь избегали личных тем. Появление Джастина и Гарриет Бато многое изменило. Особенно в последнее время.

— Ты устраиваешь торжественный домашний ужин с индейкой?

— Да.

В ее голосе на мгновение прозвучала неуверенность, но она все же решила не говорить Мэтту. Его не касалось то, что Джастин удрал, и, вероятно, больше не имело значения, что он отказался знакомиться с Эндрю. Дафна не хотела делиться с Мэтью своими планами, она начинала подумывать о возвращении в Нью-Йорк.

— А как ты, Мэтт?

— Я буду здесь.

— К сестре не поедешь?

— Не хочу оставлять детей.

А Гарриет? Но она не решилась спросить его об этом. Если бы он хотел ей сообщить больше, он бы сказал. Но он этого не сделал.

— Ты в ближайшее время не собираешься в Нью-Йорк, Дафф?

Он произнес это, как в прежние времена, в его голосе было одиночество и доброта, но Дафна только вздохнула.

— Не знаю. Я об этом много думала.

Пора было что-то решать, и она это понимала.

— На следующей неделе я поеду с Эндрю посмотреть лос-анджелесскую школу.

По крайней мере так она планировала раньше. Но это было до того, как Джастин показал свой характер и уехал в Тахо.

— Она тебе понравится. Это отличная школа. — Но голос у Мэтта был грустный: — Все здесь будут по нему скучать.

— Ты ведь тоже уезжаешь, Мэтт?

Вдруг в его голосе прозвучало сомнение:

— Не знаю.

Значит, он останется в Нью-Гемпшире? Значит, все-таки отношения с Гарриет Бато принимали серьезный оборот? У Дафны появилось предчувствие, что причина была именно в этом. Что мог знать об этом Эндрю, восьмилетний ребенок? Может, Мэтью был намерен жениться?

— Сообщи мне о своих планах.

— И ты тоже.

Она поздравила его с праздником и, заставляя себя не думать о Джастине, легла спать. В полночь ее разбудил телефонный звонок. Звонил Джастин, он сообщил, что благополучно устроился в Скво-Вэлли, но там, где остановился, не было телефона. Потом стал рассказывать ей о снеге, о том, как по ней скучает, и вдруг посреди разговора сказал ей, что замерз в открытой телефонной будке и бу-

дет заканчивать. Дафна села в кровати и уставилась на телефон, сбитая с толку его звонком. Почему он так странно позвонил? Если он мерз, то
почему вначале был так болтлив? Она решила,
что не в состоянии его понять, и, еще раз про-
гнав мысли о нем, уснула, и, как ни странно, в
ту ночь ей снился Мэтью.

Глава 36

Совместными усилиями Барбары и дочери Тома, Алекс, День Благодарения прошел лучше, чем Дафна могла мечтать. Три женщины работали вместе на кухне, разговаривали и смеялись, а Том с обоими мальчиками играл на лужайке в гольф. Том изумлялся сообразительности Эндрю и представлял, какой из него получится замечательный парень, даже несмотря на неестественную речь. Также отметил у Эндрю замечательное чувство юмора. В общем, когда Дафна перед ужином произносила молитву, она испытывала большую благодарность, чем за многие годы. Все наелись от души, а потом сидели у камина. Когда же стало поздно, Харрингтонам ужасно не хотелось уходить. Ребята целовали Дафну, обняли Эндрю, а он пообещал на следующий день прийти к ним в гости поплавать в бассейне, что и сделал. Это был спокойный, беззаботный уик-энд, и, если бы не отсутствие Джастина, Дафна была бы совершенно счастлива. Вечером накануне отлета Эндрю Джастин позвонил ей, но опять внезапно прервал разговор, и это вызвало у Дафны раздражение. Она не понимала, зачем он звонит, если через пару минут бросает трубку. Это не имело смысла, по крайней мере для нее. Дафна размышляла об этом вечером, после того, как уложила Эндрю, и вдруг ее осенило. Получалось так, словно кто-то приближался к нему, и он бросал трубку, прежде чем его заметили. Вдруг Дафна поняла и села в кровати, бледная от злости. Лишь через несколько часов она смогла уснуть. Утром она была занята Эндрю. Она посадила его в самолет, позвонила

Мэтту и вернулась домой. На протяжении следующих трех дней она пыталась работать над новой книгой, но ничего не получалось. Все ее мысли были о Джастине. Он приехал около двух часов ночи. Открыл своим ключом входную дверь, поставил в прихожей лыжи и зашел в спальню. Он думал, что Дафна спит, и удивился, увидев ее сидящей в кровати с книгой. Дафна подняла глаза и, не говоря ни слова, посмотрела на него.

— Привет, киса, чем ты занята?

— Я ждала тебя.

Но в ее голосе не было тепла.

— Замечательно. Твой ребенок благополучно улетел?

— Да, спасибо. Его зовут Эндрю.

— О Господи!

Джастин подумал, что она ему припасла еще одну речь о Дне Благодарения. Но он ошибся. Она думала о другом.

— С кем ты был в Скво-Вэлли?

— В горах столько людей, и все незакомые. — Он сел и стал разуваться. После двенадцати часов за рулем ему было не до допросов. — Давай оставим это до утра?

— Нет, до утра нельзя.

— Ладно, я ложусь спать.

— Вот как? Где?

— Здесь. Я вроде последнее время жил здесь. — Он озадаченно посмотрел на нее. — Или у меня поменялся адрес?

— Пока нет, но думаю, что может, если ты не ответишь на некоторые вопросы. Честно на этот раз.

— Послушай, Дафф, я тебе сказал... Мне надо было подумать.

Но тут зазвонил телефон, и Дафна сняла трубку. В первый момент она испугалась, что что-то случилось с Эндрю. Кто бы еще мог и зачем звонить в два часа ночи? Однако это был не Мэтт, в трубке раздался женский голос, который попросил Джастина. Не говоря ни слова, она передала ему трубку.

— Это тебя.

Хлопнув дверью, она вышла из комнаты, и через несколько минут Джастин нашел ее в кабинете.

— Послушай, Дафна, пожалуйста, я знаю, что ты могла подумать, но...

И затем, внезапно, стоя там, усталый с дороги, он понял, что притворяться слишком хлопотно. Он слишком устал, чтобы выдумывать новую ложь. Джастин сел и тихо произнес:

— Ладно, Дафна. Ты права. Я ездил в горы с Элис.

— Кто это, черт побери?

— Девушка из Огайо. — У него был очень усталый голос. — Это ничего не значит, ей нравится кататься на лыжах, мне тоже, мне не хотелось участвовать в твоем семейном празднике, поэтому я взял ее на неделю с собой. Вот и все. — Он считал это нормальным.

Бороться больше не имело смысла. Это больше не могло так продолжаться. Все было кончено. Она посмотрела на него со слезами на глазах — это была такая жестокая потеря иллюзий, словно ей ампутировали ту часть души, которая его любила.

— Джастин, я так больше не могу.

— Я знаю. А я не могу ничего поделать. Я не создан для таких вещей, Дафф.

— Я поняла.

Она расплакалась, и Джастин подошел к ней:

— Дело не в том, что я тебя не люблю. Я люблю, но по-своему, и моя любовь отличается от твоей. Слишком сильно отличается. Я не думаю, что когда-нибудь смогу быть таким, как бы тебе хотелось. Ты хотела бы иметь богобоязненного, порядочного мужа. Но я не такой.

Она кивнула и отвернулась.

— Не стоит. Я понимаю. Не нужно объяснять.

— Все будет о'кей?

Она кивнула и сквозь слезы посмотрела на Джастина. Он стал еще красивее от горного загара. Но это было все, большего ничего и не было — только красивая внешность. Говард Стерн был прав, — это был красивый, избалованный ребенок, который всю жизнь делал только то, что ему хотелось, не обращая внимания, что это может кого-то обидеть или слишком дорого стоить.

Когда Дафна увидела, что Джастин уходит, то в первую безумную минуту хотела уговорить его остаться, попробовать разрешить эту проблему, но она знала, что это невозможно.

— Джастин? — Весь вопрос был заключен в одном слове.

Он кивнул:

— Да, я думаю, мне надо уйти.

— Сейчас?

Ее голос дрожал. Она чувствовала себя одинокой и испуганной. Она ускорила такую развязку, но другого пути не было, и она это знала.

— Так будет лучше. Я заберу свои вещи завтра.

Когда-нибудь это должно было кончиться, и теперь это когда-нибудь наступило. Он посмотрел на нее с грустной улыбкой:

— Я люблю тебя, Дафна.

— Спасибо.

Он произносил пустые слова. Он был пустым человеком. А потом дверь закрылась, и он ушел, а она сидела одна в своем кабинете и плакала. В третий раз в жизни ее постигла утрата, но на этот раз по совершенно иным причинам. И она потеряла того, кто на самом деле ее не любил. Он был способен любить только себя. Он никогда не любил Дафну. И во время своих горестных ночных раздумий она задавала себе вопрос: а может, это и к лучшему?

На следующий день, когда приехала Барбара, у Дафны был подавленный вид, под глазами круги. Она работала в своем кабинете.

— Ты себя нормально чувствуешь?

— Более или менее.

Наступила длительная пауза, в течение которой Барбара всматривалась в ее глаза.

— Сегодня ночью мы с Джастином расстались.

Барбара не знала, что сказать в ответ.

— Я могу спросить, почему, или мне заниматься своими делами?

Дафна улыбнулась усталой улыбкой:

— Это неважно. Просто так было нужно.

Но убежденности в ее голосе не было. Она знала, что будет скучать по нему. Он немало для нее значил на протяжении девяти месяцев, а теперь все кончилось. Какое-то время это обязательно будет причинять боль. Дафна это знала. Она и раньше испытывала боль. Придется испытать ее снова.

Барбара кивнула и села:

— Мне тебя жаль, Дафна. Но я не могу сказать, что сожалею. Он бы дурачил тебя еще сотню лет. Просто какой он есть, такой есть.

Дафна кивнула. Теперь она не могла бы не согласиться.

— Я думаю, что он даже не сознает того, что делает.

— Не знаю, лучше это или хуже, — для мужчины такая черта была просто позорна.

— В любом случае, это больно.

— Я знаю.

Барбара подошла к ней и похлопала по плечу.

— Что ты теперь собираешься делать?

— Ехать домой. Эндрю все равно здешняя школа не понравилась, да и я здесь чужая. Мое место в Нью-Йорке, в моей квартире, там я пишу книги, там я близко к Эндрю.

Но теперь все было бы иначе. Со времени своего отъезда она открыла в себе многие двери. Двери, которые будет трудно снова закрыть, да она и не была уверена, что вспомнит, как это делается. В Нью-Йорке она вела замкнутую жизнь, а в Калифорнии с Джастином проводила время порой очень весело.

— Как скоро ты собираешься возвращаться?

— Мне потребуется пара недель, чтобы закончить дела. У меня намечены переговоры в «Комстоке».

Дафна грустно улыбнулась:

— Они хотят снять фильм еще по одной моей книге.

Барбара затаила дыхание:

— Ты будешь писать сценарий?

— Нет, больше никогда. Хватит с меня одного раза. Я научилась тому, чему хотела научиться. Но отныне — я пишу книги, они пишут сценарии.

Барбара, казалось, была удручена. Она это предвидела. Даже если бы Дафна осталась с Джастином на Западном побережье, мало вероятно, что она бы снова взялась за это. Дафна целый год не писала книг и очень об этом сожалела.

— Итак, мы поедем домой.

Это было решение, которому Барбара не решилась прекословить. В тот вечер она бросилась в объятия Тому и, рыдая, рассказала ему.

— Господи Боже мой, Барб. Ты же не обязана ехать с ней.

У него был такой вид, словно он сам тоже вот-вот расплачется.

Но Барбара покачала головой:

— Я должна. Я не могу ее сейчас бросить. Она совершенно расклеилась из-за Джастина.

— Ничего, переживет. Я в тебе больше нуждаюсь.

— У нее нет никого, кроме меня и Эндрю.

— А кто в этом виноват? Она сама. Ты что, хочешь пожертвовать нашей жизнью ради нее?

— Нет.

От его объятий она только сильнее расплакалась и успокоилась через некоторое время.

— Я просто не могу ее сейчас оставить.

Это в какой-то степени напоминало то, что она пережила в свое время со своей матерью, но теперь некому было помочь ей добиться свободы, как это сделала тогда Дафна. Мать Барбары умерла год назад в доме престарелых, и теперь Барбара была привязана к Дафне.

Том удрученно посмотрел на любимую:

— Ну а когда ты сможешь ее оставить?

— Не знаю.

— Это скверно, Барб. Я не могу так.

В полном отчаянии он налил себе виски.

— Я просто не могу поверить, что ты способна на это. После того, что у нас было весь этот год, ты возвращаешься с ней в Нью-Йорк. Бог ты мой, черт побери, это глупо!

Он кричал на нее, и она опять начала плакать.

— Я это понимаю. Но она так много для меня сделала, и наступает Рождество, и...

Барбара знала, как тяжело всегда было Дафне в Рождество. Том этого не понимал, да ему и не обязательно было знать, но она не хотела терять его. Это была бы слишком высокая цена ее преданности Дафне.

— Послушай, я обещаю, я вернусь. Дай мне только время снова устроить ее в Нью-Йорке, и потом я ей скажу.

— Когда? — Том словно выстрелил этим вопросом. — Назови мне день, и тогда я заставлю тебя сдержать слово.

— Я скажу ей через неделю после Рождества. Обещаю.

— Сколько после этого ты намерена еще у нее проработать? — Он не отступал ни на дюйм.

Барбара хотела сказать месяц, но струсила, когда увидела выражение его глаз. Том был похож на раненого зверя, и ей больше не хотелось оставлять его, чем Дафну.

— Две недели.

— Ладно. То есть ты пробудешь там полтора месяца и вернешься.

— Да.

— А ты за меня тогда выйдешь?

У него был все такой же свирепый вид.

— Да.

Том наконец улыбнулся.

— Ладно, черт побери. Тогда я разрешаю тебе погостить у нее в Нью-Йорке, но больше мне такого не устраивай. Я этого не потерплю.

— Я тоже. — Барбара прильнула к нему.

— Я буду приезжать в Нью-Йорк на уик-энды.

— Правда? — Она посмотрела на него широко раскрытыми счастливыми глазами, и в этот момент ей можно было дать не больше двадцати лет.

— Обязательно. И если не случится ничего непредвиденного, я сделаю тебя беременной еще до того, как ты вернешься, и тогда я буду точно знать, что ты сдержишь слово.

Барбара засмеялась такому радикальному предложению, но идея ей понравилась. Он уже давно убедил ее, что она вполне еще может иметь одного или двух детей.

— Это вовсе не обязательно, Том.

— Почему? Мне это только приятно.

Спустя две недели Том приехал в аэропорт проводить их. Дафна выглядела очень по-нью-йоркски в черном костюме, норковой шубе и шапке, а на Барбаре был новый норковый полушубок, который Том купил ей.

— Вы обе действительно выглядите шикарно.

В них не было ничего лос-анджелесского. Когда же он целовал Барбару, то шепнул ей:

— Увидимся в пятницу.

Барбара улыбнулась и крепко обняла его, а потом они зашли в самолет, заняли места, и Дафна посмотрела на Барбару.

— Ты, кажется, не особенно расстроена. Я чувствую, что вы что-то затеваете.

Дафна рассмеялась, а Барбара зарделась.

— Когда он прилетит в Нью-Йорк? Следующим рейсом?

— В пятницу.

— Тоже неплохо. Будь я немного порядочнее, мне следовало бы уволить тебя прямо сейчас и сбросить с самолета.

Барбара наблюдала за выражением ее лица, но было очевидно, что Дафна шутит. Дафна казалась очень бледной в своей темной меховой шапке, а Барбара знала, что накануне вечером она встречалась с Джастином и догадывалась, что это было нелегкое свидание. В конце концов после обеда Дафна рассказала ей об этом.

— Он уже живет с этой девушкой.

— Из Огайо?

Дафна кивнула.

— Может, он на ней женится? — Барбара сразу пожалела, что сказала это. — Извини, Дафф.

— Ничего. Может, ты и права, но я в этом сомневаюсь. Мне кажется, мужчины вроде Джастина вообще не женятся. Я просто сама этого не знала.

Потом они говорили об Эндрю, и Дафна сказала, что поедет повидать его в ближайший уик-энд.

— Я хотела и тебе предложить, но теперь, раз у тебя более интересные планы...

Они обменялись улыбками, и тогда Барбара решила затронуть тему, о которой давно думала.

— А как насчет Мэтью?

— Что ты имеешь в виду? — Во взгляде Дафны мгновенно появилась настороженность.

— Ты знаешь, что я имею в виду. — Они слишком долго были вместе, чтобы играть в загадки.

— Да, знаю. Но он просто друг, Барб. Так оно лучше, — улыбнулась Дафна. — Кроме того, Эндрю говорит, что у него есть девушка. И я знаю, что это правда. Мэтт рассказал мне о ней в сентябре.

— У меня такое ощущение, что, знай он, что ты свободна, он бросил бы ее через десять минут.

— Я в этом сомневаюсь, да это и неважно. Я должна наверстывать год разлуки с Эндрю, к тому же хочу до Рождества начать новую книгу.

Барбара хотела сказать ей, что этого недостаточно, но знала, что Дафна не захочет это обсуждать. Они обе погрузились в свои мысли. Барбара была рада этому молчанию. Ей было неловко темнить Дафне насчет Тома, и в то же время она не была готова сказать ей, что они решили пожениться.

Они прибыли в Нью-Йорк, и Дафна радостно улыбнулась, когда они въехали в город:

— Добро пожаловать домой!

Но Барбара не разделяла ее радости. Она уже скучала по Тому. У Дафны же все мысли сосредоточились на Эндрю. Она постоянно о нем говорила на протяжении следующих нескольких дней и в конце недели забрала свою машину из гаража и поехала к нему. В дороге она сгорала от нетерпения и то пела, то улыбалась сама себе. По пути почти везде уже лежал снег, дорога была долгой и утомительной, но Дафне это было нипочем. Ей пришлось остановиться и надеть цепи на колеса, но она ни секунды не тосковала по ласковому калифорнийскому солнцу. Все, чего ей хотелось, — это быть с Эндрю. Она прибыла в городок в десятом часу, направилась прямо в гостиницу и оттуда позвонила Мэтту, чтобы сообщить ему, что приехала и в школе будет утром. Но к телефону подошел один из учителей и сказал, что его нет. «Ну и ладно», — прошептала она про себя, глядя в окно. Нечего было больше о нем думать, у него теперь была своя жизнь, а у нее был Эндрю. А на следующее утро, когда Дафна приехала в школу, радости мамы и сына не было предела.

— И теперь мы больше никогда не будем разлучаться. — Как ни странно, прошел целый год. — Через две недели я приеду и заберу тебя, и все рождественские каникулы мы проведем вместе у нас дома.

Приезды Эндрю в Калифорнию, несомненно, доказали, что он готов на длительное время уезжать из школы, но он посмотрел на нее и покачал головой.

— Я не могу, мама.

— Не можешь? — Она опешила. — Почему?

— Я уезжаю с ребятами.

Барбара была права. У него была своя жизнь, уже сейчас.

— Куда?

Дафна почувствовала, что у нее упало сердце. Значит, на Рождество она останется одна.

— Я поеду кататься на лыжах, — улыбнулся Эндрю. — Но перед Новым годом вернусь. Можно мне тогда будет приехать?

— Конечно, можно.

Она ласково засмеялась. Как много изменилось в жизни за год.

— А на Новый год мы будем дудеть в дудки?

— Да.

Дафну удивил этот вопрос, ведь он не мог бы их слышать.

— Мне нравится, что они щекочут губы, когда в них дудишь, а другие будут слышать звук.

Это, конечно же, был восьмилетний ребенок, несмотря на его самостоятельность.

И когда к ним подошел Мэтью, Дафна улыбнулась:

— Привет, Мэтт. Говорят, ты берешь Эндрю кататься на лыжах?

— Это не я. Я остаюсь здесь, чтобы закончить дела. Но их целая группа едет в Вермонт с другими учителями.

— Это, наверное, будет здорово.

Но в ее глазах он увидал печаль.

— Ты хотела, чтобы на Рождество он прилетел в Калифорнию?

Дафна еще не сказал ему, что вернулась насовсем. Просто Барбара звонила в школу и сообщила, что в данный момент Дафна находится в Нью-Йорке.

— Нет. Я думаю, что останусь в Нью-Йорке.

Она всматривалась в его глаза, но ничего там не видела.

— Эндрю сказал, что вернется к Новому году.

— Вот и отлично.

Их взгляды встретились над головкой мальчика и обменялись тысячей невысказанных мыслей.

— Когда ты уезжаешь, Мэтт?

— Двадцать девятого. Я думал, что еще задержусь здесь, но я очень нужен в нью-йоркской школе.

Он улыбнулся:

— Может, это звучит не очень скромно, но Марта говорит, что уволится, если я не вернусь, а они не могут позволить себе потерять нас обоих. Они ее действительно очень ценят.

— Не скромничай. Здесь тоже без тебя будет плохо.

— Да нет. На следующей неделе из Лондона приезжает новая директриса; и, судя по ее письмам, это отличная кандидатура. А я буду приезжать достаточно часто, на уик-энды, чтобы повидать ребят.

Из этого Дафна сделала вывод, что Гарриет Бато не исчезла с горизонта. Она это учла и в дальнейшем разговоре была с Мэттом осторожна. Сначала она было подумала, что Барбара права и надо сказать ему о разрыве с Джастином, но теперь это казалось ей неуместным, да и не было никаких оснований считать, что для Мэтта это имело бы какое-то значение.

— Почему ты не едешь кататься на лыжах с детьми? — Но Дафне казалось, что она уже знает.

— Я хочу остаться здесь с детьми, которые не могут поехать.

Дафна кивнула, но догадалась об истинной причине. А потом Мэтью занялся делами, и за два дня она виделась с ним мимолетно всего несколько раз. Он был чрезвычайно занят подготовкой к приезду новой директрисы. И, как бывало прежде, только в последний вечер, после того как Эндрю лег спать, они нашли время сесть и поговорить. Она решила, несмотря на плохую дорогу, ехать домой ночью с воскресенья на понедельник. Впервые за долгое время пребывание в Нью-Гемпшире было ей в тягость.

— Ну, как там в Калифорнии, Дафф?

Он подал ей чашку кофе и сел в свое старинное уютное кресло.

— Когда я улетала, все было в порядке. Я в Нью-Йорке с понедельника.

— Для Эндрю очень хорошо, что ты остаешься на Рождество. Как я понимаю, твой друг все еще не горит желанием с ним знакомиться. Или он прилетел с тобой?

Это был прекрасный повод, чтобы сказать ему, но Дафна им не воспользовалась.

— Нет, мне надо начинать новую книгу.

— Ты что, вообще никогда не отдыхаешь?

Улыбка Мэтта была доброй, но он был каким-то отстраненным.

— Как и ты. Как я заметила в последние два дня, ты заслужил нервное расстройство.

— Да. Только все некогда получить.

— Я тебя понимаю. Последние две недели съемок «Апача» были совершенно сумасшедшие, но финиш был великолепным.

Она рассказала ему о последнем дне и прощальной вечеринке, а он слушал и улыбался. Дафна была хорошей рассказчицей и старалась, чтобы разговор не перешел на личные темы. Она все еще не оправилась от обид и не хотела открываться даже перед Мэттом. Не столько из-за того, что сожалела о потере Джастина, сколько из-за того, что потерпела поражение. От Джастина и двадцатидвухлетней девицы из Огайо. Никогда раньше такого с ней не случалось. И не случится, она ежедневно себе в том клялась.

— Что ты будешь делать на Рождество без Эндрю?

В глазах Мэтта было беспокойство: может, Джастин к ней прилетит? В прошлый раз в беседе она упомянула, что, возможно, они поженятся.

— Мне будет чем заняться.

Ответ казался вполне подходящим, и Мэтью кивнул. Они помолчали — каждый погрузился в свои мысли, и он подумал о Гарриет. Она была замечательной девушкой, но не для него, и оба это знали. Несколько недель назад она стала встречаться с другим, и Мэтт полагал, что помолвка не за горами. Гарриет созрела для брака, и многие захотели бы воспользоваться этой возможностью, но он к таким не относился. Он не любил ее. А она была достойна лучшего, он сказал ей это при последнем свидании. Дафна пристально посмотрела на него и сказала:

— Ты что-то ужасно серьезен, Мэтт.

Он посмотрел на огонь, а потом на нее.

— Я думал, как все стремительно меняется.

Дафна задавалась вопросом, насколько сильно он увлечен той девушкой. Может, он собирается жениться? Но в тот момент она решила его об этом не спрашивать. Ей хватало и своих забот, а он, когда захочет, сам ей скажет.

— Да, ты прав. Я не могу поверить, что год уже кончается.

— Я же говорил тебе, что это не навечно.

Мэтью был спокоен и рассудителен. Дафна заметила, что у него в волосах по сравнению с прошлым годом прибавилось седины.

— И у Эндрю все в порядке, — он улыбнулся ей. — Да и твои дела не так уж плохи.

— Да, Эндрю молодец благодаря тебе, Мэтт.

— Это не так. Эндрю молодец, потому что он Эндрю.

Она кивнула и затем поднялась.

— Я лучше поеду, а то и до завтра не доберусь.

— Ты уверена, что это необходимо?

Мэтью огорчился, и она улыбнулась. За прошедший год он так часто ее успокаивал, что трудно было удержаться, чтобы не обнять его в этот раз, но она знала, что это будет нехорошо для него. Он казался довольным и сам сказал, что все меняется. Лучше было оставить все как есть.

— Не беспокойся за меня. Меня ничто не берет, ты же знаешь.

— Возможно, но на дорогах чертовски много снега, Дафф.

И, проводив ее до двери, он спросил:

— Ты мне не позвонишь, когда доберешься домой?

— Не выдумывай, Мэтт. Я приеду в три или четыре утра. Это только для меня нормальное время, а не для остальных людей.

— Это ничего, просто позвони. Я потом сразу опять засну. Я хочу знать, что с тобой все о'кей. Если ты мне не позвонишь, я не лягу, пока сам тебе не дозвонюсь.

В данном случае речь не шла о звонке вежливости, то было напоминание об их старой дружбе.

— Хорошо, я позвоню. Но мне очень не хочется тебя будить.

Дафна вспомнила об этом, когда медленно ехала в южном направлении по обледеневшему шоссе. Дорога заняла у нее больше времени, чем она рассчитывала, и домой она добралась только в пять утра. Звонить в такое время казалось преступлением, однако она вынуждена была признаться себе, что ей это хотелось. Она набрала его номер из своего кабинета, Мэтт сразу же сонным голосом ответил.

— Мэтт? Я дома. — Она говорила шепотом.

— Ты цела и невредима?

Он взглянул на часы. Было четверть шестого.

— Все в порядке. Спи дальше.

— Ну, хорошо. — Он с сонной улыбкой повернулся в кровати. — Это мне напомнило твои звонки из Калифорнии.

Она тоже улыбнулась, такое необычное время способствовало откровенности.

— Знаешь, я по тебе скучал. Твои наезды сюда какие-то странные. Я занят, да и люди кругом толкутся.

— Я знаю. Мне тоже неудобно.

Они немного помолчали, и Дафна подумала, что надо дать ему спать дальше.

— Ты сейчас счастлив, Мэтт?

Она хотела спросить его о Гарриет, но не решилась.

— Вполне. Я слишком занят, чтобы задавать себе этот вопрос. А как насчет тебя?

Дафна на мгновение растерялась, но потом опять восстановила свои защитные порядки.

— У меня все нормально.

— Замуж выходишь? — Ему пришлось спросить.

— Нет. — Но больше Дафна ничего не сообщила. — А вот Барбара, по-моему, да.

— За парня из Лос-Анджелеса?

— Да. Он просто замечательный. Она это заслужила.

— Ты тоже...

Слова выскользнули сами собой, и он сразу же пожалел о них:

— Извини, Дафф. Это меня не касается.

— Ничего. Я столько слез пролила тебе в жилетку в этом году.

— Но ты ведь уже больше не плачешь, Дафф, не так ли?

Мэтт говорил грустным тоном, и Дафна знала, что он спрашивает о Джастине.

— Последнее время нет.

— Я рад. Ты заслужила, чтобы у тебя в жизни было все хорошо.

— И ты тоже.

У Дафны на глаза выступили слезы, и она подумала, что оказалась в странной ситуации. Он имел право быть счастливым с той девушкой, но Дафна знала, что без него ей будет плохо. Когда он уедет из Говарда, больше не будет повода звонить ему. Они разве что могут время от времени пообедать вместе, но это все, а может, и это будет невозможно, если он женится.

— Спи, Мэтт, уже так поздно.

Он зевнул и снова посмотрел на часы. Было почти шесть, и пора было вставать.

— Тебе тоже надо немного поспать. Ты, наверно, устала с дороги.

— Немного.

— Спокойной ночи, Дафф, я тебе скоро позвоню.

Дафна звонила, чтобы передать кое-что Эндрю перед его отъездом в Вермонт, но Мэтта не было на месте; она собиралась позвонить ему на Рождество, но так и не позвонила. Машина сбила ее на Мэдисон авеню в рождественский сочельник, и вместо того, чтобы звонить Мэтту, она лежала в больнице Ленокс-Хилл, а Барбара смотрела на нее, и слезы медленно стекали по ее лицу. Барбара не могла поверить, что это случилось с

Дафной. И что она теперь скажет Эндрю? Дафна взяла
с нее слово не звонить, но раньше или позже это сделать придется, она это знала. И тем более если... Она
гнала от себя эту мысль. В этот момент Лиз Ваткинс
подала ей знак, что пора покинуть палату, и, проверив у
Дафны пульс, она поняла, что у той жар.

— Как она?

Лиз Ваткинс посмотрела Барбаре в глаза, пытаясь угадать, как она воспримет правду, и вышла
с ней в коридор.

— Неважно, честно говоря. Причины жара могут
быть разные.

Барбара кивнула, у нее снова выступили на глазах
слезы. Она пошла позвонить Тому, который весь день
ждал у нее в квартире. Скверно было праздновать Рождество таким образом, но она обязана была находиться
здесь с Дафной.

— Ох, детка...

Он подумал, что случилось самое страшное, но Барбара поспешила его успокоить. Она звонила уже деся-
тый раз, и Том огорчился, слыша, что она плачет.

— У нее жар, и сестра, по-моему, обеспокоена.

Том долго молчал:

— Тебе надо кому-то сообщать, Барб?

Ей на плечи теперь легла громадная ответственность.

— У нее нет родных, кроме Эндрю.

Барбара стала тихо всхлипывать, думая о нем, сооб-
щение о потери матери убило бы его. Она знала, что в
этом случае забрала бы его с собой в Калифорнию к
Тому, но это было бы не то. Ему нужна была Дафна.
Да и всем им.

— И я не могу ему позвонить. Он уехал кататься на
лыжах. К тому же ему всего восемь лет. Ему не следует
на это смотреть.

— Она что, так плоха?

— Нет, но... — Барбара еле выдавливала из себя слова. — Она может не вытянуть.

Тогда Тому пришла в голову мысль.

— А как насчет того парня, директора интерната, он же ее друг?

— Что ты имеешь в виду?

— Не знаю, Барб, но для него это может что-то значить. Судя по твоим рассказам, мне всегда казалось, что там дело обстоит серьезнее, чем она сама говорила. Одно было ясно — Джастину она звонить не будет.

— Не думаю. — Барбара задумалась. — Но, может, я ему и позвоню.

Даже Барбара не знала, как они стали близки, но она подумала, что с ним можно посоветоваться, как быть с Эндрю.

— Я тебе еще позвоню.

— Хочешь, я приеду?

Она хотела сказать нет, но тут снова расклеилась. Она больше не могла это выносить. Он здесь был ей необходим.

— Никаких проблем. Я буду через десять минут.

Барбара назвала ему этаж, а он пообещал привезти ей чего-нибудь поесть. Есть ей не хотелось, но она знала, чтобы продержаться ночь, надо есть и пить много кофе. У Барбары было предчувствие, что дела у Дафны плохи, и она готовилась к самому худшему варианту.

Барбара долго сидела в телефонной будке, пытаясь решить, правильно ли будет, если она позвонит Мэтью. В один из немногих проблесков сознания Дафна велела ей не звонить. Но что-то подсказывало ей, что это нужно сделать. У Барбары была сумочка Дафны, и она заглянула в ее маленькую записную книжку. Рядом с

фамилией и именем Мэтью Дэйна был записан номер
его домашнего телефона.

Он ответил несколько рассеянно, словно был занят
работой.

— Мистер Дэйн, говорит Барбара Джарвис, из
Нью-Йорка.

Она почувствовала, что сердце у нее стучит и пальцы покрылись потом. Предстоял трудный разговор.

— Да? — Он, судя по голосу, удивился. Офици-
альные звонки от Дафны обычно не раздавались в вечернее время, тем более на Рождество. Он сразу вспомнил
имя секретарши. Может, она просто звонила, чтобы что-
то передать Эндрю?

— Я... Мистер Дэйн, мне пришлось вам позвонить.
С мисс Филдс произошел несчастный случай. Я сейчас
с ней в больнице...

— Это она просила вас позвонить?

Он, казалось, был потрясен, и Барбара с трудом
сдержала слезы, покачав головой.

— Нет.

Он услышал, что она плачет.

— Прошлой ночью ее сбила машина, и... мистер
Дэйн, она в реанимации и... — В этот момент рыдания
прорвались наружу.

— Господи! Она в очень тяжелом состоянии?

Барбара рассказала ему все, что знала, и слышала,
что голос у него дрожал, когда он отвечал.

— Она не хотела, чтобы я звонила вам или Эндрю,
но я подумала...

— Она в сознании? — спросил он с облегчением.

— Она приходила ненадолго в сознание, но сейчас
снова впала в забытье.

Барбара глубоко вздохнула и сказала ему то, что
говорила Тому:

— У нее только что появился жар.

Она также сказала ему, что это может означать, и ему пришлось контролировать свой голос, когда он задавал следующий вопрос. Мэтт внезапно понял то, что не доходило до него прежде, — каково ей было терять Джефри, а потом Джона. Больше он знать не хотел. Он не мог этого вынести.

— Барбара, а с ней есть еще кто-нибудь, кроме вас? Он не знал, как еще спросить.

— Нет, но сейчас должен прийти мой... жених. Он из Лос-Анджелеса...

И тут она поняла, что говорит ему не то, что он хотел бы знать. Она решила взять быка за рога.

— Мистер Дэйн, она порвала с Джастином месяц назад.

— Почему же она мне ничего не сказала? Казалось, он был еще более поражен, чем прежде.

— Она думала, что вы влюблены в местную девушку, и считала, что нехорошо будет говорить вам о Джастине.

— О Господи!

И он сидел с ней у камина, рассуждая, как меняются времена. Он чуть не застонал, слово в слово вспомнив содержание разговора. Он предполагал, что Дафна с Джастином вот-вот поженятся.

— Как вы считаете, следует ли нам сообщить Эндрю?

— Нет. Он ничем не сможет помочь. И слишком мал, чтобы без необходимости иметь с этим дело.

Мэтт посмотрел на часы, поднялся и стал расхаживать по комнате, держа в руке телефон.

— Я через шесть часов буду на месте.

— Вы приедете? — Барбара опешила. Этого она не ожидала.

— А вас это удивляет? — Он, очевидно, обиделся.

— Не знаю. Я просто решила, что обязана вам позвонить.

— И правильно сделали. И я не знаю, имеет ли это теперь значение, но просто ради информации: я полюбил ее с первого взгляда. Но я был слишком глуп и не решился ей об этом сказать.

Он почувствовал, что комок подступает к горлу, и услышал, что Барбара тихо плачет в трубку.

— Я не намерен теперь ее терять, Барбара.

Она кивнула:

— Надеюсь, что этого не случится.

Глава 37

Мэтью гнал в Нью-Йорк так быстро, как только мог, не переставая думать о Дафне. Каждый телефонный разговор, каждая встреча, казалось, неизгладимо запечатлелись в его памяти, и теперь все это мелькало в его голове, как кадры кинофильма. Пару раз он улыбнулся, вспомнив какие-то высказывания, но большую часть времени его лицо было мрачным. Он не мог поверить в происшедшее. Это не могло случиться. Не с ней. Не с Дафной. В ее жизни уже было столько всего, столько печали и боли, столько событий, требовавших бесконечного мужества. Невероятно, чтобы этому суждено было так закончиться, но он понимал, что это возможно, и мысль о том, что она может умереть до его приезда, заставляла его ехать еще быстрее.

В больницу Ленокс-Хилл Мэтью прибыл в два тридцать утра. В вестибюле почти весь свет был погашен, холлы на этажах были пустынны. Поднявшись, он пошел прямо к пульту отделения интенсивной терапии, и тогда его увидела Барбара. Она давно отправила Тома домой и настояла, что сама останется. До того сестра сказала им, что эта ночь будет критической. Дафна больше не могла находиться в том же состоянии, предстояло либо улучшение, либо потеря шансов на поправку.

— Мэтт?

Он обернулся на голос Барбары, сожалея, что то была не Дафна. Барбара не могла поверить, что он так быстро приехал. Должно быть, он летел по обледенелым дорогам. Ему повезло, что он не оказался в таком же состоянии, что и Дафна.

— Как она?

— Все так же. Она ведет тяжелую борьбу.

Мэтт печально кивнул. У него под глазами были мешки: он работал как проклятый, а тут еще такое. На нем были те же вельветовые брюки и толстый свитер, что и в момент, когда позвонила Барбара. Мэтт тогда наскоро написал записку ночному персоналу и выбежал за дверь, схватив пальто, ключи и бумажник.

— Я могу ее увидеть?

Барбара посмотрела на сестру, а та на часы.

— А чуть позже не можете?

— Сестра, — он повернулся к ней и схватился своими крепкими руками за ее стол. — Я семь часов ехал из Нью-Гемпшира, чтобы ее увидеть.

— Ну ладно.

Теперь это было не важно. А через час могло быть слишком поздно. Лиз Ваткинс проводила его до открытой двери ярко освещенной палаты, и там лежала Дафна, неподвижная, вся в бинтах и пластырях, заставленная аппаратурой. Мэтью ощутил чуть ли не физический шок, когда ее увидел. Прошло всего две недели с тех пор, как она последний раз была в Говарде, и теперь такая перемена. Он медленно вошел в палату, сел на пустой стул у изголовья и стал ласково гладить светлые волосы. Барбара наблюдала эту сцену, а потом отвернулась и вышла следом за Лиз. Она не хотела мешать, да и присутствие мужчины ее ободрило. Для такой женщины, как Дафна, одиночество не было полезно. А этот мужчина с добрыми карими глазами, казалось, очень Дафне подходил.

— Привет, крошка.

Он рукой коснулся нежной щеки, а потом сел и долго смотрел на нее, снова задаваясь вопросом, почему она не сказала ему о Джастине. Может, зря в нем проснулись надежды, может, она никогда не любила его и никогда не полюбит. Но, если она еще придет в себя, он ей обязательно скажет о своей любви к ней. Так он просидел около часа, глядя на ее лицо, и наконец Лиз пришла в палату проведать ее.

— Есть перемены?

Она покачала головой. Жар немного усилился. Лиз не уходила из палаты, но и его не прогоняла. Он сидел там до семичасового пересменка, и Лиз сообщила сестре утренней смены, в чем дело.

— Разреши ему там сидеть, Анна. Вреда он не причинит, да и кто знает, вдруг это ей поможет? Она ведь борется за жизнь.

Сменщица кивнула. Они обе знали, что иногда выживали люди, находившиеся, казалось, в безнадежном состоянии, и если присутствие кого-то из близких могло помочь, сестры не возражали. Лиз зашла в палату, чтобы попрощаться и еще взглянуть на Дафну. Ей показалось, что Дафна стала чуть менее бледной, но определенно сказать было трудно. Он же выглядел просто ужасно: на лице появилась щетина, а синяки под глазами стали еще темнее.

— Может, вам что-нибудь принести? — шепнула она ему. Это не полагалось, но она могла принести ему чашку кофе. Но Мэтт только покачал головой. А когда Лиз уходила, она заметила, что Барбара спит на диване. Она шла домой, думая, будет ли еще Дафна в палате, когда снова наступит ее дежурство. Лиз на это надеялась. Она думала о ней весь день и потом стала перечитывать фрагменты из «Апача», ее любимого романа. А когда снова пришла в отделение в одиннадцать часов вечера, то боялась спросить. Но сестра сказала ей, что он все еще в палате, и Дафна тоже. Барбара после полудня наконец пошла домой немного отдохнуть. Дафна же все еще держалась, но с трудом.

Лиз молча прошла к двери палаты и заглянула внутрь. Она увидела, что он стоял рядом с Дафной, глядел ей в лицо, почти умоляя ее глазами не уходить.

— Чашку кофе не желаете, мистер Дэйн? — Она прошептала его фамилию, которую ей сказали. Он, судя по всему, целый день ничего не ел, только без конца пил кофе.

— Нет, спасибо.

Он улыбнулся ей, его щетина стала заметнее, но глаза были сильными и живыми, а улыбка доброй.

— По-моему, ей лучше.

Жар прекратился, но за весь день она ни разу не шевельнулась. Он видел, как сестры подключали к ней разные трубки, а Дафна даже не вздрогнула. Он стоял и гладил ее волосы, а Лиз за ним наблюдала.

Она медленно подошла к кровати.

— Это удивительно, знаете. Иногда такие люди, как вы, помогают больному преодолеть кризис.

— Будем надеяться.

Они улыбнулись друг другу, и Лиз вышла, а Мэтью опять сел и продолжал вглядываться в лицо Дафны, и только на рассвете она наконец пошевелилась. Он в напряжении сидел на стуле и не сводил с нее глаз. Мэтью не был уверен, что могло означать ее движение, но потом она открыла глаза и повела ими по палате. Она была явно озадачена, видя его, и потом снова забылась, но всего на несколько минут. Мэтью хотел вызвать сестру, но боялся пошевелиться и еще подумал, что, может, сам отключился и все это ему приснилось. Но она снова открыла глаза и посмотрела долгим, тяжелым взглядом.

— Мэтт? — Ее голос был только чуть громче шепота.

— Доброе утро.

— Ты здесь?

Она говорила очень тихо и скорее всего не поняла, как он тут оказался, но улыбнулась, а он взял ее руку.

— Да. Ты долго спала.

— Как Эндрю?

— Прекрасно, — Мэтт говорил с ней тоже шепотом. — И с тобой все будет хорошо. Ты это знаешь?

Она слабо улыбнулась ему:

— Я себя пока неважно чувствую.

Мэтт оценил ее юмор. Он дежурил двадцать восемь часов в страхе за ее жизнь.

— Дафна... — Он ждал, когда она снова откроет глаза. — Я хочу тебе кое-что сказать.

Он почувствовал в горле комок и только гладил ее свободную руку, а она посмотрела на него и слегка кивнула.

— Я уже знаю.

— Как? — Он был разочарован. Она уже все знала и не хотела его выслушать?

— Ты... собираешься... жениться...

Она глядела на него своими большими голубыми печальными глазами, а он с изумлением посмотрел на нее.

— Неужели ты действительно думаешь, что я сидел здесь и ждал, пока ты проснешься, для того чтобы сказать, что собираюсь жениться?

Легкая улыбка скользнула по ее лицу:

— Ты всегда был таким благовоспитанным...

— Не благовоспитанным, ты глупышка.

Улыбка стала увереннее, она прикрыла глаза и с минуту не открывала их. А когда снова открыла, он пристально смотрел на нее.

— Я люблю тебя, Дафф. Я всегда тебя любил и буду любить. Вот что я хотел тебе сказать.

— Нет, нет.

Она попыталась покачать головой, но вместо этого только поморщилась.

— Ты любишь Гарриет... Бато... или как там ее зовут...

— Гарриет Боут, как бы ты ее ни назвала, для меня ничего не значит. Я перестал с ней встречаться после того, как сказал, что не люблю ее. Она знала правду. Единственная, кто ничего не знал, — это ты.

Она долго смотрела на него, пытаясь все это уяснить.

— Я винила себя за чувства, которые испытывала к тебе, Мэтт.

— Почему?

— Не знаю... Я думала, что это непорядочно по отношению... к тебе... или к Джастину.

Она снова посмотрела на него долгим взглядом:

— Я рассталась с ним.

— Почему же ты мне не сказала?

— Я думала, что ты любишь другую. — Они оба продолжали говорить шепотом. — И ты сказал...

— Я знаю, что сказал. Я думал, что вы с этим твоим Аполлоном Бельведерским собираетесь пожениться.

Она улыбнулась ему, и в ее взгляде была вся ее жизнь.

— Он сопляк.

— Ну и мы такими были. Я люблю тебя, Дафф. Ты выйдешь за меня замуж?

Две больших слезы сползли из ее глаз, она стала плакать и закашлялась. Он поцеловал ее глаза и приник своим лицом к ее лицу.

— Не плачь, Дафф... пожалуйста... все хорошо... Я не хотел тебя расстроить...

Значит, она его вообще не любила. Ему тоже хотелось расплакаться, но он только гладил ее волосы, пока она пыталась успокоиться.

— Извини... — Но тут он снова услышал ее голос и застыл на месте.

— Я тебя тоже люблю... Я думаю, что полюбила тебя в первый же день нашего знакомства... — Она заглянула ему в глаза, а слезы продолжали медленно стекать по ее щекам: — Я не могу выразить, как люблю тебя.

Лиз Ваткинс зашла в палату попрощаться с ним перед уходом и как вкопанная встала в дверях. Она услышала голос Дафны и увидела их головы рядом. Тогда она тихо постучала и вошла в палату. Она собиралась спросить, как Дафна, но увидела сама, подойдя к кровати. Они оба плакали, а Дафна еще и улыбалась.

— Вы похожи на счастливую пару.

— Так оно и есть, — ответил Мэтт за свою будущую жену. — Мы только что решили пожениться.

— А перстенек покажете? — Глаза Лиз тоже сияли. Ей было достаточно взглянуть на Дафну, чтобы сказать, что она поправится. Кризис прошел, и худшее было позади. — Где перстенек-то? — пошутила она ласково.

— Она его съела. Поэтому и попала сюда.

Лиз снова оставила их одних, и Мэтью с улыбкой посмотрел на Дафну.

— Не рано будет через неделю?

— А у меня тогда еще будет так болеть голова? — Она выглядела очень усталой, но необыкновенно счастливой.

— Надеюсь, что нет.

— Тогда следующая неделя годится. А Эндрю приедет?

— Да, и об этом я тоже хотел с тобой поговорить. Что, если он будет учиться в нью-йоркской школе?

— И жить дома?

— По-моему, он готов.

Дафна все еще улыбалась, когда сестра утренней смены вкатила в палату раскладушку, разложила ее рядом с кроватью Дафны и, улыбнувшись, сказала:

— Это приказ врача. Он сказал, что, если вы не поспите хоть немного, мистер Дэйн, он вам даст общий наркоз.

Когда сестра вышла из палаты, Мэтт вытянулся на раскладушке и взял руку Дафны в свою. Она опять уснула, но это уже не был опасный симптом. Мэтью знал, что Дафна поправится, и, засыпая, улыбался про себя. Какими же дураками они были! Надо было сказать ей еще год назад, но теперь это уже было неважно... ничто не было важно... кроме Дафны.

Уважаемые читатели!
Даниэла Стил готова ответить на ваши вопросы.
Присылайте их по адресу:
129085, Москва, Звездный бульвар, 21
Издательство АСТ, отдел рекламы

Литературно-художественное издание

Стил Даниэла

Только раз в жизни

Художественный редактор О.Н. Адаскина
Компьютерный дизайн: Е.Н. Волченко
Технический редактор О.В. Панкрашина

Подписано в печать 06.07.99.
Формат 84x108 $^1/_{32}$. Усл. печ. л. 22,68.
Тираж 8000 экз. Заказ № 1239.

Налоговая льгота – общероссийский классификатор продукции
ОК-00-93, том 2; 953000 – книги, брошюры

Гигиенический сертификат
№ 77.ЦС.01.952.П.01659.Т.98 от 01.09.98 г.

ООО "Фирма "Издательство АСТ"
ЛР № 066236 от 22.12.98.
366720, РФ, Республика Ингушетия,
г.Назрань, ул.Московская, 13а
Наши электронные адреса:
WWW.AST.RU
E-mail: astpub@aha.ru

Отпечатано с готовых диапозитивов
в типографии издательства "Самарский Дом печати".
443086, г. Самара, пр. К. Маркса, 201.